mon alter ego 2

A2

MÉTHODE DE FRANÇAIS

Cahier d'activités

Céline Himber
Catherine Hugot

Véronique Mazarguil-Kizirian
(Prononciation – Phonie-graphie)

Anne-Marie Diogo (DELF)

hachette
FRANÇAIS LANGUE ÉTRANGÈRE

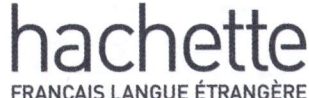

Crédits photographiques

Photos © Shutterstock

Autres :

p. 64 : Affiche *Les Papillons noirs* © GMT Productions – Arte France – Pictanovo Région Hauts-de-France – Collection Christophel ; Photo Niels Arestrup – © Nicolas Roucou – GMT Productions – Arte France – Pictanovo Région Hauts-de-France – Collection Christophel ; **p. 71 :** photo « Drôle de zoo » © STEFPHOTOGRAPHIES ; **p. 77** photos du site Abracadaroom © Unic Stay ; **p. 81 :** « Sieste pendant une courte pause à l'usine Hyundai de Pékin » © Gideon Mendel © Getty Images ; « Rituel du Kaffemik » © Mads Pihl ; **p. 96 :** *Dofus* « Les shushus de Rushu » © Ankama Éditions ; *Le Petit Prince* d'Antoine de Saint-Exupéry © Éditions Gallimard ; *Capital et idéologie* de Thomas Piketty © Éditions Le Seuil ; *La Faille* de Franck Thilliez © Fleuve Éditions ; **p. 97 :** *Vivre vite* de Brigitte Giraud © Éditions Flammarion, 2022 ; *Les Gens de Bilbao naissent là où ils veulent* de Maria Larrea © Éditions Grasset & Fasquelle, 2022 ; **p. 102 :** photo © Steve Skjold / Alamy Banque d'images

Nous avons fait tout notre possible pour obtenir les autorisations des documents publiés dans cet ouvrage. Dans le cas ou des omissions ou des erreurs se seraient glissées dans nos références, nous y remédierons dans les éditions à venir.

Remerciements :

Nous remercions **Anne Veillon-Leroux** pour la transcription phonétique des pages « Lexique » du livret.

Couverture : Anne-Danielle Naname
Maquette intérieure : Anne-Danielle Naname
Mise en page : Mediamax
Secrétariat d'édition : Sarah Billecocq
Relecture ortho-typographique : Virginie Guéné
Illustrations : Gabriel Rebufello (p. 14), Bruno David (p. 43)
Enregistrements audio, montage, mixage : Quali'sons : David Hassici
Maîtrise d'œuvre : Françoise Malvezin / Le Souffleur de mots

978-2-01-723053-3
© HACHETTE LIVRE, 2023
58, rue Jean Bleuzen, 92178 Vanves
http://www.hachettefle.fr

Le code de la propriété intellectuelle n'autorisant, aux termes des articles L. 122-4 et L. 122-5, d'une part, que « les copies ou reproductions strictement réservées à l'usage privé du copiste et non destinées à une utilisation collective » et, d'autre part, que « les analyses et les courtes citations » dans un but d'exemple et d'illustration, « toute représentation ou reproduction intégrale ou partielle, faite sans le consentement de l'auteur ou de ses ayants droit ou ayant cause, est illicite ». Cette représentation ou reproduction, par quelque procédé que ce soit, sans autorisation de l'éditeur ou du Centre français de l'exploitation du droit de copie (20, rue des Grands-Augustins, 75006 Paris), constituerait donc une contrefaçon sanctionnée par les articles 425 et suivants du Code pénal.

Hachette s'engage pour l'environnement en réduisant l'empreinte carbone de ses livres. Celle de cet exemplaire est de : **0,900 kg éq. CO2** Rendez-vous sur www.hachette-durable.fr

Imprimé en septembre 2024 en Italie par L.E.G.O. S.p.A. - Dépôt légal : octobre 2023 - Édition n° 02 - 30/3370/9

Sommaire

DOSSIER 1 — Être en relation ... 4
- **Leçon 1** Parler d'une relation amicale ... 4
- **Leçon 2** Décrire des changements dans la communication ... 8
- **Leçon 3** Raconter l'histoire d'une relation ... 12
- **BILAN** ... 16

DOSSIER 2 — Agir en consommateur ... 18
- **Leçon 1** Faire des courses ... 18
- **Leçon 2** Acheter / Vendre sur Internet ... 22
- **Leçon 3** Choisir une tenue vestimentaire ... 26
- **BILAN** ... 30

DOSSIER 3 — Choisir son cadre de vie ... 32
- **Leçon 1** Définir des critères pour le logement ... 32
- **Leçon 2** Définir des préférences pour le lieu de vie ... 36
- **Leçon 3** Indiquer des règles de vie ... 40
- **BILAN** ... 44

DOSSIER 4 — S'insérer dans la vie active ... 46
- **Leçon 1** Comprendre / Faire un descriptif de poste ... 46
- **Leçon 2** Postuler à un emploi ... 50
- **Leçon 3** (S') Informer sur une formation ... 54
- **BILAN** ... 58

DOSSIER 5 — Se distraire ... 60
- **Leçon 1** Choisir un restaurant, interagir au restaurant ... 60
- **Leçon 2** Comprendre / Émettre un avis sur une œuvre ... 64
- **Leçon 3** Communiquer sur un événement ... 68
- **BILAN** ... 72

DOSSIER 6 — Découvrir de nouveaux horizons ... 74
- **Leçon 1** Choisir / Décrire une destination ... 74
- **Leçon 2** Préparer / Raconter un voyage ... 78
- **Leçon 3** Raconter un défi, une aventure ... 82
- **BILAN** ... 86

DOSSIER 7 — S'informer, se cultiver ... 88
- **Leçon 1** (S') Informer sur l'actualité ... 88
- **Leçon 2** (S') Informer sur des manifestations sportives ... 92
- **Leçon 3** Comprendre / Donner un avis sur un livre ... 96
- **BILAN** ... 100

DOSSIER 8 — Se souvenir, transmettre ... 102
- **Leçon 1** Faire une biographie ... 102
- **Leçon 2** Décrire l'évolution de la vie quotidienne ... 106
- **Leçon 3** Exprimer une vision pour l'avenir ... 110
- **BILAN** ... 114

Annexes ... 116
- Portfolio ... 117
- Épreuve DELF A2 complète ... 121

LEÇON 1 — Parler d'une relation amicale

Lexique

Les interactions

1 Mettez les verbes soulignés à la bonne place.

a. Avec Lucille, on se téléphone tous les deux jours : on adore s'<u>aider</u> .... pour <u>accueillir</u> .... de tout et de rien.

b. Je loge souvent des amis chez moi : j'ai de la place pour les <u>discuter</u> .... et les <u>compter</u> ....

c. Je n'ai pas été sympa avec Luc, je l'ai vexé. Je n'aime pas lui <u>faire des confidences</u> ....

d. Martin aime <u>appeler</u> .... les autres : il fait beaucoup de choses pour ses amis.

e. Ne dis jamais de secrets à Manon : on ne peut pas lui <u>faire de la peine</u> .... : elle répète tout !

f. Tu peux faire confiance à Bruno : on peut <u>héberger</u> .... sur lui.

Les qualités

2 Lisez la liste des qualités de Loïc. Puis complétez sa description avec les adjectifs correspondants.

Les qualités de Loïc : la positivité – la disponibilité – la générosité – la fidélité – la sincérité – l'attention – l'humour

> Je voudrais te présenter Loïc ; c'est un très vieil ami, un ami *fidèle* : on s'est rencontrés à l'âge de 11 ans ! Tu vas l'adorer ! Il est ...., il me fait beaucoup rire ! Et il est toujours .... : il voit la vie du bon côté. C'est aussi un homme très .... aux autres : il écoute, il s'intéresse aux gens. Il est .... pour ses amis : il est toujours là quand on a des problèmes et aussi pour sortir, s'amuser… Et puis, Loïc est ...., toujours prêt à rendre service ou à aider. Son seul défaut, c'est qu'il est parfois un peu trop ...., il dit toujours la vérité, même quand elle est difficile à entendre. Mais bon, c'est aussi une qualité : on peut lui faire confiance !

Les relations

3 **Entourez la proposition correcte.**

Ex. : Stéphanie est la petite amie */ l'amie proche de Basile. Ils sont en couple mais ils ne sont pas mariés.*

a. Natalia et Sylvie sont des *connaissances / amies intimes.* Elles n'ont pas de secret l'une pour l'autre.

b. Armand est le *conjoint / pote* d'Isabelle. Ils sont mariés depuis trois ans.

c. Arnaud et Driss font partie du même groupe d'amis. Ils sont bons *confidents / copains.*

d. Fred ne connaît pas bien Jeanne, c'est seulement une *copine / connaissance* rencontrée une fois chez un ami.

e. Le samedi soir, Léon et Béatrice font souvent des soirées entre *potes / petits amis.*

Grammaire

Les pronoms COD et COI

4 **Répondez aux questions. Utilisez *le, la, l', les, lui* ou *leur*.**

*Ex. : Quand est-ce que tu vas téléphoner à Mathilde ? (demain) → Je vais **lui** téléphoner demain.*

a. Qui peut loger Jeanne et Elsa la semaine prochaine ? (Moi, jeudi et vendredi)

→ ....

b. Paul écrit souvent à Karine ? (Non, jamais)

→ ....

c. Tu n'as pas appelé Benjamin pour t'excuser ? (Si, ce matin)

→ ....

d. Je peux faire confiance à Noémie, elle ne va pas tout raconter à Yves ? (Oui, bien sûr)

→ ....

e. Tu ne vas pas remercier Thomas pour son message ? (Si, tout de suite)

→ ....

f. Quand avez-vous tout dit à vos amis ? (Nous, hier soir)

→ ....

g. Johanna aide ses parents quand ils ont des problèmes ? (Oui, beaucoup)

→ ....

5 **Transformez les témoignages à la troisième personne.**

> 66 Ma meilleure amie, c'est Sandra. Elle est toujours là pour moi : elle m'écoute quand j'ai besoin de parler et elle me raconte aussi ses secrets. Sandra me fait vraiment confiance : elle m'a déjà prêté de l'argent quand j'ai eu des problèmes ! Elle me dit toujours la vérité mais ça ne me vexe pas : j'apprécie sa sincérité ! 99
> **Olivier, 30 ans**

a. → *La meilleure amie d'Olivier, c'est Sandra. Elle est toujours là pour lui : elle* ....

....

....

....

....

> ❝ On a rencontré Johanna chez une amie et, depuis, elle nous téléphone tout le temps : elle veut nous voir, elle nous invite au restaurant, elle nous propose des sorties… C'est bizarre parce qu'elle ne nous connaît pas bien ! ❞
> **Valentin et Sarah, 35 et 28 ans**

b. → *Valentin et Sarah ont rencontré Johanna chez une amie et depuis, elle* ....

Les verbes *écrire, lire, dire* au présent

6 Complétez avec les verbes *écrire*, *lire* ou *dire* conjugués au présent.

*Ex. : Nous nous **disons** tous nos secrets.*

a. Je discute beaucoup avec Laura mais on ne se .... pas tout.

b. Ils habitent loin l'un de l'autre : ils ne se voient pas souvent mais ils se .... régulièrement.

c. Quand vous parlez des heures au téléphone, qu'est-ce que vous vous .... ?

d. Je ne vous .... pas souvent de messages parce que vous ne les .... jamais !

e. Tu .... tous les posts de Joris sur Instagram ?

f. Nous ne nous .... jamais de SMS, nous préférons nous appeler.

Prononciation / Phonie-graphie

L'élision du *e* avec les pronoms COD

7 🔊 02 **Écoutez. Dans quel ordre entendez-vous les formes verbales ? Écrivez les numéros.**

Ex. : je lis – je l'lis – j'lis – je le lis – j'le lis → **2 – 4 – 1 – 5 – 3**

a. je comprends – je l'comprends – j'comprends – je le comprends – j'le comprends → ....

b. je donne – je l'donne – j'donne – je le donne – j'le donne → ....

c. Je répète – je l'répète – j'répète – Je le répète – j'le répète → ....

d. Je garde – je l'garde – j'garde – je le garde – j'le garde → ....

e. Je raconte – je l'raconte – j'raconte – je le raconte – j'le raconte → ....

f. Je contacte – je l'contacte – j'contacte – je le contacte – j'le contacte → ....

8 🔊 03 **Écoutez et entourez la forme verbale entendue.**

Ex. : Elle accueille. – ⟨Elle l'accueille.⟩

a. Il l'apprend. – Il apprend.   **b.** Il l'échange. – Il échange.   **c.** Il l'exprime. – Il exprime.   **d.** Il l'apporte. – Il apporte.

Communication

Décrire des relations et des interactions

9 **Quelle expression a un sens différent ? Barrez l'intrus dans chaque liste.**

Ex. : Je lui dis un secret. – ~~Je lui fais confiance.~~ – Je lui fais une confidence.

a. Tu peux compter sur moi ! – Tu peux me faire confiance ! – Tu peux me faire une confidence !

b. Il lui a fait de la peine ! – Il a fait quelque chose pour lui ! – Il l'a vexé !

c. Je l'accueille souvent. – Je l'appelle souvent. – Je lui téléphone souvent.

d. Elle discute avec lui. – Elle lui parle. – Elle lui dit un secret.

e. Nous lui avons fait confiance. – Nous l'avons aidé. – Nous avons fait quelque chose pour lui.

Comprendre – S'exprimer

10 Lisez cette annonce de La Poste. Cochez vrai ou faux. Puis citez des passages du texte pour justifier vos réponses.

ÉCRIRE UN BEAU MESSAGE D'AMITIÉ

Il n'est pas facile de remercier un ami pour son amitié. Nous ne savons pas toujours comment faire pour exprimer notre attachement et décrire l'importance de cette relation.

Pour quelles raisons envoyer un message d'amitié ?
Quand une amitié est forte et sincère, c'est important de le dire ! On ne dit jamais assez à un ami qu'on l'aime, qu'il est précieux. Il faut saisir la bonne occasion : le féliciter pour un examen ou un événement, le remercier pour un service, lui dire qu'on pense à lui pendant les moments difficiles. Un message écrit est aussi idéal pour exprimer des choses difficiles à dire, ou même s'excuser quand on a fait de la peine. Pour vous aider à déclarer votre amitié, découvrez ci-dessous nos modèles de messages ou de lettres :

> Merci d'être toujours là pour moi, dans les bons comme dans les mauvais moments. Tu as toujours répondu présent quand j'ai eu besoin de toi !
> Je suis heureux de ces heures passées ensemble à discuter, à refaire le monde.

a. Avec cet article, La Poste invite les gens à déclarer leur amitié par écrit. ☐ Vrai ☐ Faux

b. Selon l'article, c'est simple de dire à nos amis qu'ils sont importants pour nous. ☐ Vrai ☐ Faux

c. L'article donne des exemples de circonstances favorables pour exprimer son amitié. ☐ Vrai ☐ Faux

d. Dans l'exemple de message donné, la personne :

– remercie son ami(e). ☐ Vrai ☐ Faux

– parle de ses qualités. ☐ Vrai ☐ Faux

– évoque des moments passés avec lui/elle. ☐ Vrai ☐ Faux

11 Vous écrivez un message à votre meilleur(e) ami(e) pour le/la remercier de son amitié précieuse. Parlez des qualités que vous appréciez chez lui/elle, décrivez les moments que vous aimez passer avec lui/elle. Dites ce que cette amitié vous apporte.

LEÇON 2 : Décrire des changements dans la communication

Lexique

Les indicateurs temporels

1 Entourez la proposition correcte.

a. *À l'époque* / *À l'époque actuelle*, tout le monde a un smartphone.

b. Julien a déménagé, alors *avant* / *maintenant*, on ne se voit pas souvent.

c. *Aujourd'hui* / *Avant*, sans les portables, ce n'était pas facile de se donner rendez-vous.

d. *À l'époque* / *Aujourd'hui*, on ne se téléphonait pas comme *maintenant* / *dans le passé*.

e. *Avant* / *Quand* on était jeune, on utilisait d'autres moyens pour communiquer.

Les verbes pour indiquer un changement

2 Entourez dans la grille cinq autres verbes qui évoquent le changement.

E	R	O	T	R	A	N	S	F	O	T	U
P	F	J	R	E	G	M	O	D	I	F	B
U	S	A	A	D	I	M	I	N	U	E	R
C	H	A	N	G	E	R	C	H	A	M	E
D	R	I	S	G	T	R	I	C	H	O	Z
R	I	M	F	U	I	O	A	F	G	D	R
S	E	R	O	H	U	K	U	O	R	I	U
R	D	F	R	N	U	E	G	T	Y	F	O
A	U	G	M	E	N	T	E	R	O	I	T
A	I	D	E	V	E	L	O	P	P	E	R
B	R	O	R	G	M	E	N	T	I	R	O

La communication et le numérique

3 Complétez avec les mots suivants.

likes | SMS | ligne | suivre | visio | poster | se connecter | applis

*Ex. : Il faut **se connecter** sur son compte pour accéder aux informations.*

a. Beaucoup d'adultes et de jeunes jouent à des jeux vidéo en ....

b. J'aime bien les vidéos de ce youtubeur, j'ai envie de le .... sur Instagram.

c. Avec mon équipe, on ne se réunit jamais en présentiel, toujours en ....

d. Beaucoup de gens utilisent des .... de rencontre pour se faire des amis.

e. Ils ne s'écrivent jamais de mails, seulement des ....

f. Mon fils aime .... des vidéos parce que ses amis mettent des .... à chaque publication.

Grammaire

L'imparfait pour parler du passé

4 Conjuguez les verbes à l'imparfait.

Cette famille a décidé de limiter l'utilisation du smartphone à la maison. Ils expliquent leurs anciennes habitudes.

Moi, je ne .... (sortir) plus avec mes amis, je ne .... (descendre) pas de ma chambre.

Oui, et nous ne .... (réussir) plus à nous concentrer à l'école. Nous ne .... (travailler) pas bien.

On ne .... (partager) pas beaucoup de conversations ensemble à la maison et vous, les ados, vous ne .... (lire) plus de livres, vous .... (regarder) trop de vidéos.

Parce que toi, Émeline, tu ne .... (dormir) pas la nuit, tu .... (répondre) à tes messages à toute heure !

5 Réécrivez les textes suivants à l'imparfait avec le début indiqué.

a. On utilise des téléphones portables mais ils n'offrent pas beaucoup de possibilités : on ne peut pas se connecter à Internet, et les réseaux sociaux n'existent pas. Nous devons contrôler nos appels téléphoniques parce que nous avons un forfait avec un temps limité.

Avant l'arrivée des smartphones, on ....

b. – Comment faites-vous pour communiquer avec vos potes sans portable ?
– Parfois, nous nous téléphonons de la maison, mais nous ne nous envoyons jamais de messages ! Alors, on se rencontre dans un lieu précis et on passe du temps ensemble. Moi, je vais souvent dans une salle de jeux vidéo et mes amis viennent là-bas aussi.

– *Avant, comment* ....

La négation *ne... plus* et la restriction *ne... que*

6 Complétez avec *plus* ou *que/qu'*.

a. Aujourd'hui, on n'utilise .... de téléphone fixe à la maison, c'est terminé !

b. Je n'utilise les réseaux sociaux .... pour communiquer avec ma famille et mes amis proches.

c. On a limité l'utilisation du smartphone à la maison parce que nos ados ne nous parlaient .... !

d. Avant les smartphones, il n'y avait .... une manière de se connecter à Internet : sur un ordinateur.

e. Lison est désespérée ! Elle ne peut .... utiliser son téléphone, il ne fonctionne .... !

f. Je ne peux te parler .... quelques minutes, mon téléphone n'a .... de batterie !

Communication

Évoquer le passé et le présent

7 Trouvez si les phrases évoquent une époque actuelle ou passée. Associez.

a. À notre époque, tout le monde a un portable.

b. À l'époque, on n'avait pas de portable.

c. Quand j'étais enfant, on utilisait un téléphone fixe à la maison.

d. Quand on est disponible, on se téléphone.

e. On s'appelle en général avant le week-end.

f. Avant les smartphones, on ne s'appelait pas souvent.

g. Avant, il m'appelait tous les week-ends.

h. Je n'ai pas utilisé mon téléphone aujourd'hui.

i. Aujourd'hui, tout le monde utilise un smartphone.

• Époque actuelle
• Époque passée

Évoquer des changements

8 Décrivez les changements entre le passé et le présent, comme dans l'exemple. Variez les formulations.

Ex. : s'informer avec la télévision et les journaux / seulement avec Internet (je)
→ *Avant, je m'informais avec la télévision et les journaux. Maintenant, je ne m'informe qu'avec Internet.*
→ *Maintenant, je ne m'informe plus avec la télévision et les journaux, je ne m'informe qu'avec Internet.*

a. utiliser seulement votre smartphone / avoir un téléphone fixe à la maison (vous)
→ ....

b. s'écrire des messages ou des mails / s'envoyer des lettres ou des cartes postales (les gens)
→ ....

c. travailler seulement en présentiel / télétravailler deux jours par semaine (nous)
→ ....

d. utiliser un GPS / s'orienter avec un plan ou une carte (on)
→ ....

e. participer à des soirées jeux de société avec des amis / jouer à des jeux en ligne (je)
→ ....

Comprendre – S'exprimer

9 🔊 04 Écoutez l'émission de radio. Cochez la ou les réponse(s) correcte(s).

a. L'émission parle des jeunes qui...
   ☐ ne peuvent plus vivre sans leur smartphone.
   ☐ veulent se séparer de leur smartphone.
   ☐ n'ont jamais eu de smartphone.

b. Selon Emma, être née avec les smartphones, c'est...
   ☐ une bonne et une mauvaise chose.
   ☐ une chose normale.
   ☐ une dépendance.

c. Actuellement, des jeunes et des youtubeurs...
   ☐ font l'expérience de la déconnexion.
   ☐ testent un nouveau smartphone très performant.
   ☐ ne peuvent pas imaginer la vie sans smartphone.

d. Sans leur smartphone, les jeunes...
   ☐ ne passent pas de bonnes soirées.
   ☐ utilisent à nouveau des fonctionnalités de leur cerveau.
   ☐ retrouvent une bonne qualité de relation.

e. Aujourd'hui, ces jeunes utilisent...
   ☐ des smartphones avec un minimum d'applis.
   ☐ d'anciens téléphones.
   ☐ seulement des smartphones.

10 Imaginez : vous faites l'expérience d'une semaine sans smartphone. Rédigez un témoignage pour l'émission « Un monde d'avance » : décrivez les changements dans votre vie quotidienne et dites si c'est une bonne ou une mauvaise expérience.

LEÇON 3 : Raconter l'histoire d'une relation

Lexique

La relation

1 Associez les débuts et fins de phrases. (Plusieurs possibilités.)

a. Ils sont frères mais ils ne s'entendent pas : ils
b. Marianne et Christophe ne veulent plus vivre ensemble, ils
c. Florence et Hakim se sont rencontrés à l'école primaire, ils
d. Luc et Gaëlle vivaient loin l'un de l'autre, mais aujourd'hui, ils
e. Magalie et Raphaëlle sont d'accord sur tout, elles
f. Marc et Yassine ne se parlaient plus mais maintenant, fini les disputes ! Ils

1. se retrouvent.
2. se réconcilient.
3. se séparent.
4. s'entendent bien.
5. se disputent tout le temps.
6. prennent de la distance.
7. se connaissent très bien.

Les ressentis

2 Complétez le témoignage avec les mots suivants.

colère | marre | dommage | peur | heureux(se) | triste | content(e) | seul(e)

Femmes D'AUJOURD'HUI

Témoignages : elles nous racontent leurs histoires d'amour

Émilie Duchêne, 34 ans, animatrice radio.

« J'ai rencontré Joël à l'université. On formait un couple *heureux* : on s'entendait bien, on était .... de partager notre vie ensemble. Mais un jour, il a dû partir aux États-Unis pour une mission professionnelle de six mois. Au début, j'étais .... de le voir partir, je me sentais .... et j'avais .... de le perdre. Et puis j'ai appris à vivre notre amour à distance.

À la fin des six mois, Joël a voulu prolonger son contrat de six autres mois. Mais, moi, je ne pouvais pas aller le retrouver et j'en avais .... de l'attendre. J'étais en .... parce que sa vie professionnelle était plus importante que notre relation ! Alors on s'est séparés. C'est .... parce qu'on formait un beau couple, mais c'est la vie ! »

Grammaire

Le passé composé pour indiquer une chronologie d'événements

3 Complétez avec l'auxiliaire *être* ou *avoir* et accordez les participes passés quand c'est nécessaire.

a. Charles et Victor **ont** discuté ensemble pendant des heures. Ils .... tout de suite devenu...... amis.

b. Mathilde et moi, nous nous .... rencontré...... à l'école primaire. Ensuite, on .... fait...... toute notre scolarité ensemble et on a toujours été copines.

c. Axelle s'............ disputé...... avec sa meilleure amie et, après ça, elles se .... perdu...... de vue.

d. Michel .... tout de suite appelé...... son ami quand il .... rentré...... de l'étranger.

e. Johanna et Paul .... parti...... en vacances ensemble et leur relation .... changé...... .

f. Vous .... déménagé...... dans une autre ville quand votre fille .... né...... ?

4 Écrivez des mini-récits au passé composé, comme dans l'exemple.

a. Pierre voit Nina pour la première fois chez des amis / il tombe amoureux d'elle

Pierre a vu Nina pour la première fois chez des amis et il ....

b. nous entrons au lycée la même année / nous restons 3 ans dans la même classe / nous nous revoyons à la fac

....

c. Gaspard et Lila se mettent en couple / ils choisissent d'habiter à Paris / ils y vivent pendant dix ans

....

d. Mike et Lionel font connaissance à l'université / Mike va vivre en Allemagne / ils arrêtent de se voir

....

e. Angélique et Alma naissent la même année / elles grandissent dans la même ville / elles ne se rencontrent jamais

....

f. Jeanne dit son amour à Francis / elle lui écrit une lettre / il ne lui répond pas

....

L'imparfait, le passé composé et le présent pour décrire une évolution

5 Conjuguez les verbes entre parenthèses au passé composé, à l'imparfait ou au présent.

a. ❝ À l'adolescence, Delphine et moi nous **allions** *(aller)* dans le même collège. Nous .... *(se détester)*. Nous .... *(se pas se parler)*. Et puis un jour, notre professeur nous .... *(demander)* de faire un travail ensemble en classe. On le .... *(faire)* mais on .... *(ne pas être)* contents de cette situation. Finalement, pendant ce travail, on .... *(commencer)* à s'apprécier et notre relation .... *(se modifier)*. Aujourd'hui, on .... *(continuer)* à se voir et on .... *(partager)* de super moments ensemble ! ❞ Arnaud, 25 ans

b. ❝ Quand je .... *(être)* à l'université, Aurélie .... *(faire)* partie de mon groupe de potes. Je la .... *(trouver)* sympa, mais on ne .... *(se connaître)* pas très bien. Un jour, mon chien .... *(mourir)*. J'............ *(être)* très triste et quand Aurélie .... *(apprendre)* la nouvelle, elle .... *(venir)* me voir. Nous .... *(discuter)* pendant des heures et elle me .... *(remonter)* le moral. Maintenant, on .... *(s'adorer)* ! ❞ Célestine, 40 ans

Prononciation / Phonie-graphie

La différenciation passé composé / imparfait

6 🔊 05 **Écoutez et complétez les formes verbales (passé composé ou imparfait). Faites les modifications nécessaires sur les sujets.**

Je .... la linguistique à l'université. Je .... avec Pierre. Ce .... à Amsterdam. Ça .... mon premier amoureux. On .... rarement. Un jour, à cause d'un rendez-vous manqué, on .... pour de bon et on .... Je lui .... ma nouvelle adresse. Je lui .... de mes nouvelles, régulièrement mais plus maintenant.

Communication

Décrire une évolution

7 Observez les dessins puis décrivez l'évolution dans la vie ou les relations de ces personnes : comment c'était avant, ce qui a provoqué le changement et leur situation actuelle.

a.

L'année dernière, Flore ....

Mais un jour, ...

Maintenant, ...

b.

Avant, Margot et Pascal ....

Exprimer des ressentis

8 Imaginez les ressentis des personnes, puis associez les situations aux paroles. (Plusieurs réponses possibles.)

a. Anaïs ne comprend pas pourquoi son amie ne veut plus lui parler. → *Je suis en colère ! /* ....

b. Victor regrette de ne plus voir son ami d'enfance. → ....

c. Léo est triste parce qu'il n'a pas d'amis dans sa classe. → ....

d. Lina est heureuse, elle a un nouvel ami. → ....

e. Joakim ne veut pas dire la vérité à son ami. → ....

(Je me sens seul(e).) (C'est dommage !) (C'est chouette !) (Je suis content(e) !)

(J'ai peur de le perdre !) (Je suis déprimé(e) !) (Je suis en colère !) (J'en ai marre de cette situation !)

Comprendre – S'exprimer

9 Lisez l'article du site Gael. Cochez vrai ou faux. Puis citez des passages du texte pour justifier vos réponses.

Témoignage : ils ont été amis pendant 20 ans avant de tomber amoureux

Hélène (52 ans) et Stéphane (57 ans) ont fait partie du même groupe d'amis pendant plus de vingt ans avant de devenir un couple.

Hélène : « Quand j'ai rencontré Stéphane, je vivais seule, j'aimais faire la fête, et lui avait une femme et des enfants. Nous faisions partie de la même bande d'amis. On sortait, on partait en week-end, je le trouvais juste très sympa et plein d'humour. J'étais satisfaite de ma vie : un job que j'aimais, des amis sympas. J'appréciais d'être célibataire. Mais un jour, il m'a envoyé un SMS qui pouvait être interprété comme un message amoureux. J'ai été très surprise et alors, je l'ai vu d'une manière différente. À ce moment-là, il était à nouveau célibataire, on se retrouvait plus souvent. Mais nous avons attendu encore deux ans avant de devenir un couple. Moi, j'avais des doutes : avait-il vraiment des sentiments pour moi ? Après quelque temps, j'en ai eu marre de cette incertitude : je lui ai envoyé un message, une vraie déclaration d'amour à l'ancienne. Il a réagi assez vite et voilà ! La transition d'amis à amoureux s'est faite en douceur : nous connaissions l'essentiel de la vie de l'autre, nous partagions un passé et des amis communs. Aujourd'hui, cette proximité est précieuse et je suis heureuse d'avoir dans ma vie cet homme nouveau (mais connu). »

Stéphane : « C'était un vendredi, nous étions dans un bar. J'ai regardé Hélène et je me suis dit : cette femme est vraiment belle. J'ai commencé à lui montrer plus d'attention, mais elle ne remarquait rien. Quand je lui proposais de venir chez moi, elle venait toujours avec une copine... Et puis il y a eu ce message vocal, cette déclaration d'amour. À ce moment-là, je me trouvais dans une phase difficile et je n'imaginais pas tomber amoureux. J'ai écouté le message quatre ou cinq fois, puis je suis allé demander conseil à mon voisin. Il m'a dit qu'un peu de romantisme dans la vie, c'était bien ! J'ai alors envoyé un message d'amour en retour, et voilà ! Aujourd'hui, on est un peu comme des ados. Je n'imaginais pas vivre cela à 57 ans ! C'est extraordinaire d'avoir dans ma vie cette femme drôle et attentionnée, qui a été pendant longtemps une amie. »

a. Hélène et Stéphane sont d'anciens amis. ☐ Vrai ☐ Faux

b. Ils étaient tous les deux en couple quand ils se sont rencontrés. ☐ Vrai ☐ Faux

c. Hélène a été la première à écrire un message amoureux. ☐ Vrai ☐ Faux

d. Stéphane a répondu positivement à la déclaration d'amour d'Hélène. ☐ Vrai ☐ Faux

e. Hélène et Stéphane sont satisfaits de leur situation actuelle. ☐ Vrai ☐ Faux

10 Répondez à cet appel à témoignages du magazine *Causette*.

BILAN

Compétences linguistiques .../50

1 **Mettez les mots dans l'ordre. Puis associez la qualité correspondant à chaque description.**
(1 point par réponse correcte) .../12

la disponibilité · la tolérance · la fidélité · la sincérité · l'attention · la générosité · l'humour

Ex. : Jules est proche de Nora : lui – il – problèmes. – quand – écoute – elle – raconte – ses – l' → **il l'écoute quand elle lui raconte ses problèmes.** → *l'attention*

a. Léa adore Tom : rire – lui – drôles – et – histoires – raconte – il – fait – il – des – la
.... → qualité : ....

b. Marius est sympa avec ses amis : leur – argent – il – souvent – prête – et – de l' – aide – les – il
.... → qualité : ....

c. Martin, avec son ami Olivier : répond – le – et – il – toujours – lui – voit – quand – appelle – souvent – il – l' – il
.... → qualité : ....

d. Moi, avec Agathe : vexer – je – vérité – la – pas – peur – de – lui – la – et – dis – n'ai – je
.... → qualité : ....

e. Éliane apprécie Baptiste : est – le – comprend – il – et – l' – elle – comme – elle – accepte
.... → qualité : ....

f. Fabien et Guillaume sont mes amis d'enfance : connais – je – les – confiance – leur – très – et – fais – je – bien
.... → qualité : ....

2 **Choisissez un verbe de la liste puis écrivez la situation passée et présente, comme dans l'exemple.**
(2 points par phrase correcte) .../12

écrire · lire · dire · faire · avoir

	Avant	Maintenant
Ex. : je	des livres	tablette
a. on	en vacances : cartes postales aux amis	SMS
b. Luce à Floriane	tous ses secrets	peu de choses intimes
c. Yann et moi, nous	beaucoup d'activités ensemble	des sorties occasionnelles
d. vous	pour vous informer : le journal	des articles web
e. tu	peu d'amis	une belle bande de copains
f. les gens	avec un stylo et du papier	sur un ordinateur

Ex. : Avant, je lisais des livres. Maintenant, je lis sur une tablette.

a. ....
b. ....
c. ....
d. ....
e. ....
f. ....

16 | seize

3 **Conjuguez les verbes entre parenthèses au passé composé ou à l'imparfait.** *(1 point par réponse correcte)* .../15

> Quand j'**étais** (être) enfant, dans les années 1990, nous ne .... (avoir) pas d'ordinateur à la maison. Et puis, pour mes 15 ans, mes parents me .... (offrir) un ordinateur et une connexion à Internet. Ça .... (être) un vrai changement dans ma vie ! Je .... (apprendre) à l'utiliser et, très vite, je .... (se passionner) pour l'informatique. C'est comme ça que je .... (choisir) de faire des études dans ce domaine. **Hector, 40 ans**

> Je .... (avoir) mon premier téléphone à l'âge de 12 ans, un vieux téléphone à touches. Mes parents .... (ne pas vouloir) me donner un smartphone. Ce .... (être) difficile parce que tous mes copains .... (pouvoir) utiliser les réseaux sociaux, mais pas moi. Un jour, une idée me .... (venir) : je .... (faire) tomber mon téléphone dans l'eau, volontairement, pour le rendre inutilisable et je .... (aller) demander un nouveau téléphone à mes parents ! Mais ils .... (comprendre) ma ruse et je .... (devoir) attendre mes 14 ans pour avoir un smartphone ! **Sofia, 22 ans**

4 **Entourez la proposition correcte.** *(1 point par réponse correcte)* .../11

a. Je ne vois *que /* **plus** Karine, c'est *dommage / chouette*, je l'aimais bien !

b. Lila n'utilise *que / plus* très peu les réseaux sociaux, elle *est déprimée / a peur* d'être dépendante.

c. Claire est *en colère / contente* parce que son petit frère a cassé son smartphone ; elle ne peut *plus / que* l'utiliser, c'est terrible pour elle !

d. Avec les collègues, on ne se parle *qu' / plus* en visio. On *trouve dommage / regrette* la convivialité de nos réunions en présentiel, c'était bien !

e. Adeline en *a marre / a peur* des réseaux sociaux ! Elle ne voit *que / plus* ses amis en vrai !

f. Mélanie est *triste / heureuse* parce que sa relation avec Patrick a évolué de façon positive. Ils ne se disputent *que / plus* comme avant.

Compétences **socioculturelles** .../10

1 **Complétez avec les mots suivants. Faites les modifications nécessaires.** *(1 point par réponse correcte)* .../5

l'école primaire | le lycée | l'université | le collège | une licence

a. Léonie a passé le baccalauréat, elle a terminé ....

b. Maylis a étudié la médecine à ....

c. Léonore a 13 ans, elle est à ....

d. Simon a fait trois ans d'études, il a obtenu ....

e. Brahim a 6 ans, il entre à ....

2 **Associez ces personnalités françaises à leur(s) métier(s).** *(1 point par réponse correcte)* .../5

Catherine Deneuve | Jean Cocteau | Yves Saint-Laurent | Paul Gauguin | Édith Piaf

un(e) couturier(ère) | un(e) acteur / actrice | un(e) écrivain(e) | un(e) chanteur(euse)

un(e) artiste peintre | un(e) dramaturge | un(e) cinéaste

Résultats .../60

LEÇON 1 — Faire des courses

Lexique

Les commerces

1 Regardez la liste de courses. Pour chaque produit, écrivez dans quel commerce il faut aller. Proposez plusieurs formulations quand c'est possible.

Liste de courses :
- 3 biftecks
- 2 filets de saumon
- 1 camembert
- 150 g de jambon blanc
- 1 baguette tradition
- 1 melon
- 4 tomates
- 1 bouquet pour Mamie
- 1 bouteille de vin rouge
- 1 plat de lasagnes

Ex. : 3 biftecks → Pour les biftecks, il faut aller chez le boucher / à la boucherie.

2 filets de saumon → Il faut aller ....

Les produits de consommation courante

2 a. Indiquez le(s) produit(s) correspondant à chaque définition.

Ex. : des doses individuelles à utiliser avec une machine à café → des capsules de café

1. un produit liquide pour laver les vêtements → ....
2. un produit pour protéger la peau du visage → ....
3. un produit liquide fait à partir d'alcool pour le ménage → ....
4. un produit liquide pour se laver les mains → ....
5. des morceaux de coton ou de tissu pour nettoyer le visage → ....
6. un produit pour laver les assiettes → ....

b. Associez un contenant de la liste suivante à chaque produit (act. a).

un pot — une bouteille — un flacon — une boîte — un sac — un bidon

Ex. : une boîte de capsules de café

1. ....
2. ....
3. ....
4. ....
5. ....
6. ....

Caractériser des produits alimentaires

3 Entourez la proposition correcte.

a. J'aime ce fromage *fort* / *sucré*. J'en voudrais une tranche pas trop *épaisse* / *grasse*, s'il vous plaît.

b. Je voudrais deux avocats pour ce soir, bien *jeunes* / *mûrs*.

c. Je vais prendre un kilo de tomates pas trop *vieilles* / *mûres*, assez *fermes* / *molles*.

d. Je voudrais un poulet pour 4 personnes, *ferme* / *mûr* et pas *doux* / *gras*.

e. Ce gâteau est *jeune* / *délicieux*, il n'est pas trop *sucré* / *mou* !

Grammaire

Les adjectifs en *-able* pour caractériser des produits

4 Regardez les photos et complétez les légendes avec les adjectifs correspondant aux actions suivantes.

laver | utiliser plusieurs fois | plier | jeter après utilisation | composter | empiler | recycler

a. des chaises *empilables* / ....

b. des mouchoirs .... / ....

c. un sac .... / ....

d. des déchets .... / ....

e. des bouteilles .... / .... et ....

Le pronom *en* COD

5 Répondez aux questions. Utilisez le pronom *en*.

*Ex. : Tu prends des tomates ? (un kilo) → Oui, j'**en** prends un kilo.*

a. Tu veux prendre du fromage ?
(un morceau) → Oui, ...

b. J'achète combien de baguettes ?
(une) → Tu ....

c. Vous voulez des fraises ?
(une barquette) → Oui, nous ....

d. Elle va commander combien de pizzas ?
(deux) → Elle ....

e. Tu ne mets pas de sucre dans ton café ?
(plus) → Non, maintenant je ....

f. Tu as acheté de la lessive ?
(un bidon) → Oui, je ....

6 Complétez le témoignage de Lucas avec les pronoms *en* ou *le, la, l', les*. Faites les modifications nécessaires.

> " J'ai changé ma façon de faire les courses pour limiter les emballages et pour bien manger !
> – la viande : je la prends chez le boucher mais je ne .... mange pas beaucoup.
> – les produits d'épicerie : je .... achète en vrac.
> – les fruits et légumes : je .... mange beaucoup, tous les jours, et je .... choisis toujours de saison, chez le primeur.
> – les bouteilles d'eau, je ne .... achète plus du tout ! J'ai une gourde et je .... prends toujours avec moi.
> – le poisson : je .... consomme souvent. Mon poisson, je .... achète chez le poissonnier pour la qualité et je .... trouve toujours très bon ! " **Lucas, 26 ans**

Communication

Faire un achat alimentaire

7 Complétez le dialogue (plusieurs formulations possibles).

– Bonjour Madame, *vous désirez / qu'est-ce qu'il vous faut* ?

– Bonjour ! Je voudrais des tomates. ....

.... ?

– Elles sont à 8,50 € le kilo ! ....

.... ?

– Mettez-en un kilo, s'il vous plaît !

– .... ?

– Je vais prendre aussi des haricots verts. ....

.... ?

– Ah non, ... aujourd'hui. Vous voulez un autre légume à la place ?

– Oui, des petits pois. .... 600 grammes.

– Voilà les petits pois ! .... ?

– Non, c'est tout pour aujourd'hui. .... ?

– Ça fait 13,80 €, s'il vous plaît ! .... ?

– .... ! Voilà, j'ai la somme exacte !

Caractériser des produits alimentaires

8 Associez pour caractériser les aliments.

a. Cette tomate est verte, • • 1. elle n'est pas assez tendre.
b. Je ne donne pas cette viande à mon enfant, • • 2. il a du goût et il est très sucré.
c. Je n'aime pas ce fromage, • • 3. elle est trop mûre et trop molle.
d. Prends du melon, • • 4. Bien fine, s'il vous plaît.
e. Vous voulez une tranche comment ? • • 5. il est assez vieux et il est trop fort.
f. Je ne veux pas de cette banane, • • 6. elle n'est pas du tout mûre.

Comprendre – S'exprimer

9 Lisez ce témoignage. Cochez vrai ou faux. Puis citez des passages du texte pour justifier vos réponses.

Phenix | Phenix | Solutions | Produits | L'application | Ressources | FR ⌄ | Nous contacter →

← Accueil du blog

INITIATIVES POSITIVES

Transition vers le zéro déchet : le témoignage de Yaëlle

J'ai commencé par les changements faciles : dans ma salle de bain ! J'ai acheté des cotons lavables et des produits de toilette solides, sans emballage.

Après, je suis passée à la cuisine : j'ai décidé de faire mes courses en vrac. Mais, dans ma famille, on est six et aller au magasin trois fois par semaine pour acheter en vrac, c'était compliqué ! Alors, j'ai décidé de faire mes courses en ligne sur le site de *La Fourche bio*. Avoir les courses livrées à domicile, c'est la bonne solution ! Aussi parce que, pour le moment, je trouve que c'est encore difficile d'utiliser ses propres bocaux, ses sacs, etc. partout. À la boucherie, par exemple, on ne peut pas apporter ses propres boîtes. Mais, à mon avis, les habitudes vont changer progressivement.

Et il y a d'autres gestes zéro déchet faciles à adopter : la gourde, pour moi, c'est la base, je refuse d'acheter de l'eau ! J'ai aussi toujours un mug avec moi pour mon café.

a. Yaëlle a modifié ses habitudes de consommation progressivement. ☐ Vrai ☐ Faux

b. Yaëlle vit seule. ☐ Vrai ☐ Faux

c. Elle continue à aller dans des magasins de produits en vrac. ☐ Vrai ☐ Faux

d. Elle fait ses courses sur Internet. ☐ Vrai ☐ Faux

e. Selon Yaëlle, c'est très facile d'avoir un mode de vie « zéro déchet ». ☐ Vrai ☐ Faux

f. Yaëlle achète parfois des bouteilles d'eau. ☐ Vrai ☐ Faux

10 Vous écrivez un témoignage sur vos habitudes de consommation pour le blog de Phenix. Expliquez où et comment vous faites vos courses, ce que vous avez changé dans votre manière de consommer et quels sont vos gestes zéro déchet.

LEÇON 2 — Acheter / Vendre sur Internet

Lexique

Les achats sur Internet

1 Mettez les mots soulignés à la bonne place.

https://www.toutenligne.fr

Promotions du moment | Maison | Décoration | Loisirs | Mes commandes

Achetez en toute sécurité !

Quand vous avez terminé vos <u>objets</u> ...., validez votre panier puis choisissez la <u>commande</u> .... à domicile ou le <u>paiement</u> .... Ensuite, procédez au <u>remboursement</u> .... de vos achats : tapez les informations de votre carte bancaire.

Après la réception de votre <u>livraison</u> ...., vous avez un mois pour renvoyer les <u>achats</u> ...., que vous ne voulez pas garder et nous effectuons le <u>retrait en boutique</u> .... sur votre compte bancaire.

Décrire des objets

2 Entourez la proposition correcte.

Ex. : J'aime bien ce miroir (rectangulaire)/ cylindrique.

a. On a acheté pour notre fille un lit *de forme* / *en forme* de bateau.

b. Pour mon salon, je cherche une petite table *ovale* / *cylindrique*, *en* / *de* bois.

c. On utilise ces bocaux en *verre* / *cuir* pour conserver les produits d'épicerie.

d. Comme cadeau pour l'anniversaire d'Ella, on prend ce vase en *soie* / *céramique* ou ce joli sac en *cuir* / *fer* ?

3 Complétez la fiche descriptive avec les mots suivants.

hauteur | poids | longueur | occasion | largeur | bon état
diamètre | état | usé | vintage | dimensions

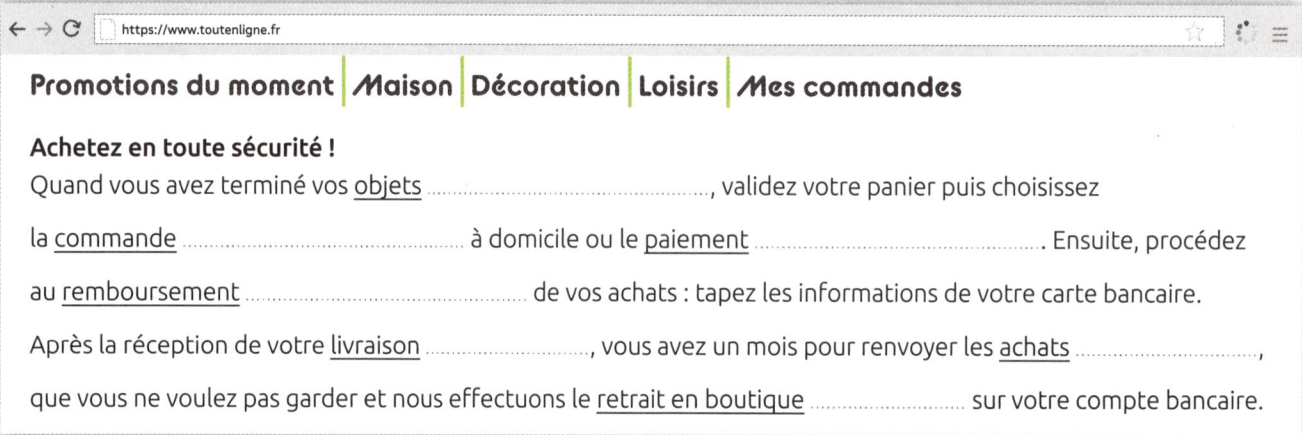

TABLE ANCIENNE

....
hauteur : 76 cm (jusqu'au plateau)
.... : 125 cm   .... : 79 cm
.... des pieds : 5 cm   .... : 25 kg

....
pieds en .... (rénovés), mais plateau ...., à peindre ou à rénover

Style .... (campagne)

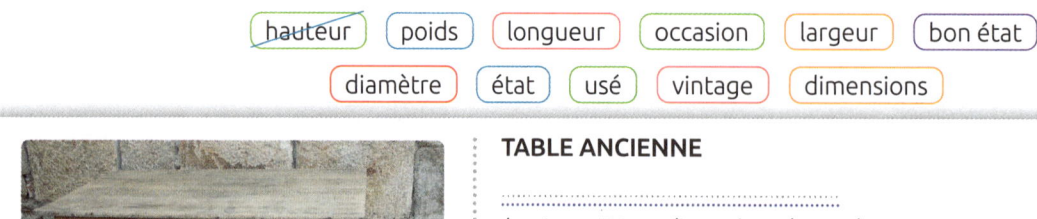

Table d' ....

250 €

Grammaire

Les pronoms relatifs *qui* et *que* pour donner une précision sur un objet

4 Transformez pour éviter les répétitions et complétez l'article.

1. Mettez vos photos dans des moules. Ces moules servent à faire des tartes et vous les transformez en cadres !
2. Fabriquez une petite table originale avec une valise vintage. Cette valise était abandonnée dans la cave.
3. Faites une lampe avec un vieux chapeau. Ce chapeau vient de votre grand-père ou vous l'avez trouvé dans une brocante.
4. Transformez ces jolies bouteilles en lampes ou en vases. Vous ne voulez pas jeter ces bouteilles mais elles ne servent plus.
5. Faites des porte-manteaux avec des vieilles cuillères. Ces vieilles cuillères prennent de la place dans les placards et vous ne les utilisez pas.

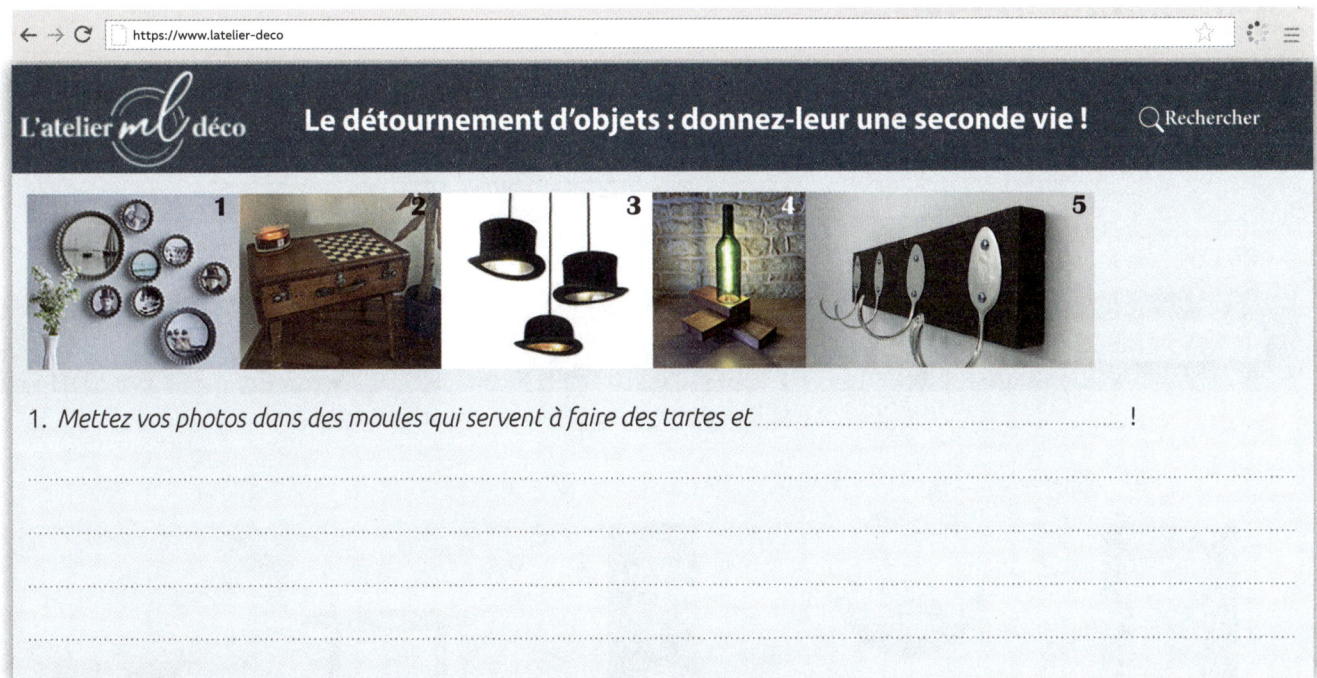

1. *Mettez vos photos dans des moules qui servent à faire des tartes et* .... !

....

....

....

5 Entourez le pronom relatif correct.

a. Cet artiste imagine ses créations à partir d'objets *qui* / (*qu'*) / *que* il récupère ou *qui* / *qu'* / *que* ses amis lui donnent.

b. L'*upcycling*, c'est l'art de récupérer des objets *qui* / *qu'* / *que* ne servent plus pour les transformer en d'autres objets.

c. Amélie aménage son appartement avec des meubles d'occasion *qui* / *qu'* / *que* elle achète chez Emmaüs.

d. J'ai acheté sur ce site de seconde main un objet de collection *qui* / *qu'* / *que* je trouve parfait comme cadeau pour Robin.

e. Ils ont décoré leur maison avec des objets anciens *qui* / *qu'* / *que* étaient chez leurs grands-parents.

f. C'est une bonne idée, ce bocal en verre *qui* / *qu'* / *que* sert de lampe !

Indiquer la fonction, l'usage

6 Complétez avec *de*, *à*, *pour*. Puis trouvez de quel objet il s'agit.

Ex. : *C'est un objet en verre qui sert **de** contenant pour mettre des fleurs.* → **un vase**

a. C'est solide, carré et ça sert .... se laver. → ....

b. Ça permet .... ouvrir les bouteilles de vin. → ....

c. C'est un meuble qu'on utilise .... dormir. → ....

d. On utilisait cet objet .... réchauffer le lit, ça servait .... bouillotte à l'époque. → ....

e. C'est un objet qui sert .... éclairer une pièce. → ....

Prononciation / Phonie-graphie

Les sons [b] et [v]

7 🔊 06 **Écoutez et cochez. Vous entendez deux mots identiques (=) ou différents (≠) ?**

Ex. : vase – base

	Ex.	a.	b.	c.	d.	e.	f.	g.	h.	i.
=	☐	☐	☐	☐	☐	☐	☐	☐	☐	☐
≠	☒	☐	☐	☐	☐	☐	☐	☐	☐	☐

Communication

Décrire des objets

8 Écrivez les légendes des photos. Utilisez les mots de la liste et faites les modifications nécessaires.

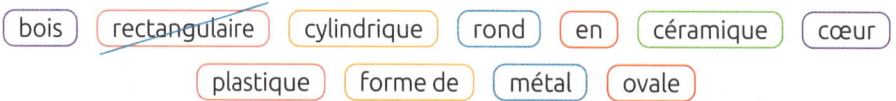

bois · rectangulaire · cylindrique · rond · en · céramique · cœur · plastique · forme de · métal · ovale

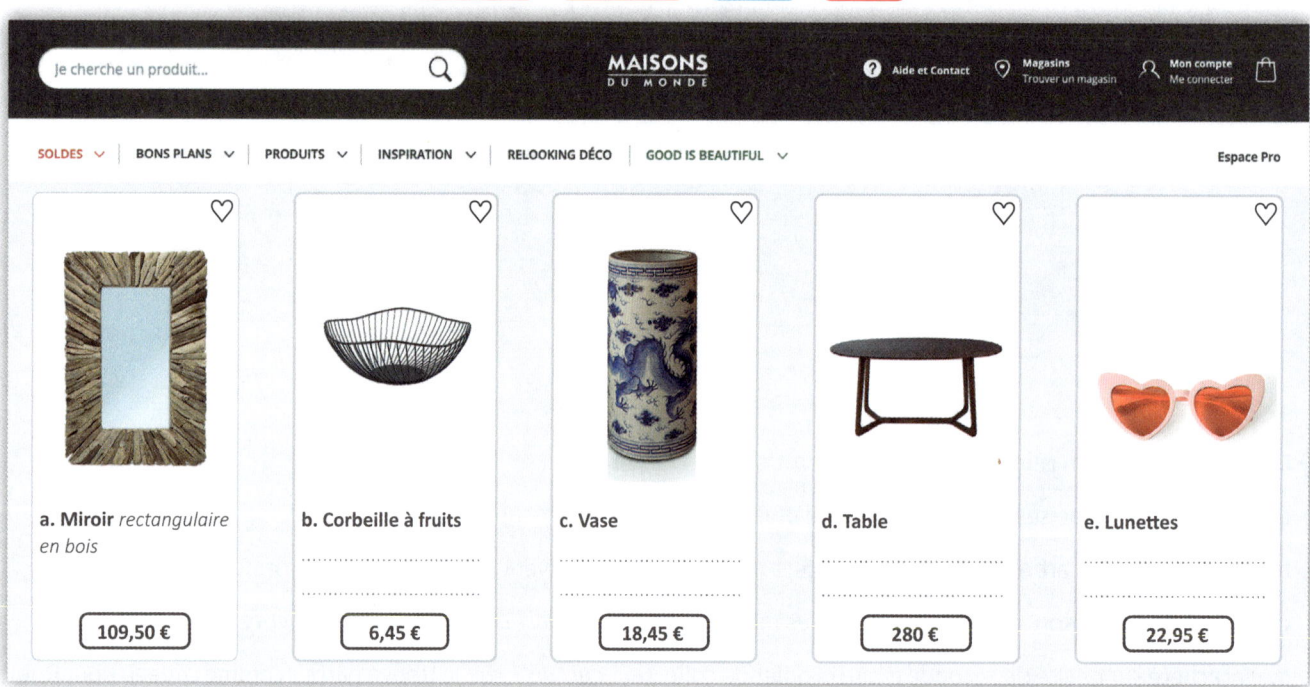

a. **Miroir** *rectangulaire en bois* — 109,50 €

b. **Corbeille à fruits** — 6,45 €

c. **Vase** — 18,45 €

d. **Table** — 280 €

e. **Lunettes** — 22,95 €

Indiquer la fonction, l'usage

9 Expliquez la fonction de chaque appareil ou objet. Variez les formulations.

a. un lave-vaisselle

Cet appareil sert ....

b. un porte-serviettes

c. un lance-pierre

....

....

d. un coupe-ongles

....

....

Comprendre – S'exprimer

10 🔊 07 **Lisez la présentation sur le site et écoutez l'interview d'Émilie. Puis cochez la ou les réponse(s) correcte(s).**

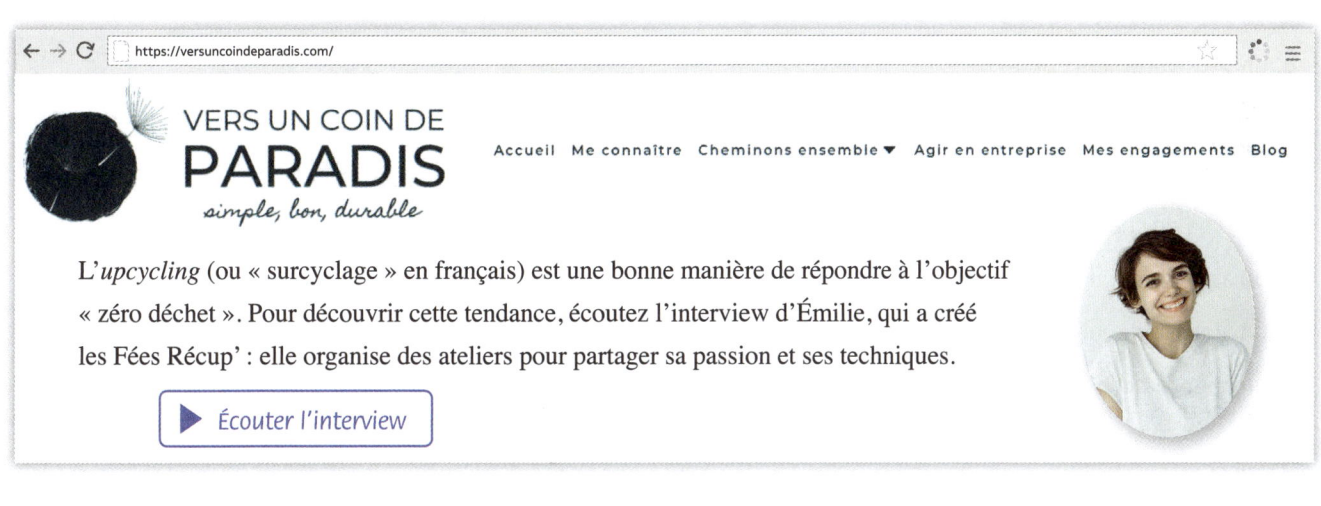

a. Émilie répond à des questions sur ☐ sa pratique professionnelle. ☐ un style de décoration. ☐ une passion personnelle.

b. Pour Émilie, l'*upcycling* permet ☐ d'acheter des objets pas chers. ☐ de limiter les déchets.
☐ d'avoir des objets personnels et originaux.

c. Émilie ☐ vient de découvrir l'*upcycling* ☐ a l'habitude de recycler des objets. ☐ ne connaît pas bien cette pratique.

d. Émilie pense que l'*upcycling* ☐ n'est pas compliqué. ☐ est une pratique difficile. ☐ nécessite beaucoup de matériel.

e. Avec les Fées Récup', Émilie ☐ vend des objets transformés. ☐ expose des objets transformés.
☐ montre comment transformer des objets.

11 Vous avez des objets que vous n'utilisez plus mais que vous ne voulez pas jeter ; vous avez des idées pour les transformer, ou vous cherchez des idées. Écrivez un mail à Émilie des Fées Récup' : indiquez de quels objets il s'agit, décrivez-les et précisez leur fonction. Puis demandez des idées ou des conseils pour les transformer.

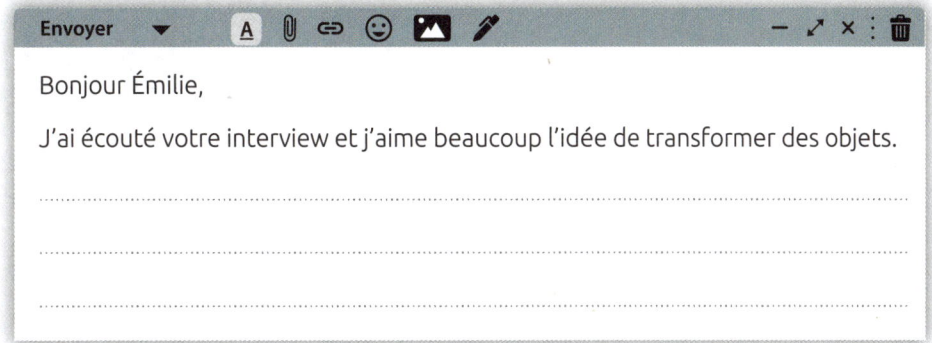

LEÇON 3 — Choisir une tenue vestimentaire

Lexique

Les vêtements et les accessoires

1 Entourez dans la grille les vêtements ou accessoires correspondant aux descriptions. Puis complétez les descriptions avec les mots trouvés.

Ex. : un vêtement chaud pour l'hiver : **un manteau**

a. une tenue formelle masculine : un(e) ....
b. un sous-vêtement : un(e) ....
c. un accessoire formel masculin : un(e) ....
d. une tenue féminine : un(e) ....
e. un type de chaussures, pour l'hiver : des ....
f. un accessoire qu'on porte autour du cou : un(e) ....
g. un accessoire qui va avec un pantalon : un(e) ....
h. un haut féminin : un(e) ....

```
L C E I N T U R E F A R
E R S K B S B U N J O I
M A N T E A U S I A N E
O V A I C L L E N C S N
M A T R I A L R J O S V
U T E O N E T T E S E T
S E N L I T B O T T E S
F O U L A R D I I U U L
A S S I T O R N A M T I
R E P R E B A T I E R P
E R A C H E M I S I E R
```

2 Barrez l'intrus.

a. une ceinture – une veste – un foulard – une cravate
b. un tee-shirt – un pull – une chemise – un pantalon
c. des bottes – des sandales – des manteaux – des chaussures
d. une robe – un costume – un chemisier – une jupe
e. une chemise – une veste – un blouson – un coupe-vent

Les formes, les motifs et les matières

3 Corrigez les légendes des photos.

a. Chemise en jean à manches longues à rayures
Chemise en coton ....

b. Robe longue rouge à paillettes et sandales noires plates

c. Robe courte à fleurs et chapeau noir à paillettes

d. Jupe courte en jean, veste en laine, chaussures à talons en coton

Grammaire

Les pronoms interrogatifs *lequel, laquelle, lesquel(le)s*

4 Complétez avec *lequel, laquelle, lesquels* ou *lesquelles*.

a. – Monsieur, vous avez essayé les deux pantalons ? **Lequel** prenez-vous ?

– Je prends le gris ; le noir ne me va pas.

b. – Je voudrais une jupe d'été. .... est plus légère ?

– Essayez la rouge, elle est en coton.

c. – Tu as besoin de sandales. Regarde, ... tu préfères ?

– J'aime bien les rouges, là, avec un petit talon.

d. – Nous cherchons des chapeaux pour les enfants.

– Regardez, nous avons plusieurs modèles, ... voulez-vous voir, le bleu ?

e. – J'hésite entre ces foulards. Tu peux me dire .... me vont bien ?

– Oui, essaie-les, je vais te dire !

f. – Je vais essayer la robe bleue !

– .... ?

– La robe courte.

Les verbes en *-yer* et le verbe *voir* au présent

5 Complétez avec les verbes *essayer, payer, nettoyer* ou *renvoyer* conjugués au présent.

a. – Vous .... comment ? Par carte ou en espèces ?

– Ah, non, moi je .... tout avec mon smartphone, c'est pratique !

b. – Très beau, ton sac ! Mais comment tu le .... quand il est sale ?

– Je le lave en machine.

c. – Les filles sont dans les cabines d'essayage ?

– Oui, elles .... des robes pour voir si ça leur va.

d. – Il est content du pantalon qu'il a acheté en ligne ?

– Non, il ne l'aime pas, il le ....

e. – Nous adorons acheter nos vêtements dans les brocantes !

– Mais, dans une brocante, vous ne .... pas les vêtements, ce n'est pas un problème ?

– Non, nous ne les .... pas, mais nous ne les .... que quelques euros !

6 Conjuguez le verbe *voir* au présent.

> 〝Nous avons des clientes qui viennent très régulièrement : quand elles .... des articles nouveaux en vitrine, elles entrent. Quand nous .... arriver une cliente fidèle, nous sommes très attentives et nous cherchons la tenue parfaite pour elle. Mais quand je .... qu'un vêtement ne lui va pas, je lui dis ! On est contentes quand on .... la cliente satisfaite. Et si elle .... un article qu'elle aime et qu'il n'y a pas sa taille, on le commande, bien sûr. Vous .... , j'aime mon métier !〞 Maya, responsable d'une boutique de mode féminine

Prononciation / Phonie-graphie

Le son [j]

7 08 **Écoutez et soulignez quand vous entendez le son [j].**

a. Un bon moyen de s'habiller sans payer cher, c'est d'acheter des pièces dans une boutique d'occasion.

b. Il y a une relation de confiance entre le vendeur et le client.

c. Tous les soirs, j'utilise du démaquillant, en grande bouteille pour mes filles et moi.

d. La radio et les flyers annoncent les vide-greniers aux passionnés de mobilier ancien.

Communication

Faire un achat vestimentaire

8 **Mettez les répliques à la bonne place dans le dialogue.**

- Oui, bien sûr ! Quelle est votre taille ?
- Vous voulez payer comment ?
- J'aime bien la rouge. Je peux l'essayer ?
- Bonjour Madame, je peux vous aider ?
- Vous faites quelle pointure ?
- Voilà un 40 !
- Ces sandales à talons vont bien avec la robe.

Vendeuse : ....

Cliente : Bonjour ! Oui, je cherche une robe longue élégante pour aller à une fête !

Vendeuse : Regardez, il y a ces trois modèles !

Cliente : ....

Vendeuse : ....

Cliente : Je fais du 40.

Vendeuse : ....

Cliente : Merci. Et est-ce que vous avez des chaussures assorties à la robe ?

Vendeuse : .... Voulez-vous les essayer ?

Cliente : Oui, d'accord ! Je veux bien.

Vendeuse : ....

Cliente : Je chausse du 38.

Vendeuse : Voici une paire en 38.

Cliente : C'est parfait ! Je prends la robe rouge et les sandales.

Vendeuse : ....

Cliente : Par carte.

Faire une appréciation sur une tenue

9 **Proposez d'autres formulations pour chaque situation.**

a. C'est trop petit pour moi !
→ ....

b. J'aime beaucoup cette robe, elle est parfaite pour moi.
→ ....

c. C'est très classe mais je n'ai pas l'habitude !

→ ....

d. C'est pas mal, ça va bien avec ma robe mais la couleur, je n'aime pas beaucoup !

→ ....

Dossier 2 – Leçon 3

Comprendre – S'exprimer

10 🔊 09 **Lisez la présentation de l'émission et écoutez un extrait. Puis cochez vrai ou faux.**

Le boom du marché de la seconde main

Nous sommes nombreux à acheter des vêtements de seconde main, sur les plateformes de vente en ligne mais aussi dans les brocantes ou dans les friperies*. S'habiller d'occasion, c'est une tendance actuelle qui permet de faire des économies et de respecter l'environnement. Aujourd'hui, on n'a plus peur de mettre un vêtement qui a déjà été porté.

Un choix du vintage qu'a fait Laurence Alcan, notre invitée.

*magasins de vêtements d'occasion

a. Laurence a découvert les plateformes de vêtements d'occasion avec sa fille.   ☐ Vrai ☐ Faux
b. Sur les plateformes de seconde main, elle achète seulement.   ☐ Vrai ☐ Faux
c. Elle choisit toujours des vêtements jamais portés.   ☐ Vrai ☐ Faux
d. Laurence est souvent satisfaite de ses achats.   ☐ Vrai ☐ Faux
e. Elle achète des vêtements de seconde main seulement parce que ça ne coûte pas cher.   ☐ Vrai ☐ Faux
f. Les personnes qui écoutent l'émission peuvent participer.   ☐ Vrai ☐ Faux

11 **Vous voulez témoigner dans l'émission de radio sur « le boom du marché de la seconde main » et vous écrivez un message pour participer.**
Présentez-vous. Expliquez vos habitudes pour vos achats de vêtements : est-ce que vous achetez / vendez des vêtements de seconde main ? Lesquels ? Pourquoi ? Sur quelles plateformes est-ce que vous achetez vos vêtements ? Achetez-vous dans des brocantes ou des friperies ? Sinon, expliquez pourquoi.

Bonjour,

Je voudrais participer à votre émission. Je m'appelle ....

BILAN

Compétences **linguistiques** .../50

1 **Entourez la proposition correcte.** *(1 point par mot correct)* .../13

a. – J'ai pris des pêches, elles sont *délicieuses* / *épaisses* en ce moment. Il faut des avocats pour ce soir.

Regarde s'ils sont *assez* / *trop* mûrs.

– Ah non, ils sont très durs : ils ne sont *pas du tout* / *pas très* mûrs ! Alors, on prend un melon ?

– D'accord ! *Lequel* / *Laquelle* tu choisis ?

– Ce melon ! Il va être bien *sucré* / *fort*.

b. – Oh, regarde ces chaussures ! Elles *me plaisent beaucoup* / *me vont bien* !

– *Laquelle* / *Lesquelles* ? Les vertes *à capuche* / *à talons* ?

– Oui ! Elles sont *pas mal* / *moches*, j'aime bien ! Oh, mais le prix… Je ne peux pas les acheter, elles sont *trop* / *assez* chères.

– Et regarde les petits sacs, là, ils sont *classiques* / *classe* ! Parfaits pour une fête !

– *Lesquels* / *Lequel* ? Les noirs à paillettes ? Ah oui, ils sont *très* / *trop* chics ! Et c'est *ton style* / *ta taille* !

2 **Décrivez les objets à partir des informations données. Ajoutez une caractéristique pour chaque objet (matière, forme ou motif).** *(3 points par objet décrit)* .../12

Ex. : **Ceinture** – cuir / métal – 110 cm
→ Cette ceinture unie est en cuir et en métal. Longueur : 110 cm

a. **Cravates** – machine à laver OK – 150 × 7 cm

Ces cravates ....
....

b. **Parapluie** – 90 grammes – plié, va dans la poche d'une veste

Ce parapluie ....
....

c. **Boîte** – bois – état

Cette boîte ....
....

d. **Fauteuil** – métal, coton – camping

Ce fauteuil ....
....

30 | trente

3. **Complétez avec *qui*, *que/qu'*, *à*, *de/d'*, *en* ou *chez* puis écrivez le nom de l'objet.** *(1 point par mot correct)* .../15

(un bocal) (un tire-bouchon) (un vase)

a. C'est un objet *que* les gens peuvent acheter ...... le caviste et ...... sert ...... ouvrir les bouteilles.
→ ....

b. C'est un objet ...... on utilise pour mettre un bouquet de fleurs. On ...... voit beaucoup ...... les fleuristes.
→ ....

c. C'est un objet ...... verre ...... sert ...... contenant et ...... permet ...... acheter les produits sans emballage, ... l'épicerie de vrac.
→ ....

4. **Conjuguez les verbes entre parenthèses puis associez pour former des phrases.** *(2 points par phrase correcte)* .../10

Ex. : a. – 1. – C. → Je **nettoie** toute la maison avec un produit ménager que j'achète en bidon.

a. Je (nettoyer) toute la maison
b. Ils (essayer)
c. Nous (payer) les produits
d. Vous (voir) ce bocal
e. Jeanne (envoyer) à son amie
f. Je (voir) des capsules

1. avec un produit ménager
2. des informations sur des cotons démaquillants
3. en verre
4. des nouveaux produits cosmétiques
5. de café
6. pas trop cher

A. qui sont compostables
B. parce qu'ils sont en vrac.
C. que j'achète en bidon.
D. qui ne sont pas mauvais pour la planète.
E. qui sont lavables et réutilisables.
F. pour les produits en vrac ?

Compétences **socioculturelles** .../10

1. **Où peut-on faire ces achats en France ? Associez.** *(2 points par item correct)* .../6

(les boutiques Emmaüs) (les vide-greniers) (les marchés alimentaires)

a. acheter des produits frais, des fleurs → ....
b. acheter des meubles ou des appareils de seconde main, rénovés → ....
c. acheter ou vendre entre particuliers des vêtements, des livres, des jeux, etc. → ....

2. **Complétez les définitions avec les noms des objets.** *(1 point par mot correct)* .../4

(la 2 CV (deux-chevaux)) (l'opinel) (le Bic) (le savon de Marseille)

a. ...., c'est un couteau pliable et solide qu'on emporte partout.
b. .... était une voiture très simple et très populaire.
c. .... est un stylo jetable que tous les écoliers utilisent dans le monde entier.
d. .... est un produit naturel, simple et économique qui sert à tout laver.

Résultats .../60

LEÇON 1 : Définir des critères pour le logement

Lexique

Les caractéristiques d'un logement

1 Lisez la description de l'appartement de Caroline. Puis cochez les caractéristiques correspondantes.

> « J'habite dans un quartier un peu loin du centre mais très agréable. Il n'y a pas de voitures qui passent dans ma rue et j'entends les oiseaux chanter ! Mon appartement est grand, il y a de l'espace et les pièces sont bien organisées. C'est un appartement ancien, il a beaucoup de charme ! Il y a de grandes fenêtres et une vue dégagée dans toutes les pièces. La lumière du soleil entre dans le salon toute la journée. Je suis au troisième étage et mon salon donne sur un petit espace extérieur de quelques mètres carrés. »

a. L'appartement de Caroline a ☐ une cour ☐ du cachet ☐ un balcon ☐ un vis-à-vis ☐ une terrasse.

b. Il est ☐ spacieux ☐ bien agencé ☐ dans un quartier animé ☐ dans un quartier calme ☐ excentré ☐ dans le centre ☐ exposé au sud ☐ lumineux.

2 Complétez l'annonce avec les mots suivants.

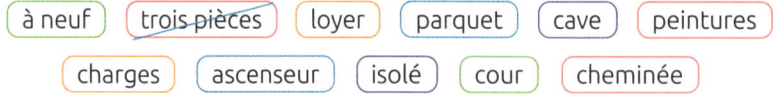

à neuf · trois pièces · loyer · parquet · cave · peintures · charges · ascenseur · isolé · cour · cheminée

SeLoger

+ Déposer une annonce

Description

Près de la place de l'Édit de Nantes, à proximité des commerces, ce beau *trois pièces* (T3) meublé est situé dans un immeuble ancien, au deuxième étage, sans .... Il comprend un séjour avec beaucoup de charme : du .... et une ...., une cuisine équipée et deux chambres avec placards. Appartement refait .... (......................... refaites en 2023) et bien .... : les fenêtres sont neuves. .... intérieure partagée, ... privative au sous-sol. .... : 995 euros par mois, ... comprises.

Grammaire

Si + présent pour exprimer une condition

3 Mettez *si* ou *s'* à la bonne place. Ajoutez une majuscule ou une virgule quand c'est nécessaire.

Ex. : ..... le propriétaire est d'accord ..... nous allons revisiter le studio. → **Si** le propriétaire est d'accord**,** nous allons revisiter le studio.

a. .... je veux bien habiter dans ce quartier .... il y a des transports à proximité.

b. .... l'appartement est moderne et bien agencé .... j'accepte de faire un compromis sur la surface.

c. .... il n'y a pas de travaux à faire .... on prend l'appartement !

d. .... vous voulez un logement lumineux .... il faut habiter à un étage élevé.

e. .... Maryse ne veut pas habiter au 4ᵉ étage .... il n'y a pas d'ascenseur.

f. .... c'est possible .... je voudrais un trois pièces avec un balcon ou une terrasse.

La comparaison (supériorité et infériorité)

4 Complétez avec *plus (de)*, *moins (de)*, *mieux* ou *meilleur(e)(s)*.

De : pierre.ballon@gmail.com

Salut la famille !

Ça y est ! J'ai emménagé dans mon nouvel appartement ! Je suis content, il est **mieux** que mon appart précédent !

Il est .... grand (il fait 45 m², l'ancien faisait 32 m²), il a .... pièces (une chambre supplémentaire) et il est .... agencé !

Autre point positif : j'ai .... problèmes de chauffage. Avant, j'avais un vieux radiateur électrique qui ne fonctionnait pas bien et l'appartement était mal isolé. Ici, l'isolation est de .... qualité parce que l'immeuble est .... moderne que l'autre. Fini le froid qui entre en hiver !

Bon, je suis .... loin du centre qu'avant, mais c'était mon choix d'habiter dans un quartier excentré, ... animé. C'est beaucoup .... bruyant que dans mon ancien quartier : je n'entends plus la circulation des voitures toute la nuit, donc, ça me réveille .... ! Quand est-ce que vous venez visiter ?

5 Formulez les comparaisons, comme dans l'exemple.

Ex. : le loyer de mon appartement / ton loyer (élevé → +) → Le loyer de mon appartement est **plus** élevé **que** ton loyer.

a. ton salon / ta chambre (lumineux → –) → ....

b. le studio de la rue des Lilas / le studio de la rue Montaigne (cachet → +)

→ ....

c. le logement de Claude / le logement de Nicole (bon emplacement → +)

→ ....

d. ce quartier calme / un quartier animé (me plaire → +) → ....

e. mon appart actuel / mon ancien appart (loin du centre → –)

→ ....

f. ce T3 / ce T2 (avantages → –) → ....

g. la maison de Romane / la maison de Mathilde (bien isolé → +)

→ ....

Prononciation / Phonie-graphie

La prononciation de *plus*

6 🔊 10 **Lisez à voix haute et cochez le son entendu : [ply] ; [plys] ou [plyz]. Puis écoutez pour vérifier.**

	[ply]	[plys]	[plyz]		[ply]	[plys]	[plyz]		[ply]	[plys]	[plyz]
Ex. : plus grand	☒	☐	☐	**d.** plus sombre	☐	☐	☐	**h.** plus loin du centre	☐	☐	☐
a. plus éloigné	☐	☐	☐	**e.** plus au centre	☐	☐	☐	**i.** plus ancien	☐	☐	☐
b. plus calme	☐	☐	☐	**f.** plus élevé	☐	☐	☐	**j.** plus beau	☐	☐	☐
c. plus de pièces	☐	☐	☐	**g.** plus de fenêtres	☐	☐	☐				

Communication

Exprimer une condition

7 **Formulez les conditions avec *si*, comme dans l'exemple.**

Ex. : Sylvie accepte de prendre l'appartement. Sa condition : la luminosité.
→ *Sylvie accepte de prendre l'appartement **s'il est lumineux**. / **Si l'appartement est lumineux**, Sylvie accepte de le prendre.*

a. Jérôme est prêt à habiter dans ce quartier. Sa condition : une rue calme.

→ ....

b. La condition de Sophie pour louer cet appartement : le cachet.

→ ....

c. Gilles et Marta veulent bien prendre un appartement sans balcon. Leur condition : un bon emplacement.

→ ....

d. Les conditions de Fouad pour louer cet appartement : deux chambres et une salle de bain avec baignoire.

→ ....

e. J'accepte de ne pas avoir d'espace extérieur. Ma condition : l'espace et l'agencement des pièces.

→ ....

Comparer des logements

8 **Comparez ces deux appartements.**

34 | trente-quatre

L'appartement 1 est plus ....

....

....

....

Comprendre – S'exprimer

9 🔊 11 **Écoutez l'extrait d'une émission de radio. Puis cochez la ou les réponses(s) correcte(s).**

a. L'émission donne des conseils
☐ aux personnes qui veulent vivre en colocation.
☐ aux étudiants qui cherchent un logement.
☐ aux personnes qui veulent acheter un logement.

b. Selon Julien Delaroche, les deux principales questions à se poser quand on cherche un logement concernent
☐ le type de logement.   ☐ le loyer.
☐ l'emplacement.   ☐ la présence d'un espace extérieur.

c. Quand on est étudiant, c'est plus avantageux d'habiter dans
☐ un logement individuel.   ☐ une colocation.
☐ un logement meublé.   ☐ chez l'habitant.

d. Quand on visite un appartement, il faut faire attention
☐ à l'aspect général de l'appartement.
☐ à l'état des équipements.
☐ à l'organisation des pièces de l'appartement.
☐ au bruit.
☐ aux équipements présents dans l'immeuble.
☐ aux autres coûts en plus du loyer.

10 **Un(e) de vos ami(e)s va emménager dans votre ville. Répondez à son mail et donnez-lui des conseils pour bien choisir son logement.**

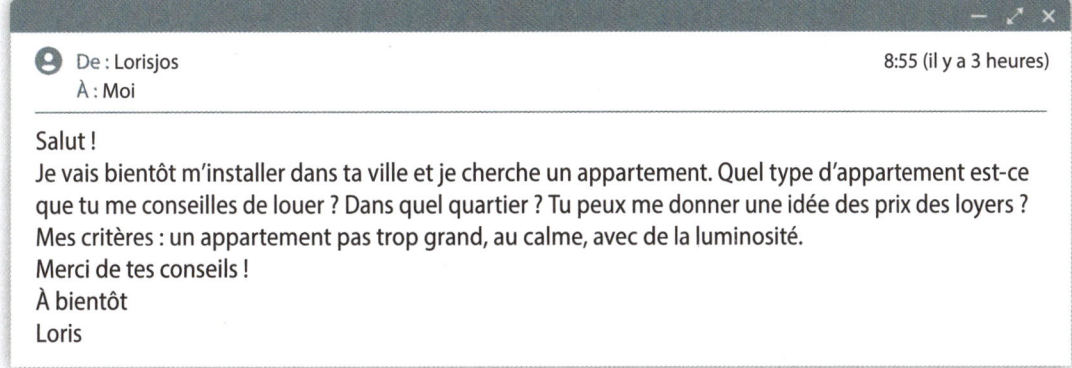

LEÇON 2 : Définir des préférences pour le lieu de vie

Lexique

Les caractéristiques d'un lieu de vie

1 Lisez ces commentaires d'habitants sur leur ville. Puis associez-les au critère correspondant.

la qualité de vie — l'ensoleillement — le coût de la vie — l'accessibilité — l'environnement naturel — la proximité des commerces — le rythme de vie — le dynamisme de la ville — la convivialité

Ex. : Il fait souvent beau, le climat est très agréable ! → **l'ensoleillement**

a. Les gens sont très accueillants, l'ambiance de la ville est chaleureuse ! → ....

b. Les transports en commun sont faciles à utiliser pour tous. → ....

c. Tout est cher ici : les logements, l'alimentation, les loisirs… → ....

d. La ville offre de nombreuses possibilités de loisirs et d'activités culturelles. → ....

e. La région est belle avec ses montagnes et ses lacs ! → ....

f. On a tout sur place : des marchés, des magasins, on peut faire les courses facilement. → ....

g. C'est une ville où on se sent bien et où les avantages sont nombreux ! → ....

h. Il n'y a pas trop de stress ici, on prend le temps de vivre. → ....

2 a. Complétez le dialogue avec les mots suivants. Faites les modifications nécessaires.

bas — ouvert — embouteillage — stressant — espace — stressé — bondé

– Alors, ta nouvelle vie à Nantes ? Ça va ?

– Super ! Je me déplace beaucoup à vélo, donc fini les transports en commun **bondés** ou les heures passées en voiture dans les .... !

– Et tu as trouvé un logement qui te plaît ?

– Oui, et pas trop cher ! Les loyers sont assez .... ici, comparé à Paris ! Le quartier où j'habite est très joli. Il y a beaucoup d'......................... verts.

– Et l'ambiance de la ville, les gens ?

– Le rythme de vie est moins .... ici ! Les gens prennent le temps de vivre, ils sont plus .... et ne sont pas .... comme à Paris. C'est agréable !

b. Légendez les photos suivantes avec des aspects évoqués dans le dialogue.

1. *Les transports en commun bondés*

2. ....

3. ....

4. ....

Grammaire

Le pronom relatif *où* pour donner une précision sur un lieu

3 À l'aide des informations, écrivez la description de chaque ville, comme dans l'exemple.

> https://www.geo.fr/voyage/quelles-sont-les-villes-villages-ou-lon-vit-le-mieux-en-france
>
> # GEO Le top 10 des villes où il fait bon vivre en France
>
> ❶ (Angers) ville médiévale, vie culturelle dynamique, bon réseau de transports en commun, 42 000 étudiants
> ❷ (Bayonne) ville située entre mer et montagne, climat doux en hiver, nombreuses traditions comme les fêtes de Bayonne
> ❸ (Biarritz) charmante station balnéaire du Pays basque, fêtes et animations rythment la vie, spécialités gastronomiques locales à goûter
> ❹ (Anglet) petite ville tranquille, agréable forêt à proximité pour les balades, possibilité de pratiquer différents sports (nautiques ou de montagne)
> ❺ (La Rochelle) ville à taille humaine, patrimoine historique important, nombreux bars et restaurants, déplacements à vélo faciles

1. *Angers est une ville médiévale **où** la vie culturelle est dynamique, **où*** ....

2. ....

3. ....

4. ....

5. ....

Si + présent pour exprimer une hypothèse

4 Associez puis formulez chaque hypothèse suivie d'une information sur le futur.

a. faire le choix d'une grande métropole
b. ne pas aimer la campagne
c. choisir une ville où les loyers sont bas
d. quitter la capitale

1. ne pas apprécier la vie dans ce village
2. devoir s'habituer à une vie culturelle moins riche
3. pouvoir habiter dans un logement plus grand
4. passer du temps dans les transports

Ex. : a-4 → *Si vous faites le choix d'une grande métropole, vous allez passer du temps dans les transports.*

5 Complétez les hypothèses avec des suggestions.

Ex. : Si vous avez de la famille dans une ville de province, **choisissez / vous pouvez choisir d'habiter près de chez eux**.

a. Si vous n'aimez pas les embouteillages, ...
b. Si tu veux changer de région, ...
c. Si vous voulez vivre à proximité de la mer, ...

La comparaison (égalité)

6 Complétez avec *aussi* ou *autant (de)*.

> ❝ J'avais peur de ne pas m'adapter à notre vie en province, mais finalement ça a été facile ! La ville n'est pas *aussi* grande mais on a une vie sociale .... riche qu'à Paris. Les bars et les restos ferment plus tôt mais on sort .... et notre vie culturelle est .... variée : il y a presque .... choix ! On a rencontré des gens très facilement et maintenant, on a .... amis qu'à Paris ! Pour les activités sportives, on en fait .... qu'avant et même plus ! Pour les trajets en voiture, c'est plus simple : j'habite .... loin de mon lieu de travail qu'avant mais je mets moins de temps pour y aller ! ❞ **Alexia, 35 ans**

Communication

Exprimer une hypothèse sur un choix

7 Mettez les mots dans l'ordre. Puis soulignez en bleu les suggestions et en vert les informations sur le futur.

Ex. : ce quartier – si – habiter – tu veux – ton logement – dans – va – cher – coûter
→ *Si tu veux habiter dans ce quartier, ton logement va coûter cher.*

a. les transports – on va – de temps – passer – on quitte – dans – la capitale – moins – si
→ ....

b. choisir – vous – consulter – pouvez – quelle ville – vous – ne savez pas – notre classement – si
→ ....

c. moyennes – Angers – l'attirent – elle va – si – adorer – les villes
→ ....

d. Annecy – allez – si – vivre – à – la montagne – vous aimez
→ ....

La comparaison (égalité, supériorité, infériorité)

8 À l'aide des statistiques et des avis, comparez ces deux villes. Variez les formulations.

Ex. : Il y a moins d'habitants à Rennes qu'à Strasbourg. /

Comprendre – S'exprimer

9 Lisez l'article et répondez.

S'installer à Montpellier

C'est décidé : vous allez vous installer à Montpellier et vous vous demandez où poser vos valises ? Comme toute grande ville, Montpellier a des visages bien différents selon le quartier. Faites votre choix !

Le centre-ville

Il se divise en plusieurs quartiers. Le quartier **Saint-Roch** est le centre historique de la ville, très animé. C'est l'endroit idéal pour boire un verre ou pour découvrir de jolies boutiques. Juste à côté, le quartier des **Arceaux** est aussi très ancien, comme en témoigne son patrimoine : l'aqueduc, la promenade du Peyrou, le jardin des plantes… Le quartier **Beaux-Arts** est un vrai village au cœur de la ville. On y trouve des commerces, des restaurants et un marché très apprécié. Le quartier **Boutonnet** offre un excellent cadre de vie. C'est un endroit assez vert avec des appartements et des maisons individuelles avec jardin. Enfin, **les Aubes** est un petit quartier très tranquille où on trouve des petites maisons et le beau parc Rimbaud que les retraités et les familles apprécient.

Les quartiers périphériques

Au Nord, le quartier d'**Aiguelongue** est un quartier résidentiel, très vert. Le cadre de vie y est calme et chic. Au Nord-Ouest, se trouve le quartier universitaire **Hôpitaux-facultés**. Il est calme le jour et animé la nuit, avec les étudiants qui se retrouvent dans les bars et restaurants. Enfin, au Sud-Est de la ville, le quartier **Port Marianne** attire les amoureux des bâtiments modernes, presque futuristes.

Les autres communes de la métropole

Et si vous cherchez un cadre moins urbain, vous pouvez habiter à proximité de la mer, dans les communes de Lattes ou de Pérols, au Sud-Est de Montpellier !

Si on s'installe à Montpellier, où est-il préférable d'habiter…

a. si on veut aller souvent à la plage ?

b. si on est une famille avec des enfants ?

c. si on aime sortir et aller dans les magasins ?

d. si on est étudiant ?

e. si on apprécie les espaces verts ?

f. si on aime les lieux historiques ?

g. si on aime l'architecture contemporaine ?

10 Écrivez un article sur votre ville « S'installer à… ». Listez les quartiers et leurs caractéristiques, leurs avantages, leurs inconvénients, quel type de personnes y habitent.

LEÇON 3 : Indiquer des règles de vie

Lexique

Savoir-vivre et habitat collectif

1 Associez, puis classez les actions dans le tableau.

- a. salir
- b. faire
- c. baisser
- d. claquer
- e. détériorer
- f. jeter
- g. prévenir

- 1. des mégots par la fenêtre
- 2. les portes
- 3. les murs
- 4. le son
- 5. du bruit
- 6. les voisins si on fait une fête
- 7. le matériel

Comportements respectueux	Comportements non respectueux
	salir les murs –

2 Complétez les mots pour légender les photos.

a. un **hall** d'e_ _ _ _ _

b. un p_ _ _ _ _

c. un c_ _ _ _ _r

d. un _ _ _ _ _ _ à p_ _ _ _ _ _ _ _

e. un e_ _ a_ _ _ _

f. un e_ _ _ _ _ _ _ _ _t de p_ _ _ _ _ _

3 Mettez les mots soulignés à la bonne place.

> **Aux habitants de la résidence**
> **Rappel des règles pour les espaces extérieurs :**
>
> Un jardinier vient chaque semaine pour entretenir les déjections .... : tondre les arbustes ...., tailler les espaces verts .... et planter des fleurs.
>
> Merci de respecter son travail quand vous vous promenez dans le parc :
> - ne pas abîmer les fleurs dans l'abri de jardin .... ;
> - ramasser la pelouse .... de votre animal.
>
> Pour la sécurité de tous, merci de ne pas utiliser les outils qui se trouvent dans les jardinières ....
>
> Merci de votre compréhension.   Le gardien

Grammaire

Les structures pour faire des recommandations

4 Entourez la proposition correcte.

Ex. : Évitez (de) / à faire du bruit dans les couloirs.

a. *Pensez / Merci* à sortir vos poubelles, chaque mardi.

b. Veillez *à / de* vous garer sur votre emplacement de parking.

c. Pour éviter les accidents, *soyez attentifs / merci* à ne pas laisser les enfants courir dans les couloirs.

d. *Pensez / N'oubliez pas* de tenir votre chien en laisse.

e. *Veillez / Merci* de respecter les recommandations suivantes.

f. *N'oubliez pas / Faites attention* à bien fermer la porte du hall d'entrée.

La forme impersonnelle pour exprimer l'obligation, l'autorisation et l'interdiction

5 Reformulez les obligations, les autorisations et les interdictions à la forme impersonnelle.

RÈGLEMENT DE L'IMMEUBLE

BRUIT
Les travaux sont permis du lundi au samedi de 8 h à 19 h.
Respecter le silence après 22 h.

PARTIES COMMUNES
Interdiction de fumer dans les parties communes.
Laisser les poussettes dans les couloirs est défendu.

ANIMAUX
Tenir son chien en laisse dans le jardin de la résidence est indispensable pour la sécurité des jeunes enfants.

BALCONS
Entreposer des objets sur les balcons n'est pas permis.

→ *Il est permis de faire des travaux du lundi au samedi de 8 h à 19 h.*

→ ....

→ ....

→ ....

→ ....

→ ....

Tout(e), tous, toutes

6 Complétez avec *tout*, *toute*, *tous* ou *toutes*.

a. Merci à **toutes** et à .... de bien vouloir respecter ces règles de vie.

b. Si nous voulons bien nous entendre entre voisins, nous devons .... faire un effort.

c. Le chien des voisins dérange .... le monde !

d. Le jardinier a taillé .... les arbustes et arrosé .... les jardinières.

e. Attention, tu détériores .... !

f. Essuyez-vous les pieds pour ne pas salir .... l'entrée avec vos chaussures !

Prononciation / Phonie-graphie

Tout(e), tous, toutes

7 🔊 12 Écoutez et cochez pour chaque phrase les formes entendues. Puis dites dans quel ordre vous les entendez.

	Ex.	a.	b.	c.	d.	e.	f.	g.
tout	□ → ….	□ → ….	□ → ….	□ → ….	□ → ….	□ → ….	□ → ….	□ → ….
toute	☒ → 2	□ → ….	□ → ….	□ → ….	□ → ….	□ → ….	□ → ….	□ → ….
tous	□ → ….	□ → ….	□ → ….	□ → ….	□ → ….	□ → ….	□ → ….	□ → ….
toutes	☒ → 1	□ → ….	□ → ….	□ → ….	□ → ….	□ → ….	□ → ….	□ → ….

Communication

Faire des recommandations

8 Écrivez les recommandations correspondant aux situations suivantes. (Plusieurs formulations possibles.)

> Ex. : *Merci de / Veillez à / Pensez à prévenir vos voisins quand vous organisez une fête !*

a.

b.

c.

d.

Exprimer l'obligation, l'autorisation et l'interdiction

9 Lisez les paroles d'une gardienne d'immeuble, puis complétez le règlement avec les obligations, les autorisations et les interdictions. Variez les formulations.

> " Dans notre immeuble, le respect des autres et des lieux est important.
> – Pour la propreté des lieux, on ne doit pas salir ou détériorer les parties communes. Les propriétaires de chien peuvent les promener en laisse dans le parc mais ils doivent ramasser leurs crottes.
> – Pour la tranquillité des habitants : on demande aux personnes de ne pas faire de bruit dans les couloirs. Ils ont le droit de faire des fêtes ou de faire des travaux mais, dans ce cas, il faut prévenir les voisins.
> – Pour une question de sécurité, les habitants n'ont pas le droit d'utiliser des barbecues sur leur balcon ou leur terrasse. Les enfants ne doivent pas utiliser seuls les ascenseurs. "

Respectons notre immeuble et nos voisins

Propreté des lieux
Interdiction de salir ou de détériorer les parties communes.

Tranquillité des habitants

Sécurité

Comprendre – S'exprimer

10 🔊 13 Écoutez le podcast et associez.

Faut qu'on parle, par NEON
Quelles sont vos plus mauvaises expériences de voisinage ?

a. Les trois auditeurs
b. Olga
c. Clément
d. Noémie
e. la voisine d'Olga
f. les voisins de Clément
g. les voisins de Noémie

1. a / ont des problèmes avec un animal.
2. ne respecte(nt) pas les règles du « bien-vivre ensemble ».
3. est / sont gêné(e)(s) par le bruit.
4. a / ont des relations de voisinage compliquées.
5. ne veut / veulent pas changer de comportement.
6. critique(nt) son comportement.
7. continue(nt) à avoir des problèmes.
8. n'habite(nt) plus dans son / leur immeuble.
9. essaie(nt) d'avoir un comportement respectueux.

11 Vous écrivez un témoignage pour *NEON*. Racontez une ou plusieurs expérience(s) de voisinage, positive(s) ou négative(s) : la relation avec vos voisins, le respect ou le non-respect des règles du bien-vivre ensemble.

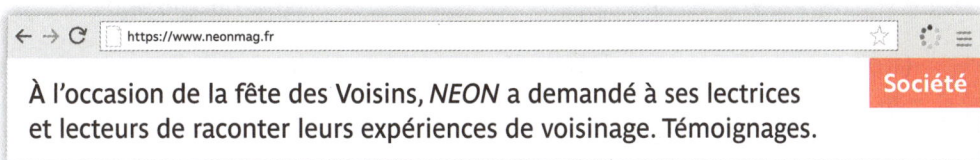

À l'occasion de la fête des Voisins, *NEON* a demandé à ses lectrices et lecteurs de raconter leurs expériences de voisinage. Témoignages.

Société

BILAN

Compétences linguistiques .../50

1 Complétez avec les mots suivants. Faites les modifications nécessaires. *(1 point par mot correct)* .../13

bondé | bruit | *spacieux* | couloir | ensoleillé | bien situé | lumineux
emplacement | terrasse | agréable | loyer | local | proximité | embouteillage

TÉMOIGNAGES : elles ont changé de lieu de vie

Anaëlle, 35 ans : de la région parisienne au centre de Nantes

« Le grand changement pour moi, dans cette nouvelle vie, c'est le logement : j'ai un appartement beaucoup plus ***spacieux*** qu'avant : 20 m² en plus ! Il est très _____ parce que la vue est dégagée et parce que le salon donne sur une _____ ; c'est super d'avoir un espace extérieur parce qu'ici, la région est assez _____ ! J'ai un cadre de vie _____ : le quartier est calme, il n'y a pas de _____ le soir. Mes voisins sont respectueux, ils mettent leurs déchets dans le _____ à poubelles et ils ne laissent pas d'objets dans les _____ ; ça change de mon ancien immeuble ! Et en plus, je paie moins cher qu'avant, 200 euros de moins de _____ !
La résidence où j'habite est _____, près du centre et de mon travail. Je n'ai donc pas besoin de prendre ma voiture et, heureusement, parce qu'il y a beaucoup d' _____ ! En plus, j'ai un _____ de parking dans la résidence, c'est pratique ! Je peux prendre les transports en commun mais ils sont assez _____ le matin, alors je préfère me déplacer à pied.
L'autre changement important pour moi ici, c'est la _____ de l'océan ! Pour aller faire du bateau le week-end, ce n'est pas loin ! »

2 Conjuguez les verbes entre parenthèses au présent, à l'impératif ou au futur proche. *(1 point par verbe correct)* .../12

Ex. : Si **vous êtes** (être / vous) propriétaire d'un chien, **tenez-le** (le tenir / vous) en laisse, c'est obligatoire !

a. Si _____ (devoir / vous) faire des travaux, _____ (penser / vous) à prévenir vos voisins !

b. _____ (avoir / tu) des problèmes avec tes voisins si _____ (laisser / tu) des objets encombrants sur ton palier.

c. _____ (bien vouloir / je) baisser le son de ma télé si _____ (accepter / vous) aussi de faire moins de bruit.

d. Si _____ (promener / tu) ton chien dans le parc, _____ (ne pas oublier / tu) de ramasser ses crottes !

e. Si _____ (entretenir / vous) votre jardin, _____ (être / il) superbe.

f. _____ (accepter / on) de choisir un logement avec un jardin seulement si _____ (ne pas devoir / on) tondre la pelouse.

3 Lisez les notes données à deux quartiers par un habitant. Puis formulez les comparaisons à l'aide des mots entre parenthèses. *(1 point par mot correct)* .../12

Lyon : Quartier Cordeliers
Restaurants, cafés, bars ★★★★★
Calme et tranquillité des rues ★★★
Vie culturelle ★★★★★
Transports en commun ★★★★★
Circulation en voiture et possibilités de parking ★★★★
Qualité des logements ★★★
Commerces (quantité, proximité) ★★★★★
Espaces verts ★★★

Lyon : Quartier Monplaisir
Restaurants, cafés, bars ★★★★
Calme et tranquillité des rues ★★★★
Vie culturelle ★★★★
Transports en commun ★★★★★
Circulation en voiture et possibilités de parking ★★★★★
Qualité des logements ★★★★
Commerces (quantité, proximité) ★★★★★ ★★★★★
Espaces verts ★★★★

J'ai habité aux Cordeliers et à Monplaisir, les deux quartiers sont très différents ! Cordeliers est **plus animé** (animé) parce qu'il y a .... (restaurants et bars) ! Mais bien sûr, c'est un quartier beaucoup .... (bruyant) que Monplaisir ! Pour la vie culturelle, c'est .... (bien) d'habiter aux Cordeliers : on sort .... parce qu'il y a beaucoup de salles de spectacle. Les deux quartiers sont .... (accessibles) : il y a .... (moyens de transport) mais en voiture, on circule un peu .... (facilement) à Monplaisir et il y a .... (difficultés) pour se garer ! Pour le logement, à Monplaisir, les appartements sont de .... (bonne qualité). Il y a .... (commerces) à Monplaisir et il faut aller un peu .... (loin) pour faire les courses. Un point négatif pour les deux quartiers : il y a .... (peu) d'espaces verts aux Cordeliers qu'à Monplaisir !

4 Entourez la proposition correcte. *(1 point par réponse correcte)* .../13

Vous souhaitez déménager dans une ville *qu'* / *où* il fait bon vivre ?

Il est indispensable *de* / *à* vous poser les bonnes questions. Pensez *de* / *à* lister *tous* / *toutes* vos priorités. Évitez *de* / *à* choisir un lieu de vie *où* / *que* vous n'avez jamais visité ! Quand vous avez fait un premier choix, allez à la mairie. Elle offre probablement un service d'aide pour *tous* / *toutes* les gens qui souhaitent s'installer. N'oubliez pas *de* / *à* vous renseigner sur le coût de la vie, les avantages et les inconvénients… *Tout* / *Tous* est important. Pour le choix du quartier *que* / *où* vous voulez vivre, faites attention *de* / *à* bien vous informer sur les transports. Il y a beaucoup de villes *que* / *où* il est interdit *de* / *à* circuler en voiture dans le centre.

Compétences **socioculturelles** .../10

Trouvez les 10 autres associations possibles. *(1 point par association correcte)*

Toulouse · Bayonne · Lyon · Paris · Lille · Angers · Île-de-France

grande métropole – grande ville à taille humaine – région – ville de province – capitale

Ex. : **Lyon** *: grande métropole, ville de province*

Résultats .../60

LEÇON 1 : Comprendre / Faire un descriptif de poste

Lexique

L'emploi

1 Associez.

a. un poste — 2. de directeur des ventes
b. une mission
c. un contrat
d. un petit
e. un job
f. une formation

1. boulot
2. de directeur des ventes
3. de service civique
4. en alternance
5. étudiant
6. à durée déterminée

2 Complétez avec les mots suivants.

alternance | salaire | CDI | poste | ~~CDD~~ | petit boulot | mission | stage | rémunération | emploi

a. J'ai obtenu un **CDD** de six mois dans une agence, je voudrais y rester et avoir un ....

b. Mickaël est encore étudiant mais il a de l'expérience parce qu'il a fait une .... de service civique de six mois.

c. Pour valider son diplôme, Anja fait un .... d'un mois dans une entreprise mais elle n'a pas de ....

d. Maintenant, Ivan n'a plus de problèmes d'argent : il a un .... d'ingénieur et il a un .... élevé.

e. Mathilde a choisi de préparer son diplôme en .... parce que c'est une approche pratique.

f. C'est difficile pour les jeunes de trouver un premier ...., souvent ils ne trouvent qu'un ....

Grammaire

Les verbes *savoir* et *connaître* au présent

3 Complétez avec le verbe *savoir* ou *connaître* conjugué au présent.

*Ex. : Nous avons suivi la formation en alternance donc nous **connaissons** bien le métier.*

a. Est-ce que vous .... créer des brochures de marketing ?

b. Les étudiants qui n'ont pas fait de stage ne .... pas les gestes techniques, ils ne .... pas comment les faire.

c. Marius .... les nouveaux logiciels de comptabilité, il .... les utiliser.

d. J'ai un diplôme de boulanger, je .... faire beaucoup de pains différents.

e. Vous .... ce modèle de machine ? Vous .... comment elle fonctionne ?

46 | quarante-six

Le futur simple

4 Conjuguez les verbes entre parenthèses au futur simple.

a. L'association **recrutera** (recruter) en service civique des jeunes qui .... (pouvoir) travailler avec des enfants en situation de handicap.

b. Nous vous .... (envoyer) notre réponse pour ce poste et vous .... (venir) pour rencontrer les collègues.

c. Je .... (publier) une annonce pour ce job et nous .... (lire) tous les messages des étudiants intéressés.

d. Je .... (expliquer) la mission, je .... (répondre) aux questions des candidats puis je .... (choisir) la personne qui .... (avoir) les compétences nécessaires.

e. Quand vous .... (étudier) l'architecture, vous .... (faire) la formation en alternance et vous .... (avoir) une rémunération.

5 Transformez le dialogue : mettez les verbes au futur simple.

– Nous avons décidé de vous embaucher pour le poste de responsable commerciale. Félicitations !
– Merci ! Je suis heureuse de travailler dans votre entreprise !
– Demain, vous rencontrez l'équipe et je fais avec vous le tour de tous les services pour vous présenter : les collègues sont curieux et ont peut-être envie de vous poser des questions sur votre parcours professionnel.
– Et je prends le poste quand exactement ?
– Vous pouvez commencer le 5 février.
– D'accord, parfait !
– Et, à partir de mars, nous embauchons une personne pour vous aider parce que nous lançons un nouveau modèle et il y a beaucoup de travail. Vous recevez les candidats avec moi, puis nous voyons ensemble lequel nous choisissons.

―――――――――――

– Nous avons décidé de vous embaucher pour le poste de responsable commerciale. Félicitations !
– Merci ! Je *serai* heureuse de travailler dans votre entreprise !
– ....
– ....
– ....
– ....

Prononciation / Phonie-graphie

Le *e* caduc dans les verbes au futur simple

6 🔊 14 **Écoutez et cochez.**

Ex. : je garderai

	Ex.	a.	b.	c.	d.	e.	f.	g.	h.	i.	j.	k.	l.	m.	n.
On entend [ə] avant la terminaison du futur -rai	☒	☐	☐	☐	☐	☐	☐	☐	☐	☐	☐	☐	☐	☐	☐
On écrit *e* avant la terminaison du futur -rai	☒	☐	☐	☐	☐	☐	☐	☐	☐	☐	☐	☐	☐	☐	☐

Communication

Indiquer des compétences

7 Associez les débuts et les fins de phrases (plusieurs possibilités).

a. Cet artiste a des connaissances dans le domaine de

b. Anita est chanteuse, elle a de bonnes connaissances en

c. Oscar parle cinq langues, il est capable de

d. Demande à Benjamin de te montrer ce logiciel, il maîtrise

e. Je peux t'aider à faire ta présentation, je suis à l'aise

f. Je travaille dans la communication, je connais bien

1. en informatique.
2. traduire des conférences.
3. musique.
4. l'informatique.
5. la musique.
6. communiquer à l'étranger.

8 Observez les photos et indiquez les compétences des personnes à l'aide de la liste. Proposez plusieurs formulations.

- faire des équations / les mathématiques
- l'oral / prendre la parole en public
- l'électronique / réparer un ordinateur
- faire des portraits / la photographie

Ex. : Il maîtrise l'électronique.
Il sait / Il est capable de réparer un ordinateur.

a. .... b. .... c. ....

Comprendre – S'exprimer

9 Lisez l'article sur le site de *l'Étudiant* (p. 49).

a. **Vrai ou faux ? Cochez et justifiez avec des passages de l'article.**

1. Beaucoup d'étudiants ont un travail avec un salaire. ☐ Vrai ☐ Faux

2. Il faut parler plusieurs langues pour trouver un job. ☐ Vrai ☐ Faux

3. La majorité des étudiants qui travaillent ont un job dans le commerce. ☐ Vrai ☐ Faux

4. Les étudiants font toujours des jobs en relation avec leur domaine d'études. ☐ Vrai ☐ Faux

b. Listez les avantages ou les inconvénients de chaque type de job.

....
....
....
....

l'Étudiant

ORIENTATION   SALONS   SUPÉRIEUR   LYCÉE   COLLÈGE   CLASSEMENTS   MÉTIERS   JOBS, STAGES…   VIE ÉTUDIANTE

Des bons plans de jobs étudiants pour la rentrée

Plus de 40 % des étudiants ont une activité rémunérée pendant leurs études. Découvrez nos pistes de jobs étudiants !

1. Garder des enfants
La garde d'enfants est un classique du job étudiant. C'est la première activité : 18 % des étudiants qui travaillent font ce petit boulot. Aller chercher les enfants à l'école, donner le goûter, le bain et le dîner… Avec 12 millions d'enfants scolarisés en France, il y a toujours du travail pour les nounous et baby-sitters. Un conseil pour gagner plus ? Si vous êtes bilingue, proposez vos services à des agences de baby-sitting spécialisées en langues étrangères.

2. Faire du soutien scolaire
« Cherche professeur à domicile pour aider un élève de 6e une heure par semaine à partir du 16 septembre. Rémunération : 17,5 à 20 euros de l'heure. » Ce type d'annonce est fréquent. Donner des cours particuliers à des élèves est un bon plan : vous choisissez vos disponibilités, vous êtes bien payé(e) et vous utilisez vos compétences intellectuelles. Vous donnez vos cours à domicile ou en visio.

3. Vendre sur les marchés
Explorez la piste des boulangeries, des primeurs et autres commerces qui peuvent vous recruter pour vendre leurs produits les jours de marché. Mais vous devrez vous lever très tôt !

4. Travailler dans le commerce
Tous les supermarchés recrutent pour des postes de caissier à temps partiel. Par exemple, Monoprix propose des CDI et des CDD de 10 heures par semaine spécialement pour les étudiants. Cela permet de garder du temps pour vos études. Vous devrez surtout travailler le dimanche. Pensez aussi aux petites boutiques qui recrutent des vendeurs pour le week-end.

5. Travailler dans la restauration… à dose raisonnable !
Serveur, cuisinier, réceptionniste… L'hôtellerie-restauration est le troisième secteur où les étudiants travaillent le plus (14 % des étudiants salariés) après la garde d'enfants (18 %) et les emplois de caissier ou vendeur dans le commerce (17 %). Avantage : les emplois sont faciles à trouver. Les hôtels et restaurants recrutent en permanence mais n'oubliez pas que ces emplois peuvent être assez fatigants. Et ils sont en général sans lien avec vos études, excepté si vous envisagez d'y travailler plus tard.

10 Vous répondez à votre ami(e). Vous racontez votre expérience d'étudiant(e) et vous donnez des conseils sur les jobs possibles.

De : DominiqueP
À : Moi
10:35 (il y a 3 heures)

Salut !

Comment vas-tu ?
Ma fille entre à l'université à la rentrée prochaine et elle va vivre dans ta ville !
Elle aura besoin de travailler pour gagner un peu d'argent. Je sais que toi, tu as fait des petits boulots pendant tes études. Qu'est-ce que tu as fait comme job ? Tu peux nous raconter ton expérience ? Ou tu connais peut-être d'autres personnes qui ont vécu ça ? Ça va être utile pour ma fille.
À ton avis, quels sont les bons jobs étudiants, les bons plans dans ta ville ? Merci pour tes conseils.

Bises,

Dominique

LEÇON 2 — Postuler à un emploi

Lexique

La candidature pour un emploi

1 a. Complétez les mots pour légender la photo.

Un e_____ n d'e_____ : le r_____ r regarde le _ _ de la c_____ et il lui pose des questions.

b. Complétez les rubriques du CV.

Mickaël SERVANT
Curieux et motivé

F_____
- Licence de philosophie
  Université Lyon II
  2022-2023
- Baccalauréat littéraire
  Lycée Édouard Henriot
  2020

C_____ S
Word, Excel ★★★★★
Powerpoint, Photoshop ★★★

E_____ P_____
- Bénévolat – Banque Alimentaire – Lyon
  Septembre 2022
- Job d'été – Serveur – Pizzeria – Lyon
  Juillet-août 2021

L_____ S
Anglais : ★★★★★ capacité professionnelle complète
Allemand : ★★★ capacité professionnelle limitée

CENTRES D'INTÉRÊT ET E_____ S P_____ S
Judo en compétition, basket-ball, culture japonaise
Interventions et bénévolat dans des ONG : Banque alimentaire, Restos du cœur

06 32 45 12 78   m.servant@gmail.com

Les qualités professionnelles

2 Lisez l'annonce.

> **L'Association pour la Préservation du Patrimoine
> recrute des étudiants en art et en archéologie**
>
> Profil recherché :
> Niveau licence minimum
> Disponibilité : juillet-août
>
> Nous recherchons des personnes :
> – passionnées par le patrimoine, qui ont envie de sauvegarder les bâtiments historiques
> – déterminées et prêtes à agir
> – capables de travailler avec efficacité et rapidité
> – sérieuses et précises
> – qui ont le goût de l'effort et des tâches difficiles
> – capables de travailler avec les autres

a. Trouvez dans quel ordre les qualités suivantes sont décrites.

la rigueur | la volonté | la persévérance | l'esprit d'équipe | l'enthousiasme | la performance

l'enthousiasme – .... – .... – .... – .... – ....

b. Complétez avec les adjectifs correspondant aux qualités quand c'est possible (act. a).

Les candidats devront être .... , ... , ... et ....

Grammaire

Les marqueurs temporels

3 À l'aide des informations sur le profil Linkedin d'Alina, complétez ses paroles avec *depuis*, *il y a* ou *pendant*.

Alina Mouverede
Master – Audencia école de management, Nantes

Expérience
Responsable Finances
Association Gawad Kalinga, Philippines
sept. 2022 à mars 2023, 7 mois
Présidente d'association humanitaire
Association Un Autre Monde, Nantes, France
janv. 2020 à déc. 2020, 1 an

Formation
- **Ateneo University, Manila, Philippines**
  2022-2023
- **Audencia Nantes École de Management**
  Master Grande École
  sept. 2019 – juin 2023
- **Lycée Michelet**
  Classe préparatoire aux grandes écoles de commerce
  2017-2019

“ Après deux ans de classe préparatoire, je suis entrée à l'école Audencia *il y a* quatre ans. Je suis diplômée .... juin dernier : j'ai terminé mes études .... trois mois. .... trois ans, ... ma première année à Audencia, j'ai été présidente de l'association Un Autre Monde .... un an. Pour ma dernière année d'études, j'ai étudié et travaillé .... sept mois aux Philippines. Je suis rentrée de Manille en mars dernier et je suis à la recherche d'un emploi .... un mois. .... mon retour des Philippines, je rêve de trouver un emploi qui me permet d'y retourner ! ” Alina – septembre 2023

Le passé composé et l'imparfait

4 Entourez la proposition correcte.

Pendant mes études à l'école de commerce, *je passais / j'ai passé* un an à l'université aux Philippines parce qu'on *a dû / devait* faire une partie de notre formation à l'étranger. Là-bas, *j'ai eu / j'avais* une expérience professionnelle intéressante dans une association qui *aidait / a aidé* les gens pauvres : le responsable précédent *ne pouvait pas / n'a pas pu* continuer alors je *me suis occupée / m'occupais* des finances de l'association. *J'ai aussi donné / Je donnais aussi* des cours aux enfants qui *ne sont pas allés / n'allaient pas* à l'école. *J'ai adoré / J'adorais* ce séjour !

5 Conjuguez les verbes entre parenthèses au passé composé ou à l'imparfait.

a. Ces étudiants .... (faire) les stages qui .... (être) obligatoires pendant leurs études. Alors, après leur diplôme, ils .... (trouver) du travail rapidement parce qu'ils .... (avoir) déjà de l'expérience.

b. Amélie .... (postuler) à un emploi qui .... (correspondre) à sa formation et à ses centres d'intérêt.

c. Janice et Luc .... (faire) toute leur scolarité à l'étranger : leurs parents .... (être) diplomates.

d. À l'université, nous .... (s'impliquer) dans des associations sportives : nous .... (être) motivés et nous .... (avoir) envie de partager notre passion du sport.

e. – Tu .... (obtenir) le poste que tu .... (vouloir) ?

– Oui, ils me .... (choisir) parce que je .... (être) motivé et compétent !

Prononciation / Phonie-graphie

Le rythme de la phrase et l'intonation

🔊 15 a. **Écoutez et indiquez quand la voix monte ↑ ou quand elle descend ↓.**

Bonjour ↓ je suis gardien de phare ↑ en Bretagne ↓ j'ai obtenu mon diplôme de gardien avec une formation d'État je suis breton depuis plusieurs générations dans ma famille la mer est toute notre vie j'ai travaillé sur plusieurs phares en Bretagne et j'ai beaucoup d'expérience je suis aussi pêcheur j'aime la solitude la lecture et le bricolage je fais aussi de la photo j'ai déjà publié un livre de photographies sur les soleils couchants et les tempêtes votre annonce m'intéresse parce que je voudrais connaître l'Islande

b. **Mettez la ponctuation (,) (.) (!) et ajoutez les majuscules quand c'est nécessaire.**

Bonjour ! Je suis gardien de phare en Bretagne j'ai obtenu mon diplôme de gardien avec une formation d'État je suis breton depuis plusieurs générations dans ma famille la mer est toute notre vie j'ai travaillé sur plusieurs phares en Bretagne et j'ai beaucoup d'expérience je suis aussi pêcheur j'aime la solitude la lecture et le bricolage je fais aussi de la photo j'ai déjà publié un livre de photographies sur les soleils couchants et les tempêtes votre annonce m'intéresse parce que je voudrais connaître l'Islande

Communication

Présenter son parcours

7 a. **Associez les débuts et les fins de phrases (plusieurs possibilités).**

a. Je suis allé à l'école primaire et au lycée	1. avec une formation complémentaire.
b. Je me suis impliqué	2. de un à trois mois dans des entreprises.
c. J'ai fait plusieurs séjours pratiques obligatoires	3. dans une association humanitaire.
d. Je suis candidat pour ce travail	4. qui correspond bien à ma formation.
e. J'ai participé	5. à Lille.
f. J'ai enrichi mes savoir-faire	6. à la création du service marketing.

b. Proposez une autre formulation pour chaque début de phrase, à l'aide des verbes suivants.

postuler — effectuer — contribuer — développer — s'engager — faire

Ex. : **a.** j'ai fait / effectué ma scolarité

b. ....
c. ....
d. ....
e. ....
f. ....

Exprimer sa motivation pour un poste

8 Mettez les mots dans l'ordre pour former des phrases. Ajoutez la ponctuation et les majuscules nécessaires. Puis soulignez les expressions qui indiquent la motivation des personnes.

Ex. : poste – et – correspond – à – attentes – mes – à – qualification – ma – le
→ *Le poste <u>correspond à mes attentes</u> et à ma qualification / à ma qualification et à mes attentes.*

a. disponible – je – entretien – moi – pour – suis – contactez – un

b. motive – le – nouveaux – me – projet – de – beaucoup – création – de – jeux vidéo

c. offre – travailler – avec – de – intéresse – mission – m' – votre – les enfants – parce que – j'aime

d. je – rencontrer – voudrez – pour – quand – serai – vous – de – ravi – un entretien – vous

e. me – des supports – de – plaît – communication – et – ma formation – correspond – à – créer

Comprendre – S'exprimer

9 🔊 16 Écoutez les conseils de Marjorie.

a. Quelles sont les questions fréquentes dans un entretien d'embauche ? Cochez.

On demande au / à la candidat(e)…
☐ de justifier sa candidature pour le poste   ☐ d'expliquer les moments d'inactivité professionnelle dans son parcours
☐ de parler de ses collègues ou de son patron   ☐ de parler de lui / d'elle et de son parcours
☐ de poser des questions sur l'entreprise où il / elle veut entrer   ☐ de parler de sa personnalité   ☐ de parler de sa famille.

b. Quelle est la question posée au début de l'entretien ? à la fin de l'entretien ? ....

c. Cochez vrai ou faux.

1. Il ne faut pas donner trop de détails sur son parcours.   ☐ Vrai ☐ Faux
2. Il faut toujours dire notre vraie raison de postuler à ce poste.   ☐ Vrai ☐ Faux
3. On peut demander des informations sur la vie personnelle dans un entretien d'embauche.   ☐ Vrai ☐ Faux
4. Il faut dire la vérité sur les moments où on n'a pas travaillé.   ☐ Vrai ☐ Faux
5. Dans un entretien professionnel, la curiosité est un défaut.   ☐ Vrai ☐ Faux

10 Vous avez postulé pour le poste de vos rêves et avez obtenu un entretien d'embauche. Pour vous préparer avant l'entretien, suivez les conseils de Marjorie et écrivez les informations que vous voulez donner en réponse à la première et à la troisième question-type du recruteur. Répondez aussi à la quatrième question si elle vous concerne.

LEÇON 3 — (S') Informer sur une formation

Lexique

Le statut et l'évolution professionnelle

1 Associez chaque phrase à une action de la liste. Puis reformulez la partie soulignée.

une démission   une évolution   un changement de voie   une création d'entreprise
une reconversion   une actualisation des compétences

Ex. : Max n'est plus motivé par son travail, il a envie de découvrir un nouveau domaine.
→ **un changement de voie** → Max n'est plus motivé par son travail, il a envie de **changer de voie**.

a. J'étais prof et j'ai repris des études pour changer de métier. Maintenant, je suis psychologue.

→ ....

b. Vous quittez votre poste parce que vous partez à l'étranger ?

→ ....

c. La formation continue est utile pour connaître les nouvelles techniques du métier et rester performant dans son travail.

→ ....

d. Nous travaillons ici depuis cinq ans, nous avons besoin d'avoir des changements positifs dans notre poste.

→ ....

e. Linda a terminé sa formation, maintenant elle va lancer son activité commerciale.

→ ....

2 Mettez les expressions soulignées à la bonne place.

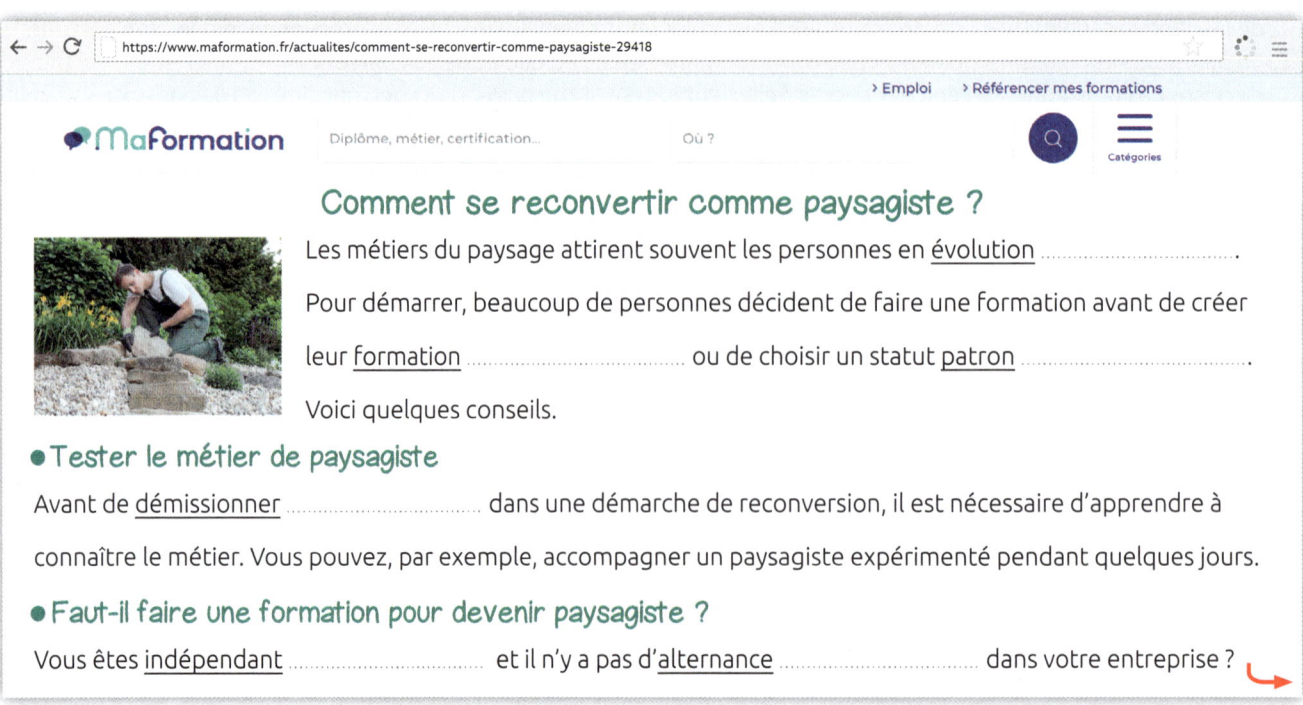

Vous voulez vous lancer .... et vous créer .... comme jardinier-paysagiste ? Pour pouvoir démarrer cette activité, il faudra d'abord reconvertir .... et suivre une reconversion .... de qualité. Préférez la formule de l'entreprise .... pour faciliter votre insertion professionnelle. Ensuite, vous pourrez changer de voie .... votre entreprise et vous serez votre propre salarié .... !

La formation / Les indicateurs chronologiques

3 a. Complétez les témoignages avec les mots de la liste. (Certains mots sont à utiliser deux fois.)

préparé · obtenu · réussi · passé · suivi · étudié · formation · qualification · continue

66 J'ai **obtenu** mon baccalauréat. J'ai fait deux ans de prépa : j'ai .... les concours pour les grandes écoles. J'ai .... les trois concours mais je n'ai pas .... Alors, j'ai .... un cursus universitaire. J'ai .... un master en sciences politiques. 99 **Amandine, 25 ans**

66 J'étais boulanger-pâtissier et je travaillais dans la boulangerie de mon père mais je rêvais de devenir cuisinier. J'ai .... le CAP de cuisinier en formation .... : j'ai suivi la .... pendant deux ans et j'ai obtenu la .... de cuisinier. J'ai fait plusieurs stages dans des grands restaurants. J'ai .... pour le brevet professionnel et je l'ai .... J'ai ouvert mon propre restaurant ! 99 **Tarek, 32 ans**

b. Réécrivez le témoignage de Tarek avec des expressions pour indiquer la chronologie (plusieurs possibilités).

66 J'étais boulanger-pâtissier et je travaillais dans la boulangerie de mon père mais je rêvais d'évoluer et de devenir cuisinier. **D'abord**, j'ai ....
....
....
....! 99

Grammaire

Exprimer un souhait

4 a. Conjuguez les verbes entre parenthèses au conditionnel.

1. Quand je serai grande, je .... (vouloir) être pilote d'avion.
2. Pour mon prochain emploi, je .... (aimer) un poste qui permet de voyager.
3. Pour votre reconversion, vous .... (vouloir) travailler dans quel domaine ?
4. Quel type de formation .... (aimer)-vous suivre ?

b. Reformulez chaque souhait avec les verbes *rêver* ou *souhaiter*.

1. ....
2. ....
3. ....
4. ....

Exprimer un conseil, faire une suggestion

5 Transformez les phrases en conseils ou suggestions. Utilisez le conditionnel.

*Ex. : Vous devez suivre une formation pour actualiser vos compétences. → Vous **devriez** suivre une formation pour actualiser vos compétences.*

a. Nous pouvons regarder quelles qualifications correspondent à votre souhait de reconversion.

b. On peut étudier ensemble votre projet de création d'entreprise.

c. Vous pouvez financer votre formation avec le CPF.

d. Pour choisir une formation adaptée, on doit d'abord réfléchir à vos besoins.

e. Pour décider quelles compétences sont à développer, nous devons faire une analyse de votre situation.

Quand et *si* pour se projeter dans le futur

6 Formulez les phrases avec *quand* ou *si* à partir des éléments donnés.

Ex. : Élodie veut faire une reconversion. → prendre rendez-vous avec un conseiller – avoir des informations pour son projet
Si elle prend rendez-vous avec un conseiller, elle aura des informations pour son projet.

a. Tu veux du changement dans ton travail ? → suivre des formations – évoluer dans ta carrière

b. Votre formation est presque terminée. → avoir votre qualification – chercher un nouveau poste

c. Fakia va bientôt créer son entreprise. → lancer son activité – faire des actions de communication pour se faire connaître

d. Luc voudrait changer de travail. → démissionner – trouver un emploi plus intéressant, avec un meilleur salaire

e. Nous rencontrons le patron cet après-midi. → avoir un bon contact – demander une formation

f. Je veux reprendre des études l'année prochaine. → avoir l'accord de mon entreprise – s'inscrire à une formation

Communication

Exprimer un souhait, un conseil, faire une suggestion

7 Associez pour formuler des souhaits, des conseils ou des suggestions. (Plusieurs possibilités.)

a. Anaïs rêve
b. On pourrait
c. Le conseiller me suggère de
d. Nous voudrions
e. Mon conseiller me souhaite
f. Je vous conseille

1. une formation en alternance, plus pratique.
2. de se lancer dans le commerce.
3. faire une étude de marché pour valider ce projet d'entreprise ?
4. suivre une formation pour développer de nouvelles compétences.
5. une belle réussite à mon nouveau poste.
6. discuter avec mon patron des possibilités d'évolution.

8 Soulignez les phrases qui expriment un conseil ou une suggestion, puis proposez une autre formulation.

a. Vous aimeriez vous informer sur la formation continue ?

b. Vous devriez préparer un dossier pour demander un financement par le CPF.

c. Je vous conseille une formation en comptabilité avant de créer votre entreprise.

d. Je voudrais faire une reconversion professionnelle.

e. Vous pourriez m'expliquer vos souhaits d'évolution pour déterminer vos besoins.

Comprendre – S'exprimer

9 🔊 17 Écoutez ces deux conversations, extraites de la rubrique « Témoignages » sur le site du CEP.

a. Indiquez les points communs entre les deux histoires.

b. Complétez le tableau.

	Conversation 1	Conversation 2
Activité professionnelle précédente		
Activité professionnelle actuelle		
Raisons qui ont motivé le changement		

10 Vous écrivez un témoignage pour le site du CEP.
Présentez-vous. Puis, à l'aide des questions sur le site, racontez votre expérience professionnelle. Indiquez si vous avez des souhaits d'évolution. En fonction de votre parcours, faites des suggestions aux personnes qui souhaitent évoluer dans leur vie professionnelle.

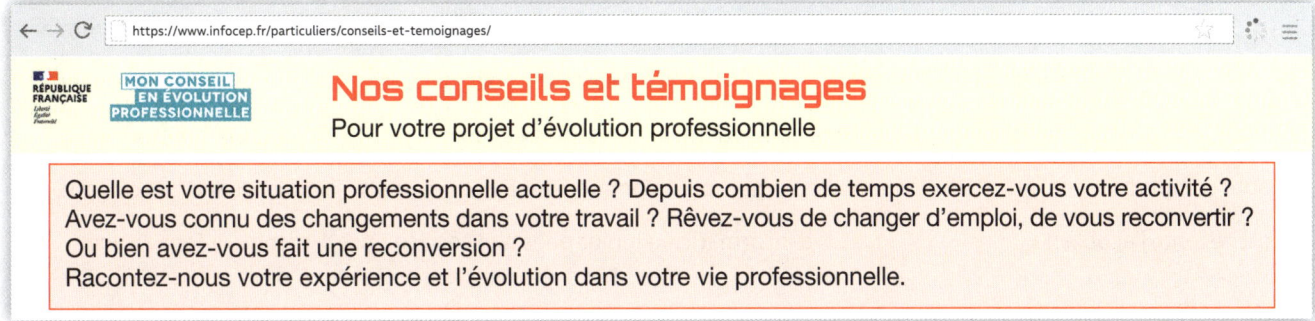

BILAN

Compétences linguistiques .../50

1 **Complétez les phrases avec les verbes suivants conjugués au présent. Puis associez chaque phrase à la qualité correspondante.** *(1 point par réponse correcte)* .../12

maîtriser — être — connaître — savoir

a. Nous ne *maîtrisons* pas l'anglais mais ce n'est pas un problème : nous *savons* comment utiliser les outils de traduction.

b. Ils .... capables de réaliser un travail difficile et long, ils .... être patients.

c. Claudia .... communiquer sa passion, elle .... capable de motiver tout le monde.

d. Vous .... parfaitement les techniques pour coopérer, vous .... à l'aise dans un groupe.

e. Marcus .... bien son travail et le fait avec sérieux, il .... comment éviter les erreurs.

- l'enthousiasme
- la rigueur
- la persévérance
- l'esprit d'équipe
- la performance

2 **Entourez la proposition correcte.** *(1 point par réponse correcte)* .../13

Ex. : Depuis /~~Il y a~~ deux ans, en 2021, Joëlle ~~a fait~~ / faisait une formation parce qu'elle ~~voulait~~ / a voulu ~~actualiser~~ / lancer ses compétences.

a. *J'ai choisi* / *Je choisissais* ce métier parce qu'il *m'a passionné* / *me passionnait* mais je fais le même travail *depuis* / *pendant* vingt ans et, maintenant, j'ai envie *d'évoluer* / *de changer* de voie.

b. *Pendant* / *Depuis* une formation l'année dernière, *j'ai décidé* / *je décidais* de *démissionner* / *développer* parce que *j'ai voulu* / *je voulais* être indépendant et *lancer* / *créer* mon entreprise.

c. *Depuis* / *Il y a* six mois, je *me suis inscrite* / *m'inscrivais* à une formation qui *a correspondu* / *correspondait* à mon souhait *d'évolution* / *de démission*.

3 **Complétez avec les mots ou les expressions suivant(e)s.** *(1 point par réponse correcte)* .../13

indemnité — poste — contribué — CDD — embauché — alternance — rémunération — stage — recruteur — lettre de motivation — entretien d'embauche — expérience — effectué — emploi — postulé

« Pendant ma 2ᵉ année à l'université, j'ai *effectué* un *stage* d'un mois dans une société d'informatique mais c'était trop court. Alors, en 3ᵉ et en 4ᵉ année, j'ai préféré étudier en .... : deux semaines par mois dans une entreprise. J'ai .... au développement du service informatique. En plus, j'avais une .... : une .... de 800 € par mois, j'étais content ! Quand j'ai .... à mon premier ...., j'ai bien expliqué mon .... professionnelle dans ma .... Pendant l'...................., le .... m'a posé quelques questions et il m'a .... en .... pour remplacer un informaticien absent : trois mois pour commencer. Et, après ces trois mois, quand l'informaticien est revenu, j'ai obtenu un .... d'informaticien junior dans son service. » **Yannick, informaticien**

58 | cinquante-huit

4 **Conjuguez les verbes entre parenthèses au présent, au futur simple ou au conditionnel.**
(1 point par réponse correcte) …/12

a. – J'adore la couture ! J' ……………… (aimer) bien en faire mon métier ! Mais je n'ai pas de qualification…

– Vous ……………… (pouvoir) suivre une formation pour préparer un CAP. Quand vous ……………… (avoir) le CAP, vous ……………… (trouver) facilement du travail dans ce domaine.

b. – Elsa ……………… (vouloir) lancer son activité de coach sportive mais elle ne sait pas comment faire.

– Elle ……………… (devoir) participer à notre atelier sur la création d'entreprise. Elle ……………… (avoir) toutes les informations nécessaires si elle y ……………… (aller).

c. – L'association Artan recherche des personnes motivées comme toi, tu ……………… (devoir) postuler !

Je pense que tu ……………… (obtenir) un entretien si tu ……………… (envoyer) ton CV.

– Ah oui, je ……………… (rêver) de travailler pour cette association !

Compétences **socioculturelles** …/10

1 **Reformulez les messages en mettant les éléments soulignés à la bonne place.** *(1 point par phrase)* …/4

a. Je suis entrée dans une grande école de commerce puis j'ai réussi le concours et j'ai fait une classe prépa.

b. D'abord, j'ai eu la licence pro, puis j'ai obtenu mon bac et maintenant je prépare le BTS.

c. Après mon master, j'ai passé mon doctorat puis j'ai préparé ma licence.

d. J'ai obtenu mon BUT (Bachelor Universitaire de Technologie), puis j'ai eu mon bac et j'ai étudié pendant trois ans.

2 **Associez.** *(1 point par item correct)* …/6

a. un CV
b. un CDD
c. un CAP
d. le SMIC — est
e. le CPF
f. le bac
g. un PDG

1. une rémunération
2. un poste
3. un document pour une recherche d'emploi
4. un diplôme au niveau secondaire
5. un diplôme professionnel
6. un dispositif pour la formation continue
7. un type de contrat de travail

Résultats …/60

LEÇON 1 : Choisir un restaurant, interagir au restaurant

Lexique

Présenter et caractériser un restaurant

1 Complétez la présentation du restaurant avec les mots suivants. Faites les modifications nécessaires.

bien présenté · créatif · local · intimiste · raffiné · table · décor · attentionné · de saison · carte

Gault&Millau — *L'expert gourmand*

La Petite Brocante
2 rue de Ledinghen, 62126 Wimille

Présentation

Ce bâtiment construit en 1789 abrite le restaurant de Fanny et Loïc Bouloy, dans un **décor** ancien et une ambiance .... La cheffe, Isabelle, propose une cuisine .... et ....

Elle travaille de beaux produits .... et .... La .... des vins est variée, les assiettes sont .... et le service est ....

Une excellente .... qui associe élégance et gastronomie.

2 Écrivez dans la grille les caractéristiques équivalentes.

1. une cuisine traditionnelle de la région
2. un accueil convivial
3. un service rapide
4. un cadre chic
5. un menu avec beaucoup de choix
6. une assiette bien remplie

Grille : 2→ C A . . R U ; 1→ _ _ P _ E ; 3↓ E ; 6↓ C ; avec T et É.

Exprimer une appréciation

3 Entourez la proposition correcte.

Ex. : C'est très / ~~vraiment~~ délicieux ! J'adore !

a. La viande n'est pas *plutôt / assez* cuite !

b. Ce plat est *trop / absolument* épicé, j'ai besoin d'eau !

c. La carte est *assez / hyper* variée ! Il y a beaucoup de choix de desserts !

d. Ce n'est pas mon restaurant préféré mais je le trouve *trop / plutôt* bon.

e. La présentation des assiettes est *super / assez* originale, je n'ai jamais vu ça dans un autre resto !

f. Cette entrée n'est pas *très / trop* bonne !

Grammaire

La phrase exclamative avec *comme, que, quel(le)(s)*

4 Complétez avec *comme, que* ou *quel(le)(s)*.

Ex. : **Comme / Que** l'accueil est chaleureux !

a. .... j'apprécie la créativité du chef !

b. .... ambiance décontractée ici !

c. .... les assiettes sont copieuses !

d. .... dessert excellent !

e. .... c'est agréable de dîner dans ce restaurant !

f. .... belles assiettes !

g. .... bons petits plats !

Les adverbes pour nuancer une appréciation

5 Réécrivez le commentaire avec *très* ou *beaucoup (de)* pour remplacer les mots soulignés.

Florian S.
Lille   📷 2 ⭐ 2

⭐⭐⭐⭐⭐ Publié le 12 juin

Ce restaurant me plaît <u>vraiment</u> ! Il est <u>hyper</u> convivial et le cadre est <u>super</u> joli. La carte propose <u>un grand nombre de</u> plats <u>hyper</u> raffinés, les produits sont <u>super</u> frais. J'aime <u>particulièrement</u> les desserts qui sont <u>vraiment</u> originaux ! Il y a <u>plein de</u> générosité dans cette cuisine ! Une excellente adresse qui va <u>spécialement</u> attirer les fans de cuisine créative !

Ce restaurant me plaît **beaucoup** ! ....

....

....

....

6 Corrigez la présentation de ce restaurant : barrez *très* quand c'est incorrect.

Restaurant La Vieille Tour, Paimpol

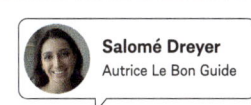

Salomé Dreyer
Autrice Le Bon Guide

Restaurant avec ~~très~~ beaucoup de charme situé dans le vieux Paimpol. Cette maison ancienne offre un cadre très chaleureux et très intime. On y mange une cuisine très gastronomique servie dans une vaisselle très originale. Le service est très parfait, la cuisine généreuse et les prix très corrects !
Une très excellente table !

Prononciation / Phonie-graphie

L'intonation expressive de l'appréciation

7 🔊 18 **Écoutez. Quel est le mot le plus accentué ? Cochez la case correspondante. Puis indiquez l'appréciation : mécontentement ⊖ ou satisfaction ⊕.**

Ex. : Ce dessert est très original !
☐ ☐ ☐ ☒ ☐   ⊕

a. ☐ ☐ ☐ ....
b. ☐ ☐ ☐ ☐ ☐ ....
c. ☐ ☐ ☐ ☐ ☐ ....
d. ☐ ☐ ☐ ....
e. ☐ ☐ ☐ ☐ ☐ ....
f. ☐ ☐ ☐ ....
g. ☐ ☐ ☐ ☐ ....
h. ☐ ☐ ☐ ☐ ☐ ....

Communication

Interagir au restaurant

8 Complétez les dialogues avec les formules manquantes.

a. – ***Vous avez choisi***, Monsieur ?

– Oui, en entrée .... l'œuf mayonnaise.

– Un œuf, très bien. Et .... ?

– Le plat du jour, ... ?

– C'est un poulet rôti.

– Alors, je prends le plat du jour.

– Et .... comme boisson ? Un verre de Côtes-du-Rhône ?

– Oui, parfait. ....

.... une carafe d'eau, s'il vous plaît ?

– Oui, bien sûr, je vous apporte ça tout de suite.

b. – .... ?

– Oui, c'était très bon.

– .... un dessert ?

– Non merci, je ne vais pas prendre de dessert.

– Vous .... ?

– Oui, un expresso. Et ....

Exprimer une appréciation

9 Soulignez les appréciations positives. Puis reformulez-les de différentes manières.

a. Cette entrée est vraiment délicieuse !

b. Comme la présentation est originale !

c. Le plat est trop épicé !

d. Ça a vraiment du goût !

e. C'est trop bon !

f. Beurk ! C'est vraiment trop sucré !

g. Ce restaurant est vraiment élégant !

h. Le décor est trop beau !

a. *Quelle entrée délicieuse ! / Comme cette entrée est délicieuse ! / Que cette entrée est délicieuse !*

....
....
....
....

Comprendre – S'exprimer

10 Lisez l'article de blog.

Restaurants insolites à Paris, testés et approuvés
Par Emmanuelle Hubert – 18 mai

Si vous cherchez une expérience gastronomique différente, Paris possède un grand nombre de restaurants qui se différencient par leur cuisine mais aussi par leur cadre. Manger dans l'espace, dans un bus, dans un train, des plats détournés… Dans cet article, je vous emmène à la découverte de restaurants insolites à Paris, pour tous les budgets et pour tous les goûts !

LE BUSTRONOME

Première expérience insolite, je vous propose d'aller dîner au Bustronome, un bus gastronomique qui vous fait voyager dans Paris pendant les deux heures de votre repas.  On peut redécouvrir les grands classiques de la capitale : Arc de Triomphe, tour Eiffel, musée du Louvre et en même temps apprécier un menu dégustation (entrée, plat de poisson, plat de viande, dessert). La carte est saisonnière et centrée sur des produits frais, les plats sont raffinés. Une très bonne expérience pour la bouche et pour les yeux.

STELLAR

La thématique de Stellar est l'espace et on peut dire que c'est plutôt réussi ! L'ambiance sonore nous plonge dans  cet univers particulier. Le personnel porte des tenues d'astronautes, le plafond est décoré avec des planètes. Les noms des plats sur la carte font aussi référence à l'espace. Comme plat, j'ai pris « le bœuf en apesanteur » et comme dessert « l'étoile meringuée ». C'est assez simple, plutôt bon mais c'est principalement pour le cadre qu'on réserve une table au Stellar.

PRIVÉ DE DESSERT

Le concept de ce restaurant repose sur l'illusion : les plats salés ressemblent à des plats sucrés et les plats sucrés ressemblent aux salés !  Le côté insolite se trouve donc dans les assiettes ; le décor est beaucoup plus standard. Durant mon repas, j'ai pris comme plat principal : un « Saint-Honoré » (le célèbre gâteau) et des « churros » (en réalité, un burger et des frites de patates douces) et en dessert, des « œufs au plat » (en réalité, une crème coco-mangue). Les plats sont très créatifs mais ce n'est pas de la grande gastronomie.

a. Vrai ou faux ? Cochez et justifiez avec des passages de l'article.

1. L'article présente des restaurants originaux à Paris. ☐ Vrai ☐ Faux

2. C'est le cadre qui fait l'originalité des trois restaurants. ☐ Vrai ☐ Faux

3. L'appréciation sur les plats des trois restaurants est très positive. ☐ Vrai ☐ Faux

b. Associez.

Le Bustronome •
Stellar •   • propose •
Privé de dessert •

• une carte gastronomique.
• des plats avec des noms liés à une thématique.
• des produits de saison.
• des plats qui ont un aspect inhabituel.
• une découverte touristique.

11 Imaginez : vous contribuez au blog « Au goût d'Emma » et vous partagez vos expériences dans des restaurants insolites ou originaux (dans votre pays ou dans le monde).
Écrivez un article sur un ou deux de ces restaurants : décrivez le cadre et l'originalité du lieu ou de son concept, puis donnez votre appréciation sur le repas, les prix et le service.

LEÇON 2 — Comprendre / Émettre un avis sur une œuvre

Lexique

Les œuvres cinématographiques

1 Complétez les étiquettes de la fiche technique avec les informations suivantes.

la bande-annonce | les réalisateurs | les acteurs | le nombre d'épisodes | l'intrigue | la date de sortie

Caractériser une œuvre cinématographique

2 Entourez la proposition correcte.

a. Aliocha Delmotte est *magistral* / *solitaire* dans le rôle de l'adolescent *captivant* / *incompris* ! – Les Cahiers du cinéma

b. Un casting *remarquable* / *sombre* composé de grands acteurs ! – Séries Mania

c. Un *comédien* / *huis clos* oppressant : comme les *personnages* / *dialogues*, on voudrait sortir de la pièce ! – Le Monde

d. La scène finale est très *captivante* / *émouvante* : on pleure ! – Première

e. Un scénario très *original* / *bouleversant*, plein de surprises ! – À voir à lire

f. Une histoire *incomprise* / *captivante*, pleine de *rebondissements* / *plans* ! On ne s'ennuie pas une seule minute ! – Télérama

g. Du *dialogue* / *suspense*, de l'*acteur* / *action*… il y a tous les ingrédients d'un bon thriller ! – Sens critique

Grammaire

La place de l'adverbe au passé composé

3 Répondez aux questions en utilisant *déjà*, *jamais* ou *pas encore*.

Ex. : – Tu n'as pas aimé Frédéric Pierrot ? (non, ni dans cette série ni dans ses autres rôles)
*– Non, je n'ai **jamais** aimé Frédéric Pierrot, ni dans cette série ni dans d'autres rôles.*

a. – Elle a vu cet épisode ? (oui, de nombreuses fois)

– ....

b. – Tu as décidé quelle série tu voulais regarder ? (non, je réfléchis)

– ....

c. – Cet acteur a joué dans une autre série ? (avant *En Thérapie*, non)

– ....

d. – Tu as entendu des critiques sur la saison 2 de *Lupin* ? (Oui, des critiques positives)

– ....

e. – Tu as regardé la saison 4 ? (non, mais je commence demain)

– ....

4 Utilisez les adverbes suivants pour donner des précisions sur les verbes soulignés.

jamais | plutôt | déjà | souvent | pas encore | vraiment

Ex. : J'ai entendu parler de cet acteur. Mes amis me parlent de lui régulièrement !
→ *J'ai **souvent** entendu parler de cet acteur. Mes amis me parlent de lui régulièrement !*

a. J'ai aimé l'actrice qui joue le rôle d'Andréa, je l'ai trouvée géniale !

....

b. Tu as vu la série *Le Monde de demain*, ou pas encore ?

....

c. La série n'est pas sortie sur Netflix, il faut attendre la semaine prochaine.

....

d. Je n'ai pas vu les films de Luc Besson, je déteste cet homme !

....

e. Nous avons apprécié ce film : il n'est pas parfait, mais on a passé un bon moment.

....

L'accord du participe passé avec le COD

5 Accordez les participes passés quand c'est nécessaire.

– Tu as déjà *vu* cette série ? Moi, je l'ai *découverte* au festival Séries Mania.

– Non, je ne l'ai jamais regardé........ Mais je sais qu'elle a eu........ beaucoup de succès, les critiques ont été........ très bonnes.

– Oui ! Moi, c'est une série que j'ai vu........ trois fois et je l'ai adoré........ à chaque fois !

– Mais quand tu as vu........ des épisodes plusieurs fois, tu n'en as pas marre ?

– Non ! J'adore connaître par cœur les dialogues que j'ai entendu........, revoir les personnages qui ont été........ marquants et que j'ai apprécié........ !

– Moi, les séries que j'ai aimé........, je n'ai jamais voulu........ les revoir ; je ne veux pas être déçue la deuxième fois.

Les pronoms relatifs *qui, que, à qui*

6 À l'aide des indications entre parenthèses, donnez des précisions sur ces personnes ou personnages, comme dans l'exemple.

Ex. : (voleur – la police le recherche) → *Dans* Lupin, *le personnage principal* **est un voleur que la police recherche**.

a. (le jeune acteur – joue le rôle de Joey Starr) → Dans la série *Le Monde de demain*, Melvin Boomer ....

....

b. (un psychiatre – tout le monde lui raconte ses problèmes) → Dans *En thérapie*, Philippe Dayan ....

....

c. (une famille – on adore la suivre dans ses aventures comiques) → Dans la série *Family Business*, les Hazan ....

....

d. (un jeune comique – Bling, un ami, lui demande d'écrire des textes) → Dans la série *Drôle*, Nezir ....

....

e. (une femme à haut potentiel intellectuel – la police la recrute pour résoudre des affaires criminelles) → Dans la série *HPI*, l'actrice Audrey Fleurot joue ....

Prononciation / Phonie-graphie

L'enchaînement avec les pronoms relatifs *qui, que, à qui*

7 🔊 19 *Qui, que* ou *à qui* ? Écoutez et entourez la forme entendue.

a. Un directeur de banque *qu'* / **(qui)** harcèle son employé à *qui* / *qu'*il arrive un tas d'aventures : c'est le sujet de la comédie de Jean-Thierry Loreille.

b. Un père de famille et ses superpouvoirs *qu'* / *qui* il ne maîtrise pas, *qu'* / *qui* il cache à ses enfants à *qui* / *qu'*il ne veut rien dire : c'est le nouveau film pour enfants d'Anne-Lyse Duboissec.

c. Un jeu vidéo *qui* / *qu'*conduit vers une situation insupportable le héros, à *qui* / *qu'*il est interdit de parler sauf par gestes : c'est le nouveau thriller du réalisateur Tony Maillot.

d. *Romance*, c'est le film de Martine Larché *qui* / *qu'*attire un large public et *qu'* / *qui* il faut voir cette saison.

Communication

Demander / Donner un avis

8 a. Complétez la conversation avec les mots suivants. Faites les modifications nécessaires.

(mal) (~~bien~~) (terrible) (accrocher) (manquer) (exceptionnel) (fou)

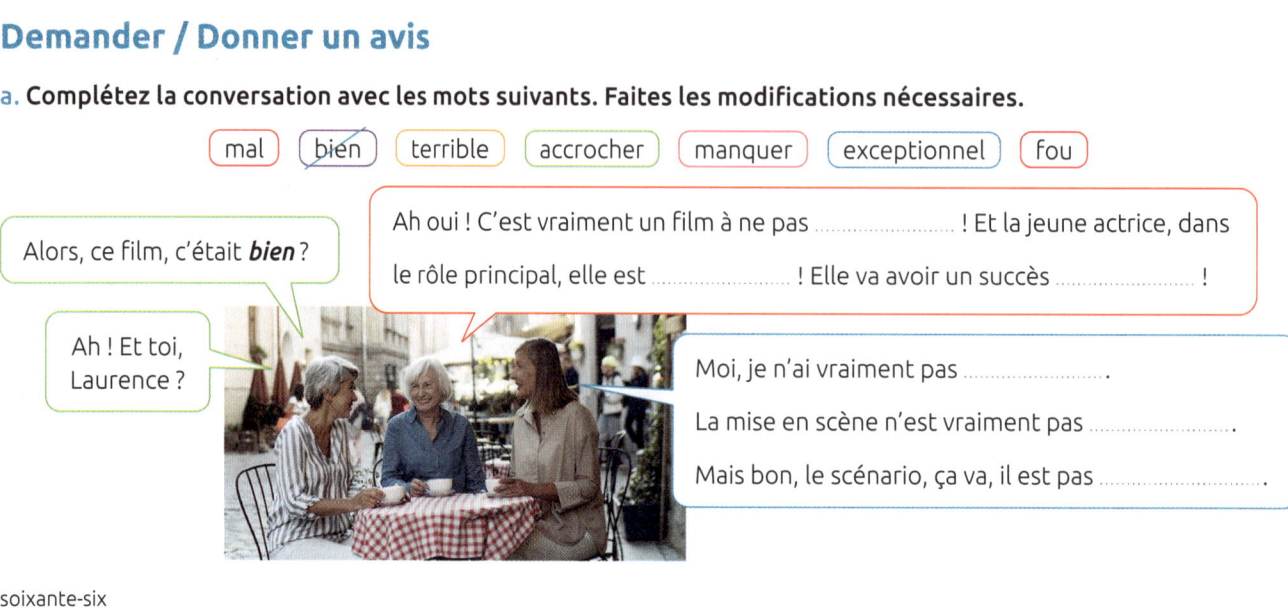

Alors, ce film, c'était **bien** ?

Ah oui ! C'est vraiment un film à ne pas .... ! Et la jeune actrice, dans le rôle principal, elle est .... ! Elle va avoir un succès .... !

Ah ! Et toi, Laurence ?

Moi, je n'ai vraiment pas ....
La mise en scène n'est vraiment pas ....
Mais bon, le scénario, ça va, il est pas ....

b. Reformulez chaque réplique avec des expressions pour demander / donner l'avis. Variez les formulations.

– Alors, ce film, **à votre avis**, c'était bien ?

– Ah oui ! ....

....

– Ah ! Et toi, Laurence, ...

– Moi, je n'ai vraiment pas accroché…

Caractériser une œuvre cinématographique

9 Écrivez vos définitions.

a. un bon scénario : *C'est un scénario qui est bien écrit, avec* ....

b. un bon casting : ....

c. une bonne scène d'action : ....

d. un personnage intéressant : ....

Comprendre – S'exprimer

10 🔊 20 **Écoutez cette émission sur les « sérivores ».**

a. **Vrai ou faux ? Cochez.**

1. Les « sérivores » regardent un grand nombre de séries.	☐ Vrai	☐ Faux
2. Juliette regarde toujours les séries l'une après l'autre.	☐ Vrai	☐ Faux
3. Logan s'est déjà levé la nuit pour regarder une série.	☐ Vrai	☐ Faux
4. Benjamin ne regarde plus de série parce qu'il n'arrive plus à s'arrêter.	☐ Vrai	☐ Faux
5. Juliette pense qu'elle a une dépendance aux séries.	☐ Vrai	☐ Faux

b. **Complétez les raisons qui expliquent le succès des séries, selon la scénariste invitée.**

1. Les épisodes sont ....

2. Sur chaque plateforme, des algorithmes ....

3. À la fin de chaque épisode, ...

4. Les personnages ....

11 Vous laissez un message sur les réseaux sociaux pour réagir à l'émission. Lisez l'appel à témoignages et répondez aux questions.

Hashtag – 15 avr

[TÉMOIGNEZ] À l'occasion de la diffusion de la deuxième saison de #Lupin, nous recherchons des témoignages : Regardez-vous des séries ? Un peu ? beaucoup ? trop ? Êtes-vous un(e) « sérivore » ou, au contraire, essayez-vous de limiter votre consommation ? Pourquoi ? Qu'est-ce qui, dans une série, vous donne envie de regarder la suite des épisodes ou au contraire, d'arrêter ?

LEÇON 3 — Communiquer sur un événement

Lexique

Les projets culturels et artistiques

1 Que font ces personnes ? Complétez avec les mots de la liste.

une fresque | un court métrage | une chorale | un concert | un défilé de mode | un orchestre

a. Ils chantent dans ....

b. Elle peint ....

c. Ils jouent dans ....

d. Elles participent à ....

e. Ils font ....

f. Ils tournent ....

2 Associez pour trouver toutes les actions possibles.

1. Des réalisateurs
2. Des comédiens
3. Des musiciens
4. Des décorateurs
5. Des organisateurs

a. composent
b. écrivent
c. enregistrent
d. jouent
e. projettent
f. répètent
g. tournent
h. fabriquent

A. leur spectacle avant la représentation.
B. un décor pour le spectacle.
C. une scène de leur spectacle.
D. un film dans la ville.
E. des chansons en studio.
F. un film dans une salle de cinéma.
G. en concert.
H. une musique pour un spectacle.
I. les paroles de leurs chansons.

3 Dans chaque article, mettez les mots soulignés à la bonne place.

a. Pendant leurs vacances au centre social, les jeunes ont participé à la création d'un film. Ils se sont d'abord impliqués dans le montage .... du scénario, puis ils ont réalisé l'écriture .... du film dans les locaux du centre social. Pour la projection ...., ils ont demandé l'aide d'un studio professionnel. Le tournage .... du film aura lieu au cinéma Lumière le 5 juin, à 18 heures.

b. Les membres de l'association Art en Scène ont créé leur spectacle de A à Z : de la représentation .... des musiques à la répétition .... des décors. La première composition .... a eu lieu la semaine dernière pour les acteurs. La fabrication .... du spectacle est prévue le 17 avril à 20 heures au théâtre des Ateliers.

Grammaire

Les marqueurs temporels

4 Reformulez les informations soulignées avec *il y a*, *dans*, *à partir de* ou *jusqu'à*.

Ex. : Inscrivez-vous <u>aujourd'hui et toute la semaine</u> ! → Inscrivez-vous **à partir d'aujourd'hui** !

a. Vous pouvez proposer votre projet ; <u>date limite : le 24 juillet</u>.

b. Nous sommes en août. La représentation aura lieu <u>en octobre</u>.

c. Aujourd'hui, c'est vendredi, ils ont commencé à peindre la fresque <u>mardi</u>.

d. Le tournage se déroulera <u>du 27 septembre à la fin du mois de décembre</u>.

e. Nous examinerons les projets <u>demain et les jours suivants</u>.

f. Il est 8 h 55 ! La répétition commence <u>à 9 h</u> !

C'est / Ce sont... qui / que pour mettre en relief

5 Mettez en relief les informations soulignées.

– Anita, bonjour. Vous êtes lauréate du prix Jeunes talents organisé par la ville.

Vous imaginiez obtenir <u>un prix</u> ? ***C'est un prix que vous imaginiez obtenir ?***

– On avait envie de gagner, mais on n'y croyait pas trop !

– Parlez-nous de votre projet.

– Nous allons créer <u>une comédie musicale</u>.

<u>Des textes de Victor Hugo</u> ont inspiré notre spectacle.

Nous aimons beaucoup <u>ces textes</u> et nous avons voulu les adapter en musique.

– Avez-vous rencontré des difficultés dans l'élaboration de votre projet ?

– Oui, <u>l'écriture des chansons</u> a été difficile

donc nous avons dû demander de l'aide à un compositeur.

– Et vous allez créer les décors vous-mêmes ?

– Non. <u>De jeunes étudiants en architecture d'intérieur</u> vont les dessiner et les fabriquer.

– Quel sera le nom de votre spectacle ?

– Nous voulons garder <u>cette information</u> secrète.

Vous le saurez quelques semaines avant la représentation !

– Merci Anita !

Les verbes en -*eindre*, -*aindre* et -*oindre* au présent

6 Complétez avec les verbes suivants conjugués au présent.

> peindre   joindre   rejoindre   atteindre   craindre

*Ex. : Avec ce projet, notre association **atteint** son objectif : faire découvrir le théâtre aux jeunes du quartier.*

a. Les jeunes qui .... notre association vont s'impliquer dans un projet de film.

b. En accord avec la mairie, nous .... une grande fresque sur un mur du quartier.

c. Je ne participe pas à la comédie musicale parce que je .... d'oublier les paroles des chansons.

d. Vous vous .... à nous pour le concert de ce soir ?

e. Tu .... le décor du spectacle ? Attends-nous, on te .... !

f. Elles .... un très bon niveau de chant avec cette chorale !

Communication

Expliquer le déroulement d'un projet

7 Lisez les affiches, puis écrivez la suite des articles pour présenter chaque événement. Donnez des précisions temporelles avec *il y a*, *dans*, *à partir de* ou *jusqu'à*.

a.

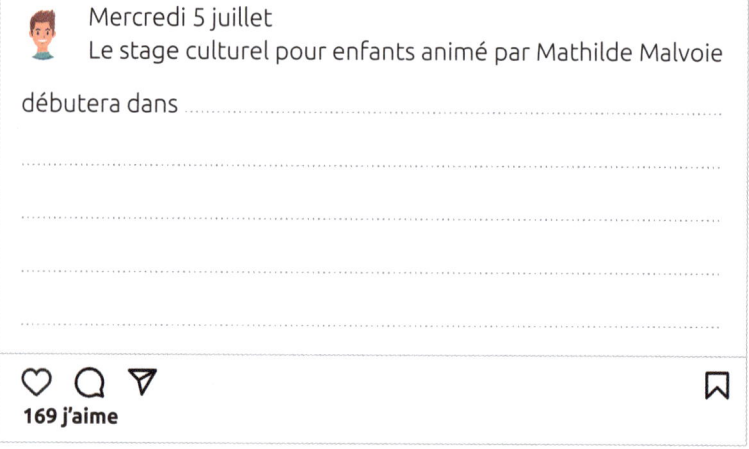

Mercredi 5 juillet
Le stage culturel pour enfants animé par Mathilde Malvoie débutera dans ....

169 j'aime

b.

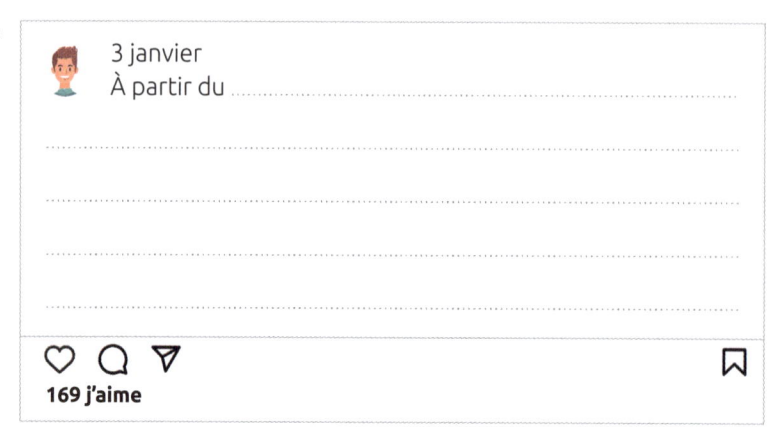

3 janvier
À partir du ....

169 j'aime

Comprendre – S'exprimer

8 Lisez les deux appels à candidatures et répondez aux questions.

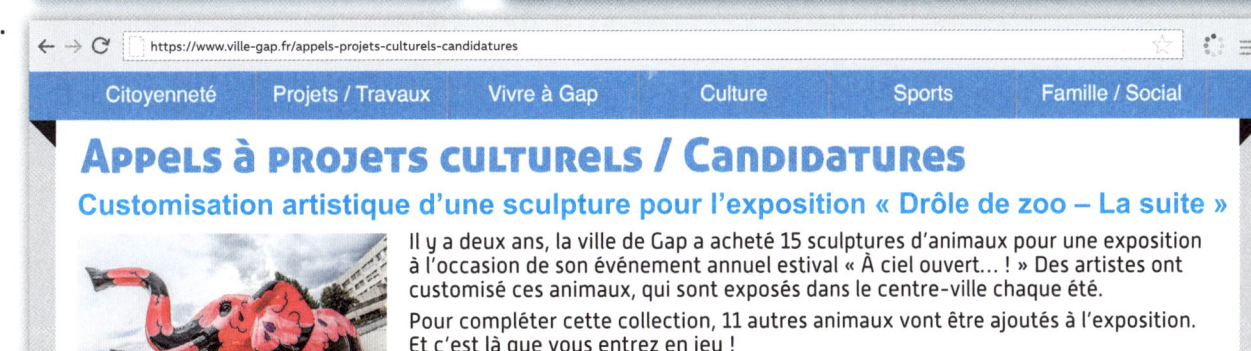

a. À quel type d'artistes s'adresse chaque appel à candidatures ?

1. ....
2. ....

b. Quel est le nom de chaque projet ? Que faut-il réaliser ?

1. ....
2. ....

c. Où et quand aura lieu chaque événement ?

1. ....
2. ....

d. Quelles sont les conditions pour participer ?

1. ....
2. ....

9 Imaginez : vous êtes un artiste et vous répondez à un des deux appels à projets (activité 8).
Rédigez le courrier pour votre dossier de candidature : présentez-vous et parlez de votre pratique artistique.
Puis expliquez votre projet : présentez votre idée à l'aide des éléments de l'appel à candidatures.

BILAN

Compétences linguistiques .../50

1 a. Complétez les avis avec les mots suivants. Puis transformez-les en phrases exclamatives. .../8
(1 point par réponse correcte)

[trouve] [pense que] [mon avis] [selon]

Ex. : Je **trouve** la présentation originale. (Quel(le)(s)) → **Quelle présentation originale !**

1. Je .... le cadre est très élégant. (Comme) → ....
2. À ...., c'est trop bruyant ! (Que) → ....
3. .... moi, le serveur est très efficace ! (Quel(le)(s)) → ....
4. On .... que les assiettes sont très copieuses ! (Que) → ....

b. Associez chaque phrase (act. a) à l'aspect commenté. *(1 point par réponse correcte)* .../4

[les plats] [l'ambiance] [le service] [le décor]

Ex. : Je trouve la présentation originale. (Quel(le)(s)) → Quelle présentation originale ! → les plats

1. ....
2. ....
3. ....
4. ....

2 Entourez l'option correcte. *(1 point par item correct)* .../12

a. – Voilà la brasserie recommandée par Paul et Julien !

– Ah, mais on est déjà *venu* / *venus* ici, *il y a* / *dans* quelques mois ! Les plats qu'on a *mangé* / *mangés* étaient délicieux !

– Messieurs-dames, bonjour ! Une table pour deux ?

– Non, pour quatre. Nos amis nous *rejoignent* / *rejoignons*. Ils arrivent *dans* / *il y a* 10 minutes, ça ira ?

– Oui, oui, nous servons *jusqu'à* / *à partir de* minuit.

b. – Vous avez *choisi* / *choisis* ?

– Oui, *pour* / *comme* plat, ce sera quatre steaks-frites !

– Et vous *désirez* / *demandez* des boissons ?

– Oui, un pichet de vin rouge, s'il vous plaît.

c. – Vous *choisirez* / *prendrez* un dessert ?

– Moi non. Je *crains* / *craint* de ne pas avoir assez faim pour un dessert…

– Moi, je vais *prendre* / *commander* la mousse au chocolat.

– Moi aussi ! Je l'ai déjà *goûté* / *goûtée*, elle est excellente !

– Alors une mousse pour moi aussi !

3 Réécrivez les commentaires avec des précisions sur les parties soulignées. *(1 point par réponse correcte)* .../14

a. [très] [absolument] [beaucoup]   J'ai apprécié ce spectacle, il est drôle ! Les acteurs sont excellents.

→ J'ai **beaucoup** apprécié ce spectacle ....

b. [trop] [très] [assez]   Le concert n'était pas bien : la musique était forte et les musiciens, pas expérimentés.

→ ....

c. (vraimnt) (plutôt) (déjà) J'ai participé à ce type de projet mais ça ne m'a pas plu, je me suis ennuyé.
→ ....

d. (beaucoup) (jamais) (super) La mise en scène est intéressante ; on ne s'ennuie pas et j'ai pleuré à la fin !
→ ....

e. (assez) (déjà) (encore) Cette jeune actrice n'est pas connue, mais elle a joué dans des films intéressants !
→ ....

4 Associez. Puis transformez les définitions, comme dans l'exemple. *(1 point par réponse correcte)*   .../12

- **a.** un court métrage
- **b.** une fresque
- **c.** un réalisateur
- **d.** un défilé de mode
- **e.** des décors
- **f.** un scénario
- **g.** des comédiens

- **1.** on lui confie la mise en scène d'un film.
- **2.** ne dure pas longtemps.
- **3.** on la peint sur un mur.
- **4.** on leur demande de jouer un rôle.
- **5.** permet de présenter des tenues vestimentaires.
- **6.** on les fabrique pour représenter un lieu, dans un spectacle.
- **7.** présente les scènes et les dialogues d'un film.

a. Un court métrage, ***c'est un film qui*** *ne dure pas longtemps.* (un film)

b. Une fresque, ... (une œuvre)

c. Un réalisateur, ... (une personne)

d. Un défilé de mode, ... (un événement)

e. Des décors, ... (des éléments)

f. Un scénario, ... (un document)

g. Des comédiens, ... (des personnes)

Compétences **socioculturelles**   .../10

1 Lisez les commentaires et associez-les au type de restaurant correspondant. *(1 point par réponse correcte)*   .../4

(une brasserie) (un café) (un restaurant gastronomique) (une cafétéria)

a. Une cuisine sophistiquée et raffinée, digne d'un grand chef ! → ....

b. On y déguste des petits plats bien de chez nous, à tout heure du jour et de la nuit ! → ....

c. Un self-service avec une grande variété de choix ! → ....

d. Le lieu idéal pour boire un apéritif en terrasse. → ....

2 Cochez la ou les proposition(s) correcte(s). *(1 point par réponse correcte)*   .../6

- **a.** Lille est située près de la frontière ☐ italienne ☐ suisse ☐ belge.
- **b.** Lille se trouve dans la région ☐ Hauts-de-France ☐ Grand-Est ☐ Normandie.
- **c.** ☐ Roubaix ☐ Nancy ☐ Tourcoing font partie de la Métropole européenne de Lille.
- **d.** Au XIXe siècle, la région de Lille était connue pour son activité ☐ agricole ☐ industrielle ☐ maritime.
- **e.** Aujourd'hui, les maisons Folie sont des lieux ☐ de santé ☐ industriels ☐ culturels.

Résultats .../60

LEÇON 1 : Choisir / Décrire une destination

Lexique

Les paysages et leurs caractéristiques

1 Complétez les légendes des photos avec les mots suivants.

sentier — désert — océan — montagne — dunes — lianes — jungle — pins — lac — roches — canyon — gorge — palmiers — cascade — passerelle

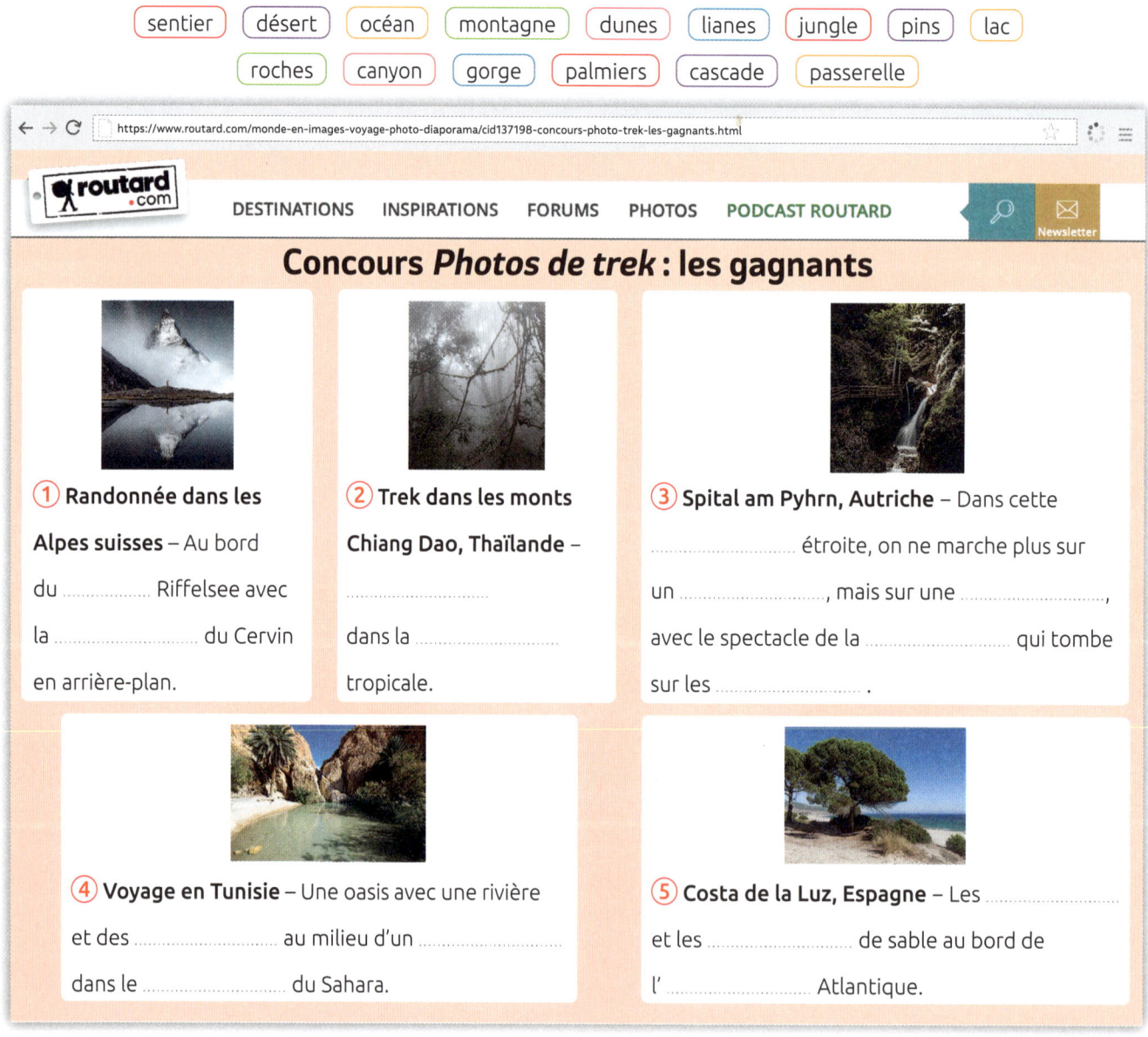

① **Randonnée dans les Alpes suisses** – Au bord du .... Riffelsee avec la .... du Cervin en arrière-plan.

② **Trek dans les monts Chiang Dao, Thaïlande** – .... dans la .... tropicale.

③ **Spital am Pyhrn, Autriche** – Dans cette .... étroite, on ne marche plus sur un ...., mais sur une ...., avec le spectacle de la .... qui tombe sur les ....

④ **Voyage en Tunisie** – Une oasis avec une rivière et des .... au milieu d'un .... dans le .... du Sahara.

⑤ **Costa de la Luz, Espagne** – Les .... et les .... de sable au bord de l' .... Atlantique.

2 Entourez la proposition correcte.

a. En Bretagne, l'archipel des Glénans offre un paysage *vertigineux / impressionnant* : le lagon *turquoise / flamboyant* et les immenses plages de sable blanc, d'une beauté *stupéfiante / dorée*, évoquent les îles *tropicales / gigantesques* des Caraïbes.

b. Dans les gorges d'Omblèze, les visiteurs découvrent la cascade *géante / luxuriante* de la chute de la Druise, qui tombe de 72 mètres de hauteur.

c. Pas besoin d'aller au Canada pour admirer les couleurs *flamboyantes* / *dorées* des forêts en automne, venez dans les Vosges !

d. C'est sur la côte méditerranéenne, pas loin de Marseille qu'on trouve les falaises Soubeyranes *tropicales* / *vertigineuses*, à 394 mètres au-dessus du niveau de la mer.

e. Les canyons n'existent pas qu'aux États-Unis ! Dans les gorges du Tarn, la rivière a formé un *gigantesque* / *insolite* canyon. À voir de préférence en fin de journée où la lumière douce donne à la roche une couleur *dorée* / *turquoise*.

Les hébergements touristiques

3 Écrivez les noms des hébergements correspondant aux descriptions.

a. Cet hébergement simple mais original plaît beaucoup aux enfants. → une c_ _ _ _ _

b. On peut le louer pour passer des vacances en famille ou entre amis. → un _ _ t _

c. Cette formule d'hébergement permet de rencontrer les habitants. → une _ _ _ _ _ _ _ d'_ _ _ _ _

d. Cet hébergement en bois est traditionnel dans les Alpes. → un _ _ a _ _ _

e. C'est un hébergement léger et facile à transporter. → une t _ _ _ _

Grammaire

Les pronoms *en* et *y* compléments de lieu

4 Entourez le pronom correct dans les devinettes. Puis écrivez le complément de lieu correspondant.

Ex. : La panthère noire et beaucoup d'autres animaux sauvages en / **y** *vivent.* → **dans la jungle**

a. On s' *en* / *y* rend pour faire du ski en hiver et de la randonnée en été. → ....

b. Quand on *en* / *y* repart, on a souvent les cheveux mouillés et du sable sur les pieds. → ....

c. En automne, on peut *en* / *y* ramasser des champignons. → ....

d. Il faut emporter beaucoup d'eau si on veut le traverser et *en* / *y* revenir vivant ! → ....

e. On peut la transporter et *en* / *y* dormir. → ....

f. On peut y dormir une seule nuit ou une semaine mais on *en* / *y* repart toujours avec le plaisir de la rencontre.

→ ....

Exprimer une ressemblance

5 Complétez les commentaires des touristes avec les mots suivants. (Certains mots sont à utiliser deux fois.)

évoque | comme | similaire | dirait | ressemble

a. Regarde la couleur de la mer, on .... un lagon en Polynésie !

b. J'adore cette partie de la côte bretonne, c'est .... en Irlande où je suis née.

c. On trouve que cette région, avec ses collines, ... beaucoup à la Toscane.

d. Selon moi, le quartier de la Défense à Paris est .... à Manhattan, mais en beaucoup plus petit !

e. Est-ce que ce paysage .... à un endroit dans ton pays ?

f. – Avec les maisons de toutes les couleurs sur la falaise, on .... l'Italie, tu ne trouves pas ?

– Si, exactement ! Pour moi, ce village .... un endroit de la Riviera italienne, près de Gênes.

Prononciation / Phonie-graphie

Les liaisons obligatoires, interdites et facultatives entre l'adjectif et le nom

6 Écoutez et indiquez quand vous entendez la liaison. Puis cochez pour formuler la règle.

a. 🔊 21 *Ex. : un grand‿océan*

1. le Grand___Est – **2.** le Nord___américain – **3.** un endroit___atypique – **4.** un petit___espace – **5.** de beaux___endroits – **6.** un emplacement___accessible – **7.** un bon___aménagement – **8.** des grands___espaces – **9.** un hébergement___idéal

→ La liaison est ☐ obligatoire ☐ interdite quand l'adjectif est placé avant un nom singulier ou pluriel.
→ La liaison est ☐ obligatoire ☐ interdite quand l'adjectif est placé après un nom singulier.

b. 🔊 22 *Ex. : des chemins‿inaccessibles – des chemins___inaccessibles*

1. des forêts___amazoniennes – des forêts___amazoniennes ; **2.** des sentiers___aménagés – des sentiers___aménagés ; **3.** des déserts___étonnants – des déserts___étonnants ; **4.** des chalets___incroyables – des chalets___incroyables

→ La liaison est ☐ obligatoire ☐ interdite ☐ facultative quand l'adjectif est placé après un nom pluriel.

Communication

Exprimer une ressemblance

7 Lisez les légendes, puis exprimez la ressemblance entre les deux lieux. Variez les formulations.

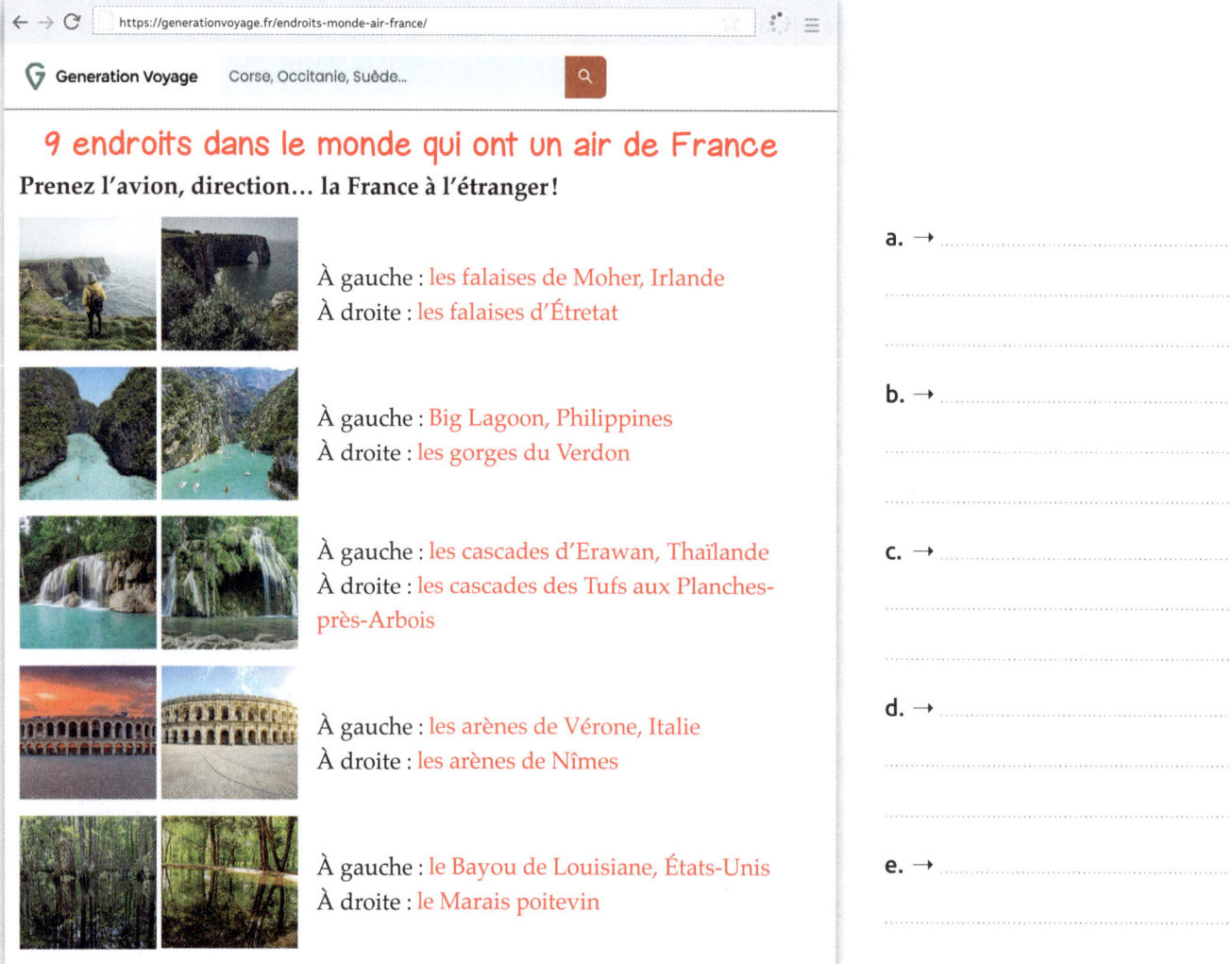

9 endroits dans le monde qui ont un air de France
Prenez l'avion, direction… la France à l'étranger !

À gauche : les falaises de Moher, Irlande
À droite : les falaises d'Étretat

a. → ....

À gauche : Big Lagoon, Philippines
À droite : les gorges du Verdon

b. → ....

À gauche : les cascades d'Erawan, Thaïlande
À droite : les cascades des Tufs aux Planches-près-Arbois

c. → ....

À gauche : les arènes de Vérone, Italie
À droite : les arènes de Nîmes

d. → ....

À gauche : le Bayou de Louisiane, États-Unis
À droite : le Marais poitevin

e. → ....

Suggérer / Réagir à une suggestion

8 Associez pour formuler :

a. **des suggestions ;**

Si on	te dirait d'aller à Rustrel ?
Pourquoi on	tente d'aller à Rustrel ?
On	ça te dit ?
Ça vous	ne va pas à Rustrel ?
Ça	allait à Rustrel ?
Aller à Rustrel,	pourrait aller à Rustrel.

b. **des réactions.**

C'est	pas ?
Oui, ça me	tente pas.
Non, je ne suis pas	moi.
Ça ne me	va.
Oui, pourquoi	d'accord !
OK pour	pour.

Comprendre – S'exprimer

9 Lisez l'article puis répondez aux questions.

Nouvelle tendance de l'insolite ? Les hébergements recyclés !

L'hébergement touristique insolite continue à progresser et cela devient difficile de se différencier : les cabanes, les chambres dans des bulles transparentes, les yourtes ou les tipis sont très nombreux et deviennent des « standards ». Mais une catégorie réussit à faire la différence : les hébergements recyclés !

On voit apparaître beaucoup d'hébergements qui ont une histoire : une roulotte de cirque ou un bateau, transformés d'une manière écologique et responsable pour diminuer l'impact de ces hébergements sur l'environnement. Et si vous choisissiez un de nos hébergements recyclés pour votre prochain séjour insolite ? Découvrez notre sélection.

LA ROULOTTE DE SANDOR
C'est l'histoire d'une roulotte et d'un violoniste qui ont parcouru toutes les routes d'Europe pendant sept ans. En 2012, le voyageur a posé ses bagages et est devenu sédentaire : impossible de se séparer de sa fidèle roulotte… Il a alors décidé de la rénover pour y accueillir des touristes dans le Jura !

LE CONTAINER DE « DES BRANCHES ET VOUS »
Dormir dans des containers industriels, c'est le projet un peu fou de la propriétaire de *Des Branches et Vous*, dans la Drôme. Décorés avec soin et réhabilités pour l'habitat, ils n'ont plus que l'aspect extérieur d'un container et, une fois à l'intérieur, on se trouve dans un véritable cocon tout confort.

CESSNA ET SA TOUR DE CONTRÔLE
Le petit Cessna 172 du Natura Lodge est un véritable avion qu'on a transformé en un couchage étroit. Il y a encore le tableau de bord et les manettes de commandes : les enfants l'adorent ! Il est loué avec sa Tour de Contrôle située juste à côté donc vous aurez l'opportunité de tester deux hébergements insolites, uniques en France. Le tout décoré sur le thème du *Petit Prince* d'Antoine de Saint-Exupéry.

a. Quelle est la spécialité du magazine touristique *Abracadaroom* ?

b. Est-ce difficile de trouver un hébergement touristique original en France ?

c. Quelle est la spécificité des hébergements présentés dans cet article ?

d. Quel est l'intérêt de ces hébergements ?

e. Quel était le premier usage de chaque hébergement ?

10 Vous avez prévu un séjour en France avec vos ami(e)s mais vous n'avez pas encore décidé où ni choisi votre hébergement. Vous leur écrivez un mail suite à la lecture de l'article *Abracadaroom*. Parlez des hébergements insolites présentés. En fonction de vos préférences, donnez votre avis et faites des suggestions pour le choix de l'hébergement et les activités pendant votre séjour. Demandez leur avis et leurs préférences.

LEÇON 2 : Préparer / Raconter un voyage

Lexique

Les voyages

1 Entourez dans la grille les mots correspondant aux définitions suivantes.

Ex. : un voyage en plusieurs étapes pour découvrir un pays ou une région → *un circuit*

– pendant un voyage, un déplacement d'une étape à une autre
– un déplacement avec une compagnie aérienne
– le moment où on confirme le vol et on dépose les bagages
– le moment où les passagers entrent dans l'avion
– un billet pour un déplacement unique en avion ou en train
– les actions administratives à faire avant un voyage à l'étranger
– un moment de visite ou une promenade pendant un voyage
– avec une date de validité dépassée

```
E M B A R Q U E M E N T
X E A R G U E N I N E U
C E X T R A N D A R J R
U T A I P E R I M E E O
R I N F U N E R E G T U
S U R O C I R C U I T E
I N T R O C A H T S A P
O R U M M L L E R T I R
N E V A P A L L E R N I
A V O L R I O U V E S A
M I L I E F R A I M U R
B E N T R A N S F E R T
E N N E R S E U R N E I
T A I S E E S R I T S E
```

2 Mettez les mots soulignés à la bonne place.

De : Moi
À : Marco   10:35 (il y a 3 heures)

Salut Marco,

Comment vas-tu ? Comment as-tu passé cette fin d'année ?

Moi, je suis rentrée hier du Vietnam ! Je sais que tu n'as jamais fait de voyage <u>valide</u> ...., que tu n'aimes pas être en groupe mais, moi, j'ai adoré l'expérience : un groupe de 12 personnes, c'était super ! Une personne de l'agence nous a accueillis à l'aéroport et a fait <u>l'embarquement</u> .... de nos bagages, on n'a pas perdu de temps ! Quand on attendait <u>l'aller-retour</u> ...., j'ai parlé avec deux femmes du groupe et pendant <u>l'enregistrement</u> ...., on était assises côte à côte alors on a sympathisé. On a fait <u>le circuit</u> .... sur Vietnam Airlines : une très bonne compagnie aérienne ! <u>Le vol</u>, en trois étapes, nous a permis de parcourir tout le pays : d'abord le nord, puis le centre et enfin le sud avec chaque <u>guide conférencier</u> .... en avion. Chaque jour, il y avait une excursion et c'était toujours <u>organisé</u> .... dans le prix du voyage, avec un <u>transfert</u> .... francophone. Avec mes amies, on a fait une excursion <u>en pension complète</u> .... : une journée en bateau dans le delta du Mékong. Un peu cher, mais c'était magnifique ! On prenait tous les repas ensemble parce qu'elles avaient choisi la formule <u>en cours de validité</u> ...., comme moi. J'ai adoré la cuisine vietnamienne !

Et toi, tu as des projets pour tes prochaines vacances ? On s'appelle et on se voit bientôt ?

Bises,

Alexandra

PS : Fais attention si tu as prévu un voyage à l'étranger et si tu as besoin d'un passeport en supplément .... : en ce moment c'est très long pour le faire refaire... Mon passeport était compris .... seulement jusqu'au milieu du séjour et j'ai eu peur de ne pas l'obtenir à temps !

Le carnaval

3 Complétez les légendes des photos avec les mots suivants. Faites les modifications nécessaires.

marionnette · masque · carnaval · costume · parade · déguisé

a. b. c. d.

a. Une .... dans les rues de Nice pendant le ....

b. Un .... du carnaval de Venise

c. Des .... géantes dans les rues d'Angers

d. Un participant ...., en .... de gondolier vénitien, à Lemos, en Espagne

Grammaire

Le gérondif

4 Mettez les verbes entre parenthèses au gérondif.

" .... (partir) pour un voyage d'un an autour du monde, nous voulions découvrir tous les endroits qui nous faisaient rêver, renforcer les liens de notre famille .... (partager) des moments forts tous ensemble, ouvrir nos esprits .... (faire) des rencontres et .... (voir) la diversité du monde... L'expérience a été très positive : les enfants ont découvert beaucoup de choses .... (s'amuser) ; ils ont appris un peu d'anglais et d'espagnol .... (jouer) avec des enfants dans les pays traversés. Et .... (vivre) dans des environnements variés, ... (découvrir) des cultures différentes, ils ont compris qu'il existe d'autres manières de vivre. .... (Rentrer) à Paris, ils nous ont demandé la date du prochain voyage ! " Slimane (40 ans), Clothilde (35 ans), Dahlia (9 ans) et Noé (7 ans)

5 Transformez les phrases en mettant l'action secondaire au gérondif.

Ex. : Pendant nos vacances, on a parcouru tout le pays, on a fait du covoiturage.
→ *Pendant nos vacances, on a parcouru tout le pays **en faisant** du covoiturage.*

a. À notre arrivée, les habitants nous ont accueillis et nous ont offert un café.

....

b. Halima et Fabrice ont fait le tour de la Bretagne à pied, ils ont suivi le sentier côtier.

c. Pendant que je voyageais au Japon, j'ai rencontré Jérémy qui étudiait le japonais à Tokyo.

d. Les touristes participent à la parade : ils chantent et dansent avec les locaux.

e. J'ai fait le tour de l'île et j'ai découvert des plages superbes.

Les pronoms indéfinis

6 a. Entourez la proposition correcte.

Les voyages organisés, pour ou contre ?

 Samuel, 67 ans

Pour ! L'avantage d'un voyage organisé, c'est que nous n'avons *rien / tout* à préparer : *tout / quelque chose* est prévu ! Chaque jour, il y a des excursions mais *personne / rien* n'est obligé d'y participer, *chacun / tout* peut décider s'il veut y aller ou pas. Nous pouvons toujours discuter avec *quelqu'un / chacun* : *personne / rien* n'est seul ! Le soir, il y a souvent *quelque chose / quelqu'un* au programme : une soirée jeux, une projection…

 Violaine, 46 ans

Contre ! Mon compagnon et moi, nous avons fait un voyage organisé l'an dernier, pour la première fois. Nous n'avons *tout / rien* aimé ! Pendant les excursions, *tout / chacun* est chronométré et on ne peut pas prendre son temps pour visiter. Nous étions en pension complète et les plats étaient *tous / tout* internationaux, *rien / personne* ne correspondait à la cuisine du pays.

b. Reformulez les phrases des deux témoignages avec *on* quand c'est possible.

*L'avantage d'un voyage organisé, c'est qu'**on***

Communication

Décrire une tradition

7 Mettez les éléments dans l'ordre correct pour former des phrases.

a. pour – est – bien – tout – organisé – le défilé

b. des Diables Rouges – personne – dans – sans masque – ne – la parade – défile

c. l'après–midi – les défilés – il ne se passe – rien – le matin – se déroulent – ou le soir – tous

d. l'origine du carnaval – quelqu'un – des esclaves – a expliqué que – vient de l'époque

....

e. une tenue – le – dernier jour – du carnaval – chacun – blanche et noire – met – pour

....

f. parler créole – quelque chose – pour comprendre – il faut – dans cette chanson

....

Comprendre – S'exprimer

8 🔊 23 **Lisez puis écoutez des extraits du podcast.**

a. Trouvez dans la liste ci-dessus à quel épisode chaque extrait correspond, puis écrivez de quel pays on parle.

Extrait 1 : épisode .... → ....

Extrait 2 : épisode .... → ....

Extrait 3 : épisode .... → ....

b. Associez chaque extrait à une photo.

Extrait 1 : photo ....

Extrait 2 : photo ....

Extrait 3 : photo ....

A.   B.   C.

c. Vrai ou faux ?

1. Quand on va chez quelqu'un au Japon, il faut apporter ses chaussons personnels.   ☐ Vrai   ☐ Faux
2. Tout le monde peut participer à un « kaffemik ».   ☐ Vrai   ☐ Faux
3. Personne ne garde ses chaussures pendant un « kaffemik ».   ☐ Vrai   ☐ Faux
4. Dans un « kaffemik », chacun peut rester toute la journée.   ☐ Vrai   ☐ Faux
5. Quand quelqu'un participe à un « kaffemik », il ne doit rien apporter.   ☐ Vrai   ☐ Faux
6. En Chine à midi, personne ne travaille.   ☐ Vrai   ☐ Faux
7. À Shenzhen, c'est une faute professionnelle de dormir sur le lieu de travail.   ☐ Vrai   ☐ Faux

9 **Vous proposez des idées au magazine *Geo* pour d'autres épisodes du podcast *Traditions du monde*. Choisissez deux traditions, de votre pays ou de pays que vous avez visités, et écrivez un texte pour expliquer chaque tradition. Donnez à chacun un titre, qui pourrait être le titre de l'épisode correspondant.**

LEÇON 3 — Raconter un défi, une aventure

Lexique

L'aventure, le défi

1 Complétez la conversation avec les mots suivants.

> trousse de secours — lampe frontale — tente — défi — matelas — sac de couchage — aventure — briquet — challenge

Véra : Le sac à dos est prêt, départ demain sur le chemin de Saint-Jacques ! J'emporte tout le nécessaire pour bivouaquer : une petite .... très légère, un .... de camping et un .... bien chaud, ma .... pour m'éclairer et un .... pour faire du feu s'il fait très froid le soir.

Mika : Tu as pensé aux médicaments de base ?

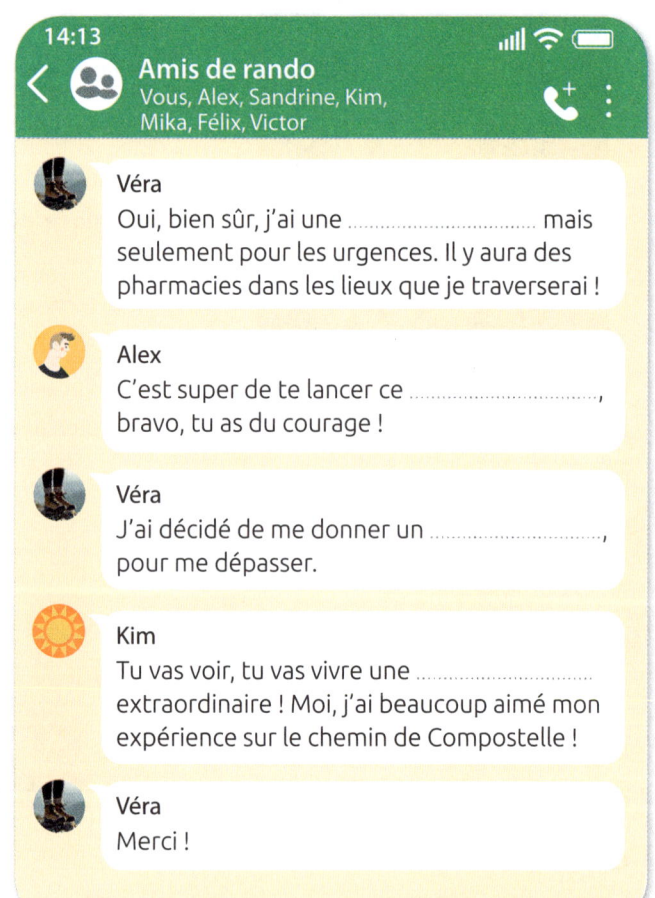

Véra : Oui, bien sûr, j'ai une .... mais seulement pour les urgences. Il y aura des pharmacies dans les lieux que je traverserai !

Alex : C'est super de te lancer ce ...., bravo, tu as du courage !

Véra : J'ai décidé de me donner un ...., pour me dépasser.

Kim : Tu vas voir, tu vas vivre une .... extraordinaire ! Moi, j'ai beaucoup aimé mon expérience sur le chemin de Compostelle !

Véra : Merci !

Exprimer des ressentis, des sensations

2 Entourez la proposition correcte. Puis écrivez le sens correspondant.

*Ex. : Le soir en été, on adore faire un pique-nique sur la plage en ⟨admirant⟩ / sentant le coucher de soleil ! → **la vue***

a. Il y a des gens qui vont en forêt pour *sentir / toucher* les arbres : ils entourent un arbre de leurs bras et ça leur fait du bien. → ....

b. Pendant notre randonnée dans les Cévennes, on a *dégusté / touché* des produits locaux, c'était délicieux !
→ ....

c. En Bretagne, Léa part randonner tôt le matin : seule sur le sentier, elle peut *sentir / écouter* les oiseaux chanter en marchant. → ....

d. Est-ce que quelqu'un fait un feu ? Je *sens / touche* une odeur de fumée... Mais c'est interdit dans la forêt !
→ ....

e. – Qu'est-ce que tu *écoutes / regardes* dans le ciel ?
– *J'admire / Je déguste* les nuages, ils ont des formes incroyables ! → ....

3 Associez chaque déclaration au(x) ressenti(s) correspondant(s).

a. Après cette randonnée de dix jours, j'ai mal dans tout le corps !   •   • **1.** Je suis fier de moi.
b. Je ne pensais pas que j'allais réussir ce challenge, mais je l'ai fait !   •   • **2.** Je me sens découragé.
c. Je suis inquiet quand je bivouaque seul…   •   • **3.** Je suis ravi.
d. Quand je rentre chez moi après 20 km de course à pied, je prends un bon bain.   •   • **4.** Je suis épuisé.
e. Le trek n'est pas terminé, mais j'ai envie d'arrêter !   •   • **5.** Ça m'angoisse.
f. C'est génial de vivre cette aventure avec toi, quel plaisir !   •   • **6.** Ça me détend.

Grammaire

Les verbes prépositionnels

4 Complétez avec *à* ou *de*.

a. Marine a décidé ...... parcourir seule le chemin de Compostelle, elle commence ...... randonner demain.
b. On n'est pas arrivés ...... monter la tente à cause du vent, alors on a décidé ...... dormir dans la voiture.
c. Ils n'ont pas réussi ...... trouver de l'eau alors ils ont continué ...... avancer jusqu'au prochain village.
d. Claude a essayé ...... terminer le trek mais il était épuisé alors il a dû arrêter ...... marcher.
e. Sandra a décidé ...... aller jusqu'au bout de son défi : elle a continué ...... bivouaquer, même en hiver !

Le passé composé et l'imparfait dans un récit

5 Transformez au passé.
Ex. : Ce matin, les randonneurs partent tôt : ils ne veulent pas marcher aux heures les plus chaudes.
*→ Hier matin, les randonneurs **sont partis** tôt : ils ne **voulaient** pas marcher aux heures les plus chaudes.*

a. Les prévisions météo sont bonnes, alors on décide de bivouaquer. → Ce jour-là, ...
....

b. Quand on arrive dans le village, on demande de l'eau aux habitants pour remplir nos gourdes. → Hier, ...
....

c. En arrivant dans la forêt, Gaëtan et Souad voient des animaux sauvages qui passent en courant ; ils sont ravis !
→ Ce matin, ...

d. Je choisis ce GR parce que je le trouve assez facile pour une première expérience de randonnée. → L'été dernier,
....

e. Quand Alex arrive au sommet, le ciel est tout noir et l'orage menace alors il se dépêche de redescendre. → Le dernier jour du trek, ...
....

6 Conjuguez les verbes entre parenthèses au passé composé ou à l'imparfait.

Histoires de voyageur : des aventures pour s'inspirer

Oser voyager seule : le témoignage de Mélanie qui a .... (parcourir) seule l'Amérique latine.

L'histoire .... (arriver) quand je .... (faire) du stop en Argentine, sur la célèbre route 40. Je .... (commencer) ma journée de stop à 7 h 30, direction Mendoza. Après quinze minutes d'attente, une voiture .... (s'arrêter). Le conducteur, Ricardo, ... (proposer) de m'emmener parce que nous .... (aller) dans la même direction. Pendant le trajet, nous .... (beaucoup parler) mais parfois la communication .... (être) difficile parce que mon niveau en espagnol .... (être) encore faible.

Puis il me .... (proposer) de passer une journée chez les Mapuches, une population autochtone. Je .... (accepter), ça me .... (intéresser) vraiment ! Nous .... (arriver) dans leur village et je .... (rencontrer) le chef du village qui .... (être) aussi le maître d'école. J' .... (être) ravie et très curieuse !

Je .... (passer) la journée dans la famille du chef, on .... (préparer) ensemble le repas du midi. Je .... (visiter) l'école où les enfants .... (être) aussi curieux que moi ! Toute la journée, je .... (ne pas arrêter) de me dire : « Ce que je vis est incroyable ! »

Prononciation / Phonie-graphie

Les consonnes tendues et relâchées

7 🔊 24 Écoutez. Quel mot est différent dans chaque série ? Cochez.

Ex. : ☐ ☐ ☒ ☐   a. ☐ ☐ ☐ ☐   b. ☐ ☐ ☐ ☐   c. ☐ ☐ ☐ ☐   d. ☐ ☐ ☐ ☐
e. ☐ ☐ ☐ ☐   f. ☐ ☐ ☐ ☐   g. ☐ ☐ ☐ ☐   h. ☐ ☐ ☐ ☐   i. ☐ ☐ ☐ ☐

Communication

Exprimer des ressentis, des sensations

8 Exprimez le ressenti de chaque personne. Proposez plusieurs formulations quand c'est possible.

a. Ça ...., **b.** Je ...., **c.** Je ...., **d.** Ça ....,

je ....

Comprendre – S'exprimer

9 Lisez l'article. Choisissez la ou les proposition(s) correcte(s).

Le voyage et l'aventure, pour eux, c'est non merci !

Aujourd'hui, beaucoup de citadins affirment leur goût pour la randonnée, le bivouac et la vie au grand air. Mais, contrairement à cette tendance largement affichée sur Instagram, certaines personnes détestent l'inconnu et l'inconfort, et aiment retrouver des lieux familiers. Témoignages.

« Je ne suis pas faite pour l'aventure mais j'assume ! »

Katie, 40 ans, adore marcher en ville ou en pleine nature mais elle a zéro tolérance pour le camping. « Je ne dors pas, le bruit me dérange et la présence d'insectes me panique. » Pour faire plaisir à son copain, elle a récemment accepté une nuit de « glamping » dans la forêt de Rambouillet mais l'expérience n'a pas été positive. « Il y avait des sauterelles dans notre cabane et j'étais angoissée à l'idée de me faire mordre par un rat. Cela m'a rappelé un séjour dans une yourte, il y a 15 ans, avec des amis. C'était sale et humide, on n'avait pas de téléphone, je n'ai pas du tout dormi la première nuit ! Je sais, je suis compliquée : je pense toujours aux galères et l'idée de manquer d'eau ou de nourriture, de me retrouver loin d'un hôpital me fait très peur. » Aujourd'hui, Katie refuse les discours sur les bienfaits de « l'aventure » ou des voyages en pleine nature. « Cela fait rire les autres, mais j'assume ! J'ai 40 ans, un boulot que j'aime et je ne suis pas sur Instagram. Je n'ai pas besoin de briller sous les feux des projecteurs. »

« Le type de vacances qui me convient ? Les voyages organisés »

À 20 ans, influencé par des stories de voyages sur Instagram, Julien rêvait d'aventures. « J'ai dépensé tout mon argent pour acheter du matériel de montagne et des vêtements techniques et je suis parti en train pour les Carpates avec deux copains. On n'avait pas d'expérience et on a commencé notre trek trop tôt dans l'année. J'ai détesté chaque seconde, mais je n'osais rien dire. La première nuit a été horrible : je claquais des dents, j'avais mal partout. J'avais envie de rentrer chez moi. Le lendemain, tempête de neige ! » Un peu gêné, il reconnaît : « Je me suis mis dans des situations pas possibles pour une photo cool. Plus jamais ! » Aujourd'hui, Julien est très clair sur ses envies. « Le type de vacances qui me convient, ce sont les voyages organisés où je n'ai pas besoin de réfléchir, ou la location d'une villa avec tout le confort. »

« Je me dis que je suis très bien où je suis »

Même histoire pour Nathan, 33 ans, parti seul en Iran il y a quelques années. « Mon fantasme était de partir avec un sac à dos et de décider chaque jour de mon itinéraire. Mais je n'imaginais pas le stress de ne pas savoir où j'allais dormir, dans un pays où tout le monde ne parle pas bien anglais, et où la culture est tellement différente. » Le jeune homme n'a pas aimé l'expérience mais, à son retour, il n'a pas osé le dire à ses amis. « Maintenant, ça n'a plus d'importance ! J'ai vécu ça une fois, c'est bien, mais je sais que ce n'est pas pour moi. Je suis toujours un peu jaloux quand je vois sur les réseaux des photos de voyages incroyables. Mais, dans ce cas, je me déconnecte d'Instagram et je me dis que je suis très bien où je suis, à la Rochelle où je passe souvent mes vacances. »

a. Le thème de l'article est ☐ la mode des voyages et de l'aventure. ☐ l'influence d'Instagram sur les goûts. ☐ les goûts différents de certaines personnes pour leurs vacances.

b. Les trois personnes qui témoignent ☐ n'ont jamais vécu d'aventure. ☐ ont déjà vécu une aventure. ☐ veulent essayer de vivre une aventure.

c. Katie ☐ n'a pas besoin de confort. ☐ déteste dormir sous la tente. ☐ est facilement angoissée.

d. Julien ☐ a relevé un défi sous l'influence d'un réseau social. ☐ n'a pas de préférences pour ses vacances. ☐ continue à mettre des photos de voyage sur les réseaux sociaux.

e. Nathan ☐ aime voyager loin. ☐ regrette de ne pas voyager loin. ☐ préfère rester en France.

10 Vous répondez à l'appel à témoignages. Écrivez un mail et racontez vos mauvais souvenirs de vacances. Donnez des informations sur le lieu, les personnes, les circonstances. Décrivez vos ressentis, donnez des précisions sur les difficultés rencontrées et les solutions trouvées.

Vous avez vécu des vacances nulles : une dispute mémorable au bord de la piscine avec vos potes, la location de vacances qui se révèle horrible... Ça vous dit de témoigner ?
C'est très simple : envoyez un mail à temoignages@madmoizelle.com et racontez-nous votre mauvais souvenir de vacances.

BILAN

Compétences linguistiques .../50

1 Complétez avec les mots suivants. Puis conjuguez les verbes entre parenthèses au passé composé ou à l'imparfait. *(0,5 point par réponse correcte)* .../12

en (× 2)   y (× 2)

pension   excursion   circuit   enregistrement   vol   prestation   guide   supplément

a. – Pendant votre séjour, vous **avez pris** (prendre) tous vos repas à l'hôtel ?
– Oui, on **y a mangé** (manger) tous les jours parce qu'on .... (être) en .... complète.

b. Hier, on .... (faire) une .... dans un village traditionnel et quand on .... (revenir), notre hôte nous .... (attendre).

c. Quand nous .... (apprendre) l'annulation de notre ...., nous .... (faire) les formalités d'............... à l'aéroport. Donc nous .... (retourner) le lendemain matin.

d. Normalement, le petit déjeuner .... (être) inclus dans la .... mais on .... (devoir) payer un .... dans un des hôtels.

e. Mon fils .... (adorer) notre séjour aux Antilles ! Quand on .... (repartir), il .... (ne pas vouloir) quitter notre .... : une femme très sympathique qui nous .... (accompagner) pendant tout le .... !

2 Trouvez les 12 associations possibles. *(1 point par phrase correcte)* .../12

a. Ça vous dirait
b. J'ai réussi
c. On pourrait
d. Ça ne me dit pas du tout
e. Je n'arrive pas
f. Johanna a décidé
g. On dirait
h. J'ai commencé
i. Ce paysage ressemble
j. On a arrêté
k. Si on faisait

1. à dormir sous la tente, il fait trop froid !
2. la plage où nous sommes allés l'an dernier.
3. à trouver un vol pour un prix intéressant.
4. de faire un circuit au Canada en voyage organisé.
5. à paniquer quand j'ai vu l'orage arriver.
6. de faire une randonnée en montagne ?
7. à un décor de cinéma.
8. de marcher parce qu'il pleuvait trop.
9. faire un feu pour se réchauffer.
10. du bivouac pendant une nuit ?

3 Réécrivez les informations au gérondif, avec les mots correspondant aux dessins. *(1 point par gérondif et par mot correct)* .../13

Voici comment j'aime voyager

Je voyage léger :
• j'emporte peu de choses dans mon ....

Je profite de la nature :
• je dors sous la .... ou dans une ....
• je fais ma toilette dans des ....

J'évite les foules de touristes :
• je marche seul sur des .... peu fréquentés
• je vais dans des lieux inhabités comme les .... tropicales ou les ....

Je garantis ma survie :
• je prends toujours deux éléments essentiels : un .... et une ....

Voici comment j'aime voyager :

– *Je voyage léger **en emportant** peu de choses dans mon **sac à dos**.*

– *Je profite de la nature* ....

....

– *J'évite les foules de touristes* ....

....

– *Je garantis ma survie* ....

4 Entourez la proposition correcte. Puis trouvez dans la liste le ressenti correspondant à chaque situation.
(1 point par réponse correcte) .../13

| Ils sont paniqués. | Ils sont fiers. | Ils se sentent découragés. | Ils sont ravis. | Ça les détend. | Ils sont épuisés. |

Ex. : *Ils ne peuvent plus marcher, ils appellent* **quelqu'un** */ quelque chose pour venir les chercher en voiture.* → **Ils sont épuisés.**

a. *Après cette longue marche, ils font* tout / chacun *une activité relaxante.* → ....

b. *Rien / Quelque chose ne va arrêter les marcheurs,* tous / tout *sont enthousiastes à l'idée de ce trek.* → ....

c. *Seuls sous l'orage, ils crient, ils ont peur de* tout / toute. → ....

d. *Il n'y a plus* rien / quelqu'un *qui les motive,* personne / chacun *ne veut continuer.* → ....

e. *Les participants sont* toutes / tous *satisfaits d'avoir accompli* quelque chose / quelqu'un *d'exceptionnel.* → ....

Compétences **socioculturelles** .../10

1 a. Entourez les lieux qui se situent en outre-mer. *(0,5 point par bonne réponse)* .../4

le Pilat — la Guadeloupe — Saint-Pierre-et-Miquelon — la Guyane — la Martinique
Les Saintes — Kakuetta — les Pyrénées — Marie-Galante — les Alpes — Saint-Barthélemy
le Jura — Saint-Martin — le Lubéron — le bassin d'Arcachon — Pointe-à-Pitre

b. Listez les lieux (act. a) qui se situent dans les Antilles. *(0,5 point par bonne réponse)* .../3

la Guadeloupe, ...

2 Écrivez les noms des trois massifs montagneux manquants. *(1 point par bonne réponse)* .../3

Les massifs montagneux en France métropolitaine

les Vosges

le Massif central

Résultats .../60

LEÇON 1 : (S') Informer sur l'actualité

Lexique

Les médias et l'information

1 a. Entourez la proposition correcte.

1. L'info est à la *une* / *rubrique* du *journal* / *fait-divers* d'aujourd'hui !

2. Le « 20 heures », c'est *le journal télévisé* / *la presse* que les Français regardent le soir.

3. Les sites d'information en *live* / *continu* diffusent l'information en *direct* / *JT*.

4. Les journaux, les magazines, toute la *rubrique* / *presse* parle de l'événement !

5. *Le direct* / *L'article* parle de la mort d'un grand créateur de mode.

b. Associez chaque photo à la phrase correspondante (act. a).

A. Phrase ....

B. Phrase ....

C. Phrase ....

D. Phrase ....

E. Phrase ....

Les faits-divers

2 Associez pour formuler des informations (plusieurs possibilités).

Le chauffeur •
La victime •
La police •

• a démarré •
• a ouvert •
• a percuté •
• a porté •
• a interpellé •
• a provoqué •

• plainte.
• un accident.
• un piéton.
• un suspect.
• une enquête.
• une investigation.

La désinformation

3 Complétez avec les mots suivants.

fiable | info | infox | rumeur | piège | source | crédible | authenticité

J'enquête pour éviter les fausses informations.

« J'ai souvent peur de tomber dans le .... des *fake news*. Quand je lis une .... qui vient de la presse écrite, pas de problème, j'ai confiance, je sais qu'elle est .... Mais si elle vient d'Internet ou des réseaux sociaux, là, je recherche la .... Et puis, bien sûr, je fais confiance à mon intuition : par exemple, si une photo est bizarre, n'est pas .... , je vérifie son .... Et quand je réussis à décoder une .... , je le signale sur Internet parce que c'est important de déconstruire une .... ! » Nour, 29 ans

Grammaire

Le plus-que-parfait dans le récit au passé

4 Entourez la proposition correcte.

a. On *a / avait* retrouvé ce matin le corps d'un jeune homme qui *a / avait* disparu depuis samedi. Il *est / était* parti randonner en montagne sans équipement et il n'*a / avait* pas donné d'information sur sa destination.

b. La police *a / avait* retrouvé le conducteur d'une voiture qui *est / était* entrée en collision avec une moto mercredi dernier. Le conducteur *s'est / s'était* enfui après l'accident et il *a / avait* laissé la victime sur place, blessée.

c. Ce matin, les pompiers *ont / avaient* enfin réussi à éteindre l'incendie qui *s'est / s'était* déclaré dans un immeuble hier. Une poubelle *a / avait* pris feu accidentellement dans le hall d'entrée. Heureusement, il n'y *a / avait* pas eu de victimes parce qu'on *a / avait* évacué tous les habitants à temps.

5 Conjuguez les verbes entre parenthèses au passé composé ou au plus-que-parfait.

Une enquête ouverte après la cyberattaque contre la mairie de Sartrouville

Hier, la mairie de Sartrouville .... (porter) plainte contre les pirates informatiques qui .... (attaquer) ses serveurs le 17 août dernier et, ce matin, la police .... (ouvrir) une enquête pour faire la lumière sur cette cyberattaque. Dans la nuit du 16 au 17 août, les serveurs .... (se retrouver) paralysés pendant plusieurs heures et les pirates .... (réussir) à diffuser en ligne des données financières et personnelles de la mairie. Heureusement, l'intervention des équipes techniques le jour même .... (être) rapide et .... (permettre) de limiter cette diffusion.
En mars dernier, ce groupe de hackers .... (déjà revendiquer) une autre cyberattaque contre la mairie de Lille. Le nombre de cyberattaques réussies contre des organisations publiques et privées en France .... (être) de 385 000 cette année.

Les adverbes en -*ment* pour indiquer la manière d'agir

6 Complétez avec un adverbe, comme dans l'exemple.

Ex. : **Une enquête discrète** — Le journal a enquêté **discrètement** pour trouver la source de la rumeur.

a. **Une mobilisation sérieuse** — Le journal *Le Monde* se mobilise .... contre la désinformation.

b. **Une collision violente** — Un bus est entré .... en collision avec une voiture ce matin.

c. **Une enquête active**   La police mène .... l'enquête pour retrouver le conducteur.

d. **Un décryptage difficile**   Les journalistes ont décrypté .... ces fausses informations.

e. **Une résolution brillante**   Les policiers ont résolu .... le mystère de la disparition de Tom.

f. **Une manière différente d'informer**   Ce nouveau magazine informe .... sur l'actualité.

7 Réécrivez l'article. Remplacez les expressions entre parenthèses par un adverbe en *-ment* de même sens.

QUELQUES CONSEILS POUR BIEN S'INFORMER

Pour avoir une vision complète de l'actualité, il faut diversifier ses sources : cela permet d'explorer .... (avec objectivité) les infos. Mais il faut choisir .... (avec prudence) quels médias consulter. Vous êtes fan des réseaux sociaux où les infos circulent .... (vite) ? Attention ! Il faut les traiter .... (avec intelligence) et les vérifier .... (à chaque fois) : des *fake news* circulent .... (souvent) ! Consultez .... (avec régularité) la presse, la radio et la télé, ce sont des sources fiables : elles vérifient .... (de manière constante) leurs informations. Et on peut avoir accès à ces médias .... (avec facilité) sur un smartphone !

Communication

Rapporter un fait d'actualité

8 Écrivez les faits-divers au passé à partir des éléments suivants.

a. **Titre :** Accident de vélo
Événement principal : hier soir, une cycliste percute un étudiant dans la rue de la Guillotière
Causes : – l'étudiant ne voit pas le vélo qui n'a pas de lumière
– en partant, la cycliste constate le problème mais elle décide de rentrer chez elle sans lumière
Conséquence : on transporte le jeune homme à l'hôpital mais aujourd'hui, il va bien

b. **Titre :** Une nuit dans le train
Événement principal : 60 passagers d'un TGV passent la nuit dans le train, immobilisé près de Nantes suite à un incendie sur les voies
Événement antérieur : un événement similaire se produit le mois dernier près de la gare d'Angers mais entraîne des conséquences plus graves
Conséquence : les voyageurs peuvent finalement repartir ce matin, vers 5 heures

Comprendre – S'exprimer

9 Lisez l'article.

La « fatigue informationnelle » touche un Français sur deux
53 % des Français sont fatigués de la surinformation médiatique.

MÉDIA – Une étude de l'observatoire ObSoCo révèle que, pour 53 % de la population, il y a trop d'informations. Beaucoup de Français se disent fatigués par les actualités qui se répètent dans les médias. Dans les années 1990, on parlait déjà de surinformation ; l'écrivain et cinéaste américain David Shenk lui avait donné le nom d'« infobésité* ». Les technologies du XXIe siècle ont accentué le phénomène : la multiplication des supports pose problème. Entre télévision, radio, presse écrite, mais aussi smartphones et tablettes, les Français utilisent en moyenne plus de 8 sources différentes pour s'informer. L'info est partout et cela fatigue les esprits.

Des profils différents
Pour mieux comprendre les différentes formes de fatigue liée à la surinformation, l'étude distingue différents profils de personnes. Les « Défiants oppressés » représentent 35 % de la population. Ce sont majoritairement des femmes, qui ont le sentiment d'être dépassées par la quantité d'infos. Elles ont du mal à se faire une opinion et à savoir quels médias sont fiables. Les « Défiants distants » représentent 18 % de la population. Ce sont plutôt des hommes, qui sont très négatifs sur la situation du monde actuel et s'informent peu. C'est le groupe qui fait le moins confiance aux médias. Il y a aussi les « Hyperconnectés épuisés » (17 %) : des jeunes urbains, plutôt diplômés, qui sont « accros à l'info » et n'arrivent pas à se déconnecter de ce qui se passe sur Internet et les réseaux sociaux.

L'hyperconnexion touche tout le monde
Cette étude montre enfin que l'hyperconnexion et la surexposition aux informations touche toutes les catégories de population ou d'âge et qu'un nombre important de Français souhaite limiter sa consommation d'info. Mais ces chiffres restent à nuancer. Pour 59 % des personnes interrogées, il est important de s'informer régulièrement et pour 20 % c'est même « très important ».

Source : *Le Huffpost*

*mot formé à partir de « information » et de « obésité » (= poids trop élevé)

a. Cochez vrai ou faux puis justifiez avec des passages du texte.

1. Beaucoup de Français ressentent de l'épuisement face à la multitude d'informations. ☐ Vrai ☐ Faux

2. Le phénomène de la surinformation est nouveau. ☐ Vrai ☐ Faux

3. L'article présente des catégories de personnes qui ressentent de la « fatigue informationnelle ». ☐ Vrai ☐ Faux

4. La surinformation concerne tout le monde. ☐ Vrai ☐ Faux

5. Pour beaucoup de Français, s'informer n'est pas une priorité. ☐ Vrai ☐ Faux

b. Retrouvez le nom du profil correspondant aux définitions suivantes.

1. Ils n'ont pas une bonne vision du monde ni des médias. → ....
2. Ils ont une consommation médiatique intense et en sont dépendants. → ....
3. Ils n'arrivent plus à suivre l'actualité et ne savent pas quels médias consulter. → ....

10 Vous envoyez votre réaction à l'article du *Huffpost*.
Dites si vous êtes fatigué(e) de la « surinformation médiatique » et si vous vous identifiez à un profil ou si, au contraire, votre profil est complètement différent. Donnez des précisions sur votre manière de vous informer et votre niveau de confiance dans les médias.

LEÇON 2 — (S') Informer sur des manifestations sportives

Lexique

Le sport et les compétitions

1 Complétez la grille avec les mots correspondant aux illustrations.

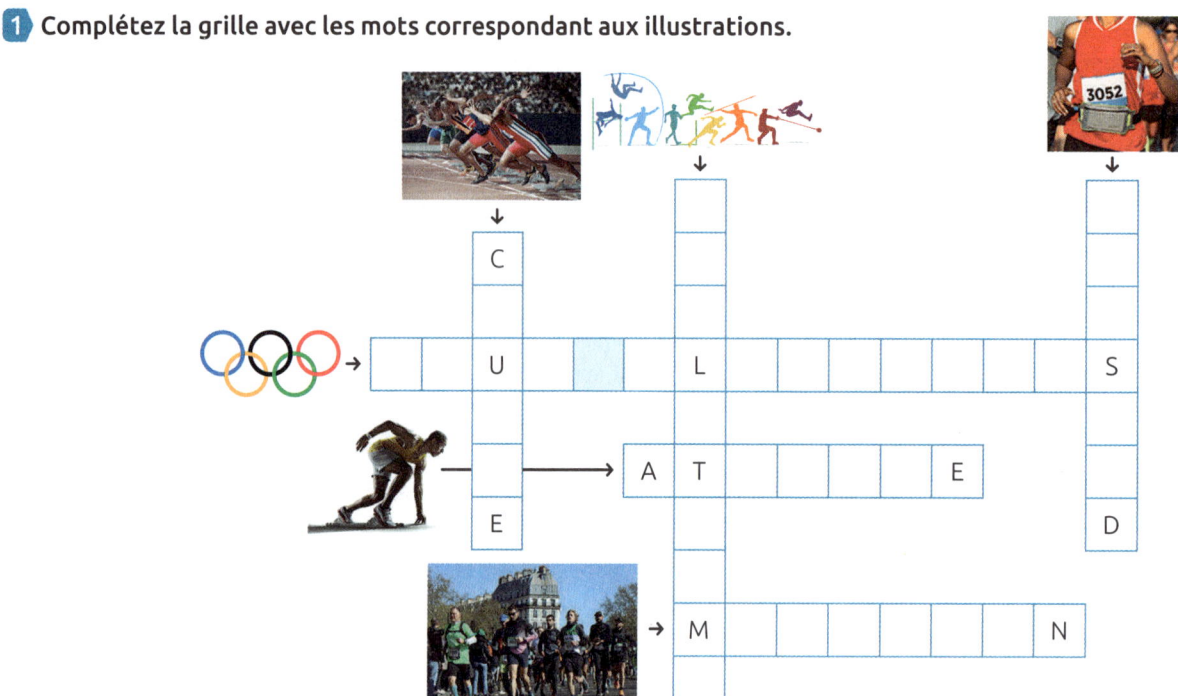

2 Complétez l'article avec les mots suivants.

défaite | numéro 1 | quart de finale | tournoi | médaille | champion | victoire | gagner | finale

franceinfo:sport

à la une — résultats et classements — football — tennis

.... de Novak Djokovic contre Casper Ruud en trois sets

Il marque l'histoire. Novak Djokovic vient de .... son 23ᵉ titre du Grand Chelem en battant Casper Ruud (7-6, 6-3, 7-5) en .... de Roland-Garros, dimanche 11 juin, et reprend son titre de .... mondial. Le Serbe affirme, en recevant le trophée, que Roland-Garros est toujours un .... difficile pour lui. En effet, le .... a vécu difficilement sa .... en .... l'année dernière contre l'Espagnol Rafaël Nadal. Aujourd'hui, il ne lui manque qu'une .... olympique. Peut-être aux prochains JO ?

92 | quatre-vingt-douze

La proportion, le pourcentage

3 Barrez l'intrus dans chaque liste.

a. la majorité des coureurs – la moitié des coureurs – 80 % des coureurs

b. deux athlètes sur trois – les trois quarts des athlètes – soixante-quinze pour cent des athlètes

c. 50 % des épreuves – la moitié des épreuves – un quart des épreuves

d. un tiers des participants – la majorité des participants – 33 % des participants

e. un Français sur quatre – environ un tiers des Français – 25 % des Français

Grammaire

La question inversée à l'écrit

4 Écrivez les questions formelles correspondant aux informations suivantes.

Le journaliste veut savoir :

– comment l'épreuve va se dérouler

– à quelle heure la course démarre

– en quelle année la première édition de la course a eu lieu

– pourquoi le champion de l'année dernière ne va pas participer

– de quelle manière les coureurs se sont entraînés

– comment on explique le succès de la course

– *Comment l'épreuve va-t-elle se dérouler ?*

– ....

– ....

– ....

– ....

– ....

– ....

5 Complétez le dialogue avec les questions manquantes de la journaliste.

– Marjorie Lompal, vous organisez un marathon 100 % féminin dans la région.

Quand l'épreuve aura-t-elle lieu ?

– Cette année, l'épreuve aura lieu le 2 juillet.

– C'est une course ouverte à toutes ? .... ?

– Non, les débutantes ne pourront pas participer parce que le parcours est difficile.

– Il n'y aura que 200 coureuses. .... ?

– On a fait le choix de limiter le nombre de participantes parce que la course doit rester un événement local.

– .... ?

– Oui, il va y avoir des présélections.

– .... ?

– Les participantes peuvent s'inscrire en se connectant sur le site de l'événement.

– Une dernière question, concernant le parcours de la course : .... ?

– Oui, il est différent de l'année dernière. Mais on ne le dévoile pas tout de suite !

Le discours rapporté au présent

6 **Entourez la proposition correcte.**

a. Le champion déclare *qu'* / *ce qu'* il ne participera pas au tournoi.

b. Il se demande *s'* / *ce qu'* il peut faire pour améliorer sa performance.

c. Le journal indique *que* / *si* la majorité des Français se passionne pour la Coupe du monde.

d. Tout le monde se demande *pourquoi* / *ce qu'* on a annulé la course.

e. Le journaliste lui demande *si* / *comment* elle a vécu sa victoire.

f. Elle se demande *si* / *ce qu'* elle va réussir à se qualifier pour les JO.

Prononciation / Phonie-graphie

La question inversée : -*t*- ou liaison verbe / pronom sujet

7 🔊 25 **Écoutez et complétez les questions avec (-*t*-) ou (‿). Écrivez le *t* final du verbe si nécessaire.**

Ex. : Pourquoi les organisateurs on**t**‿ils choisi de faire une course la nuit ?

a. Cet événement permettra…… il aux gens de pratiquer un sport ?

b. Les JO son…… ils l'occasion de développer la pratique du sport ?

c. Les enfants fon…… ils assez d'activité physique ?

d. En combien de temps l'athlète a…… il terminé la course ?

e. Que pense…… il de sa performance ?

Communication

Rapporter des paroles

8 **Rapportez les paroles de ces personnes. Utilisez les verbes suivants (plusieurs possibilités).**

> estimer / demander / dire / déclarer / se demander / ajouter

a. « J'ai plus confiance en moi qu'au début du tournoi et, maintenant, mon objectif est d'atteindre les demi-finales. »

Le joueur dit / déclare qu'il a plus confiance en lui qu'au début du tournoi et ....

....

b. « Selon moi, l'équipe a fait un bon match. Mais est-ce que l'entraîneur est du même avis ? »

La basketteuse .... Mais elle ....

c. « Que va-t-il se passer si vous ne remportez pas la victoire en finale ? Allez-vous arrêter la compétition ? »

Le journaliste (au champion) ....

d. « Alexis ne va pas pouvoir continuer le tournoi. Il n'y a pas d'alternative : comment peut-on jouer avec un pied cassé ? »

L'entraîneur ....

Il ....

Exprimer la proportion, le pourcentage

9 Observez l'infographie. Réécrivez les informations en reformulant les pourcentages.

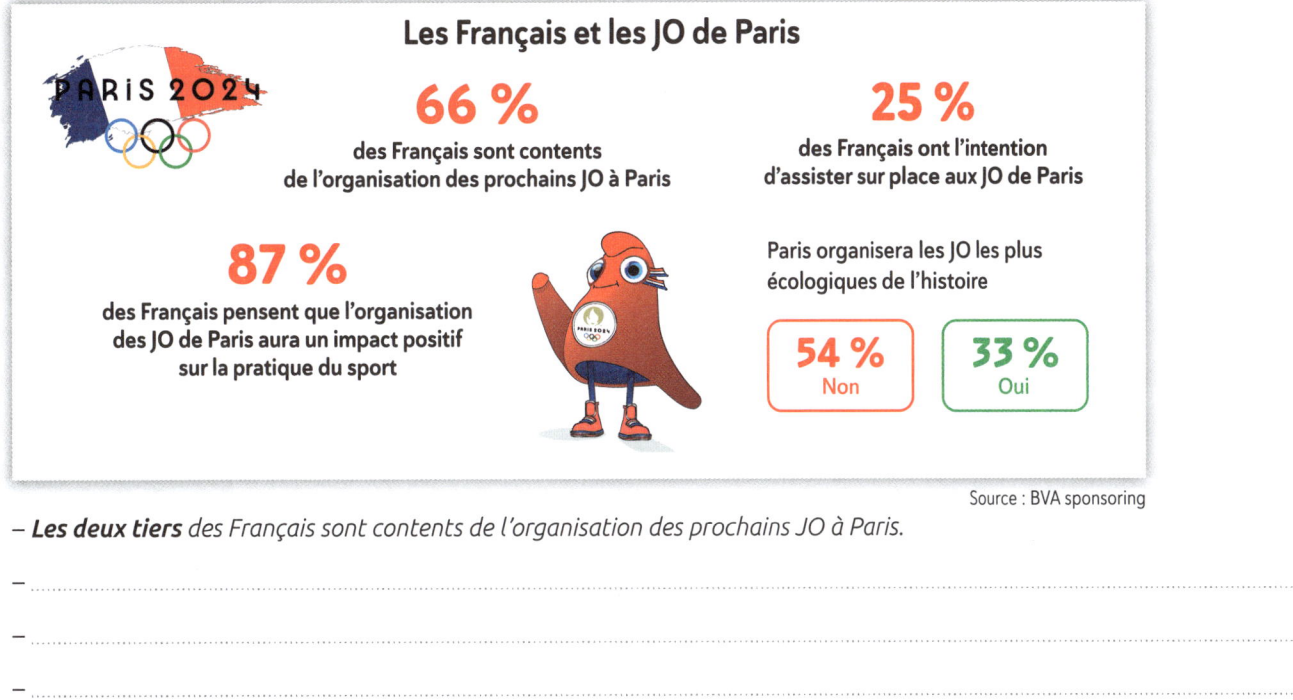

Source : BVA sponsoring

– **Les deux tiers** des Français sont contents de l'organisation des prochains JO à Paris.

– ....
– ....
– ....
– ....

Comprendre – S'exprimer

10 🔊 26 Écoutez ces deux extraits de journal sur RTL. Cochez la ou les proposition(s) correcte(s).

a. Les sondages réalisés concernent
☐ le sport dans les médias.
☐ la pratique sportive en France.
☐ l'intérêt des Français pour l'actualité sportive.

b. ☐ Les trois quarts ☐ Plus de la moitié ☐ Moins de la moitié   des Français suivent le foot.

c. Les fans de foot s'intéressent principalement ☐ aux histoires de contrats et d'argent. ☐ à l'entente entre les joueurs.
☐ aux résultats des footballeurs et des équipes.

d. L'intérêt des Français pour les jeux paralympiques ☐ augmente. ☐ diminue. ☐ n'évolue pas.

e. Beaucoup de ☐ Peu de ☐ La moitié   des Français peuvent nommer des sportifs handisport.

f. La raison de cette situation est ☐ la mauvaise image du handisport. ☐ le désintérêt du public pour les épreuves.
☐ le manque de médiatisation.

11 Vous préparez un message pour participer à l'émission « Les auditeurs ont la parole » sur le thème suivant :
« Avez-vous une bonne connaissance de l'actualité sportive ? »
Parlez des événements sportifs et des sportifs que vous suivez et précisez ce qui vous intéresse particulièrement, ou dites si vous ne suivez pas vraiment l'actualité sportive et pourquoi.

LEÇON 3 : Comprendre / Donner un avis sur un livre

Lexique

Les genres de livres

1 Complétez les commentaires avec les genres de livres.

 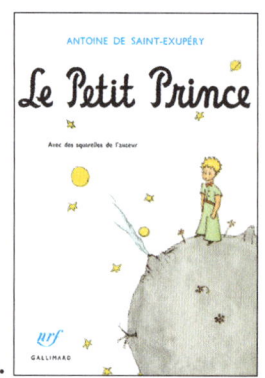  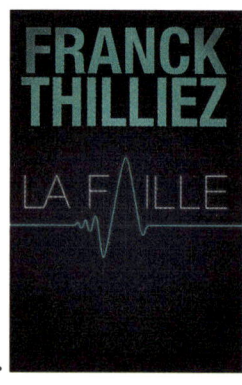

a.   b.   c.   d.

a. Inspirée d'un jeu vidéo du même nom, cette b _ _ _ _ d _ _ _ _ _ _ _ est considérée comme le premier m _ _ _ _ français !

b. Un enfant venu d'une autre planète rencontre un aviateur dans le désert. C'est le c _ _ _ _ philosophique de Saint-Exupéry qui continue d'émouvoir toutes les générations.

c. Cet e _ _ _ _ de Thomas Piketty présente, dans une perspective économique, sociale et politique, l'histoire et le devenir des régimes inégalitaires.

d. On retrouve le commissaire Sharko dans une investigation illégale. Un t _ _ _ _ _ _ _ excellent, comme Franck Thilliez sait les écrire.

2 Quel est le genre littéraire préféré de ces personnes ? Associez.

l'autobiographie   la science-fiction   l'héroïc fantasy   le roman historique   le polar   la littérature jeunesse

a. J'aime les livres qui sont destinés aux enfants, ils peuvent être très intéressants aussi pour les adultes.

b. Mes livres préférés sont les romans d'anticipation. Je trouve passionnant d'imaginer l'avenir du monde ou de l'univers !

c. Moi, j'aime les histoires vraies parce que chaque vie est un véritable roman !

d. Je me passionne pour les affaires criminelles et les faits divers, j'aime retrouver ça dans la littérature.

e. Pour moi, les meilleures fictions sont celles qui se passent dans un monde légendaire, dans un univers merveilleux.

f. J'apprécie quand un roman se situe à une époque spécifique de l'histoire et qu'il mêle des personnages réels et des personnages fictifs.

Les caractéristiques d'une œuvre littéraire

3 Entourez la proposition correcte.

Brigitte Giraud
Vivre vite

Dans ce récit *intime / narratif*, Brigitte Giraud essaie de comprendre ce qui a provoqué l'accident de moto qui a tué son mari le 22 juin 1999. Le *drame / style* est raconté avec une *tragédie / écriture* sensible : la beauté est dans chaque paragraphe… Une magnifique *histoire / fin* d'amour.

Maria Larrea
Les Gens de Bilbao naissent où ils veulent

Stupéfiant de talent et d'énergie, *Les Gens de Bilbao naissent où ils veulent* nous passionne dès le *ton / début*. Avec son *style / dialogue* plein d'images et d'esprit, Maria Larrea, qui est elle-même le *héros / personnage* principal du roman, mène l'*enquête / histoire* pour reconstituer le puzzle de ses origines familiales.
Le *ton / drame* léger, presque joyeux, donne au récit un aspect *romantique / burlesque*.

Grammaire

Les pronoms démonstratifs

4 Complétez avec *celui*, *celle(s)* ou *ceux* suivi de *-ci*, *-là*, *de*, *qui* ou *que*.

a. Ce roman, c'est .... j'ai préféré de Sorj Chalandon.

b. Tu as déjà lu quelle BD de cet auteur ? .... ou .... ?

c. Tu lis des essais comme .... Mona Chollet ? Ils sont intéressants !

d. Les histoires qui m'ont vraiment marqué, ce sont .... j'ai lues pendant mon enfance.

e. Ma scène préférée dans le livre, c'est .... la fin.

f. Ces deux romans de science-fiction sont .... ont eu le plus de succès en France.

Le superlatif pour indiquer le caractère exceptionnel

5 Reformulez les commentaires avec un superlatif portant sur les éléments soulignés.

Ex. : Le dernier roman d'Amélie Nothomb n'est pas passionnant. J'en ai lu d'autres plus intéressants !
→ *C'est le roman d'Amélie Nothomb **le moins passionnant** !*

a. Ce roman de Pennac est très bon. C'est celui que je préfère !

→ C'est .... !

b. Ce livre de Victoria Mas n'a pas eu de succès par rapport aux autres.

→ C'est le livre de Victoria Mas qui ....

c. Dans *Au Vent mauvais*, j'apprécie particulièrement le personnage de Tarek.

→ C'est le personnage de Tarek que ....

d. Delphine de Vigan a écrit ce livre très rapidement, en comparaison avec ses autres romans.

→ C'est le livre que Delphine de Vigan ....

e. Thomas Piketty a toujours du succès mais son dernier essai se vend particulièrement bien.

→ C'est l'essai de Thomas Piketty qui ....

Prononciation / Phonie-graphie

L'intonation expressive de l'accord et du désaccord

6 🔊 27 Écoutez et soulignez les mots accentués. Puis indiquez si on exprime l'accord (+) ou le désaccord (−).

Ex. : *Je ne suis pas du tout de ton avis !* (−)

a. Non, pas du tout !
b. Je suis tout à fait d'accord !
c. Tu as peut-être raison, c'est vrai.
d. Tu as entièrement raison !
e. Ah mais oui, je suis bien d'accord !
f. Non, je ne suis pas d'accord !

Communication

Exprimer l'accord, le désaccord

7 Associez pour reconstituer toutes les réactions possibles. Puis classez-les dans le tableau.

a. Je suis
b. Je ne suis pas
c. C'est
d. Tu as

1. raison !
2. de ton avis !
3. d'accord avec toi !
4. vrai !
5. tout à fait d'accord !

Pour exprimer l'accord	Pour exprimer le désaccord

Indiquer le caractère exceptionnel

8 À partir de la liste suivante, formulez les questions d'un libraire à ses clients, comme dans l'exemple. Puis répondez personnellement aux questions.

1. le(s) genre(s) littéraire(s) qui vous plaît / plaisent
2. le(s) genre(s) qui ne vous attire(nt) pas du tout
3. l'auteur ou les auteurs que vous lisez souvent
4. l'expérience de lecture que vous avez trouvée particulièrement étonnante
5. les livres qui se vendent bien, selon vous

Questionnaire

Librairie Comme un roman

Pour nous aider à satisfaire nos clients, merci de répondre aux questions suivantes :

① *Quel(s) genre(s) littéraire(s) vous plaît / plaisent **le plus** ?*

Le(s) genre(s) littéraire(s) qui me plaît / plaisent le plus, ...

② ....

③ ....

4. ....
....

5. ....
....

Comprendre – S'exprimer

9 Lisez l'article de blog.

Répondez. Quel(s) type(s) de lecteur(s)…

a. ne lit / lisent pas de livres papier ? ....

b. lit / lisent partout et tout le temps ? ....

c. aime(nt) les histoires qui continuent sur plusieurs livres ? ....

d. lit / lisent seulement dans des conditions agréables ? ....

e. lit / lisent sans stress et à son / leur rythme ? ....

f. aime(nt) relire les livres plusieurs fois ? ....

g. peut / peuvent lire et faire d'autres activités en même temps ? ....

h. correspond(ent) le mieux au profil de Sonia ? ....

10 Vous écrivez un message à Sonia pour répondre à sa question : « Quel(s) profil(s) de lecteur vous correspond(ent) le mieux » ?
Dites à quel profil vous vous identifiez et pourquoi. Si vous ne vous reconnaissez pas dans ces propositions, proposez un autre profil qui vous correspond. Décrivez vos habitudes de lecture et vos pratiques.

BILAN

Compétences linguistiques .../50

1 Reformulez les statistiques, comme dans l'exemple. Pour chaque statistique, utilisez un des mots suivants et un adverbe en -*ment*. *(2 points par phrase correcte)* .../12

la majorité | un quart | les trois quarts | un tiers | les deux tiers | la moitié | la majorité

ENQUÊTE : nos clients et la lecture

LA BOÎTE À LIVRES

1. **80 %** de nos clients lisent de manière régulière.

2. Nos clients lisent pour :
- **33 %** s'évader du quotidien de manière efficace
- **25 %** apprendre et découvrir des choses de manière différente
- **51 %** prendre du plaisir et se détendre de façon simple

3. Nos clients lisent :
- **66 %** de façon occasionnelle le soir avant de dormir
- **82 %** de manière plus fréquente le week-end et en vacances
- **75 %** de manière courante dans les transports en commun

1. *La majorité* de nos clients lit **régulièrement**.

2. – ....
– ....
– ....

3. – ....
– ....
– ....

2 a. Complétez avec les mots de la liste, puis conjuguez les verbes entre parenthèses au passé composé ou au plus-que-parfait. *(1 point par mot et par forme verbale correcte)* .../10

tournoi | défaite | épreuve | victoire | médaille

Ex. : Julien **a gagné** (gagner) le **tournoi** de tennis de son club pour la première fois contre Milo ! Milo, qui **avait fini** (finir) premier ces deux dernières années, **a été** (être) très déçu de sa **défaite** cette année !

1. L'anglais L. Thomas .... (ne pas réussir) à garder le titre olympique qu'il .... (obtenir) aux deux précédents JO. C'est le suédois P. Otto qui .... (avoir) la .... d'Or, cette année, pour la première fois.

2. Le skieur J. Niklas .... (tomber) deux fois hier, pendant l'entraînement. Son principal adversaire dans l' .... de slalom sera V. Mike, qui .... (faire) une chute lui aussi, avant-hier.

3. Les Bleues .... (remporter) la .... face à l'équipe espagnole, 2 buts à 1. Les Françaises .... (déjà gagner) contre les Espagnoles 3 à 0 lors d'un précédent match de qualification.

b. Comparez les performances des sportifs en fonction des informations données (act. **a**). *(1 point par phrase correcte)* .../3

Ex. : gagner / tournois (−) → **C'est Julien qui a gagné le moins de tournois.**

1. avoir / titres olympiques (+) → C'est L. Thomas ....

2. tomber (+) → C'est J. Niklas ....

3. obtenir / bons résultats (+) → Ce sont les Bleues ....

3 a. **Transformez les questions du dialogue en questions formelles.** *(1 point par question correcte)* .../4

– Vous avez été témoin de l'accident ? → ***Avez-vous été témoin de l'accident ?***

– Oui, j'étais présente à ce moment-là, je rentrais chez moi.

– Les faits se sont déroulés comment ? → .... ?

– Une voiture a percuté un vélo en voulant le doubler.

– Il y a eu des victimes ? → .... ?

– Oui, il y a eu deux blessés : le cycliste et un piéton. On les a transportés à l'hôpital.

– Mais… le piéton, qu'est-ce qu'il faisait juste avant l'accident ? → .... ?

– Il allait traverser la rue, je pense, et le vélo l'a renversé en tombant, après la collision avec la voiture.

– Est-ce que d'autres témoins ont vu la scène ? → .... ?

– Je ne sais pas, je n'ai pas fait attention.

b. **Complétez le compte-rendu de l'interrogatoire de police : rapportez les paroles.** *(1 point par réponse correcte)* .../8

Le policier demande à la femme *si elle a été témoin de l'accident*. Elle répond ....
.... Ensuite, il lui demande ....
.... et elle explique ....
.... Le policier demande .... et la femme
dit .... L'officier de police veut également savoir ....
.... ; la femme pense ....
.... Le policier termine en demandant ....

4 **Entourez la proposition correcte.** *(1 point par réponse correcte)* .../13

a. Je vérifie toujours la *source* / *rubrique* des infos que je lis, surtout pour *celles qui* / *celles-là* ne sont pas *fiables* / *crédibles*.

b. Parmi les différents *journaux* / *articles* que j'ai lus dans la *rumeur* / *presse* sur ce sujet, *celui qui* / *celui-ci* est le plus intéressant.

c. – J'adore lire les *JT* / *faits-divers* et j'aime particulièrement *celles* / *ceux* de ce journal.

d. – Ces photos sont bizarres. Elles sont *authentiques* / *truquées*, non ?

– *Celle-ci* / *Celle*, oui, mais *celle-là* / *celle-ci*, non, j'ai vérifié.

e. – Quelles *rubriques* / *infox* t'intéressent dans un *fait-divers* / *journal* ?

– La politique et l'économie, ce sont *celles de* / *celles que* je consulte le plus.

Compétences **socioculturelles** .../10

1 **Radio ou télévision ? Classez les noms.** *(1 point par réponse correcte)* .../4

France 3   France Inter   France Culture   France Ô   France bleu

Chaînes de télévision : ....

Chaînes de radio : ***France Inter*** ....

2 **Trouvez les associations possibles.** *(1 point par réponse correcte)* .../6

a. Mona Chollet
b. Clara Dupont-Monod
c. Daniel Pennac
d. Fabrice Caro

1. a gagné un prix décerné par des jeunes.
2. a écrit une saga familiale.
3. écrit des romans.
4. écrit des bandes dessinées humoristiques.
5. a écrit des essais féministes à succès.

Résultats .../60

LEÇON 1 — Faire une biographie

Lexique

Les liens familiaux

1 Complétez les commentaires avec les mots suivants. Faites les modifications nécessaires.

descendant · arrière-grand-parent · paternel · arrière-petit-enfant · beau-père · aïeux · belle-mère · maternel · beau-frère · petit-enfant

a. « Je n'ai pas beaucoup de photos de mes .... Du côté ...., je n'en ai pas parce que ma mère ne les a pas gardées. Mais j'ai retrouvé celle-ci, avec mes .... du côté ...., les grands-parents de mon père, donc. »

b. « Voici une photo de ma femme quand elle était enfant. Elle est avec ses parents : ma .... et mon .... ; il y a aussi son frère Maxime, mon .... »

c. « Ma grand-mère avec tous ses .... : ses deux fils, ses deux filles, ses quatre .... (mes trois cousines et moi) et ses sept .... ! Ce sont mes petits-cousins et petites-cousines. »

La transmission

2 Mettez les mots soulignés à la bonne place.

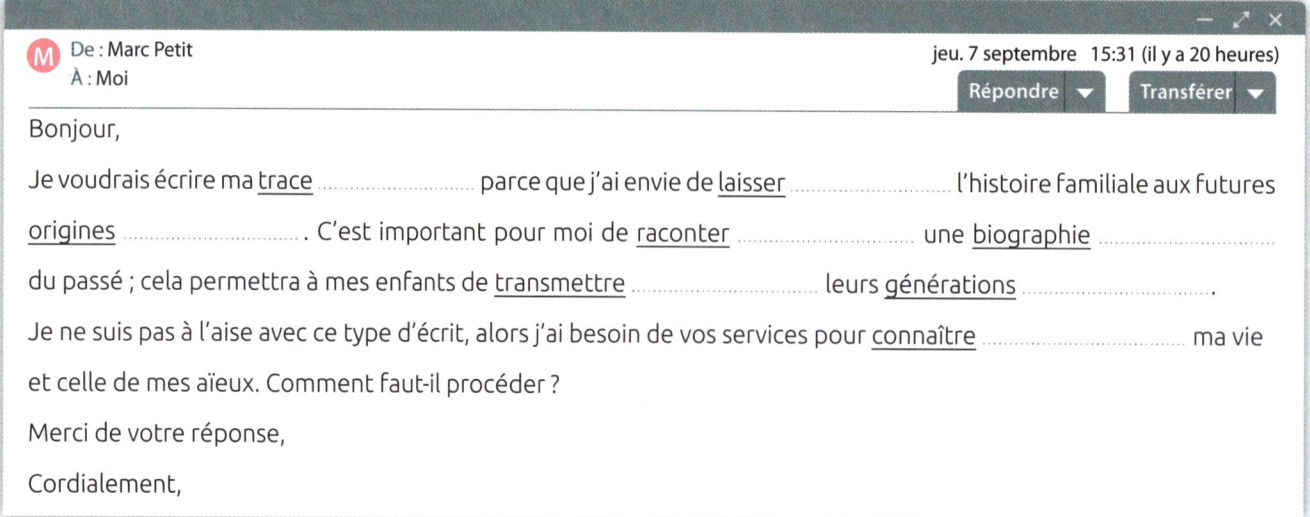

De : Marc Petit
À : Moi
jeu. 7 septembre 15:31 (il y a 20 heures)

Bonjour,
Je voudrais écrire ma trace .... parce que j'ai envie de laisser .... l'histoire familiale aux futures origines .... C'est important pour moi de raconter .... une biographie .... du passé ; cela permettra à mes enfants de transmettre .... leurs générations ....
Je ne suis pas à l'aise avec ce type d'écrit, alors j'ai besoin de vos services pour connaître .... ma vie et celle de mes aïeux. Comment faut-il procéder ?
Merci de votre réponse,
Cordialement,

Les grandes étapes de la vie

3 Lisez ces extraits de la biographie de Saïd et indiquez les étapes de la vie correspondant à chacun.

Ex. : *Il s'est consacré à son métier avec passion pendant quarante ans.*
→ *l'âge adulte*

a. Il a pris sa retraite à l'âge de 65 ans et il est retourné dans son pays.
→ ....

b. Saïd est né dans les années 1940 dans un petit village près d'Alger.
→ ....

c. Il a vécu en Algérie de l'âge de 5 ans à l'âge de 12 ans.
→ ....

d. Sa famille était présente au moment de son dernier souffle.
→ ....

e. Il est resté à Paris pour ses études et son premier boulot.
→ ....

f. Il est parti avec ses parents à Paris et y a passé ses années de collège et de lycée.
→ ....

Grammaire

Les pronoms possessifs

4 Soulignez les pronoms possessifs puis écrivez ce qu'ils remplacent.

a. 〝Quand nous étions enfants, nos parents ne passaient pas beaucoup de temps avec nous. Mon père avait ses activités, ma mère, les siennes et nous, on avait les nôtres. Mais, un jour, mon père a décidé de me faire partager sa passion pour la pêche, qui est devenue la mienne aussi.〞
Josiane, 85 ans

b. 〝J'ai cette image de mon arrière-grand-mère : assise dans son fauteuil, à côté de mes grands-parents qui buvaient le thé, assis sur le leur. Ma grand-mère disait que j'avais de la chance de connaître mes arrière-grands-parents ; elle n'avait pas connu les siens.〞 *Christophe, 45 ans*

c. 〝Avant, ce n'était pas facile d'avoir des informations sur ses aïeux. Les générations actuelles peuvent facilement retrouver les leurs en cherchant sur Internet. Sur le site genealogie.net, vous pouvez trouver des informations sur les vôtres en quelques clics !〞
Brigitte, 70 ans

a. *les siennes* → *ses activités* – ....
b. ....
c. ....

5 Complétez avec un pronom possessif. Faites les modifications nécessaires.

Ex. : *Nos parents étaient très stricts. Et vous, qu'est-ce que vous pensiez **des vôtres** quand vous étiez enfants ?*

a. – Vos parents étaient d'origine italienne, et les parents de votre femme ?
– .... étaient d'origine marocaine.

b. J'ai demandé à mon père des photos de mon enfance. Et toi, tu en as demandé à .... ?

c. Beaucoup de gens racontent leur histoire dans une biographie. Moi aussi, je voudrais écrire ....

d. Moi, je connais mon histoire familiale mais je ne vous ai jamais entendu parler de ....

e. Mes arrière-grands-parents étaient morts quand je suis né, mais Lucille et Théo se souviennent bien de ....

f. Toi, tes parents ont gardé une trace de tes origines, mais nous, on ne connaît pas ....

Le genre des noms

6 Entourez la proposition correcte.

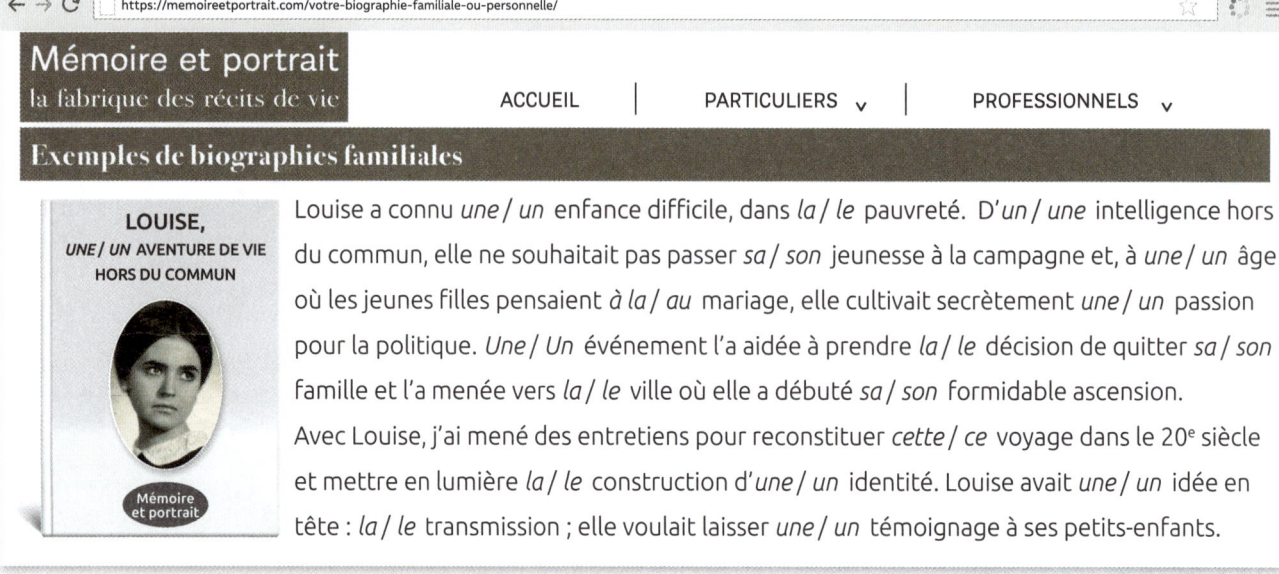

Louise a connu *une / un* enfance difficile, dans *la / le* pauvreté. D'*un / une* intelligence hors du commun, elle ne souhaitait pas passer *sa / son* jeunesse à la campagne et, à *une / un* âge où les jeunes filles pensaient *à la / au* mariage, elle cultivait secrètement *une / un* passion pour la politique. *Une / Un* événement l'a aidée à prendre *la / le* décision de quitter *sa / son* famille et l'a menée vers *la / le* ville où elle a débuté *sa / son* formidable ascension.
Avec Louise, j'ai mené des entretiens pour reconstituer *cette / ce* voyage dans le 20ᵉ siècle et mettre en lumière *la / le* construction d'*une / un* identité. Louise avait *une / un* idée en tête : *la / le* transmission ; elle voulait laisser *une / un* témoignage à ses petits-enfants.

Prononciation / Phonie-graphie

L'enchaînement vocalique

7 🔊 28 Écoutez et indiquez les enchaînements vocaliques avec ↪.

Ex. : Ils veulent laisser ↪ un témoignage et ↪ écrire leur biographie.
a. Pourquoi voulez-vous écrire la vôtre ?
b. Ça peut aussi intéresser un descendant.
c. Je vais avoir 80 ans et je vais être arrière-grand-père.
d. Des photos, vous pouvez en sélectionner quelques-unes.
e. Maria était arrivée en 1930 à Paris et ça a été compliqué au début.
f. Elle a exercé son métier quelques années et elle a arrêté.
g. Elle a épousé Luigi qui était maçon et qui a construit leur maison en banlieue.

Communication

Situer dans le temps, indiquer la chronologie

8 Soulignez les informations pour situer dans le temps ou indiquer la chronologie et reformulez-les quand c'est possible.

Ex. : Lucien est né <u>l'année du début de la Seconde Guerre mondiale</u>. → Lucien est né **en 1939**.

a. Quand elle était enfant, Mireille vivait à Montauban.

→ ....

b. Quand mon premier fils est né, le pays était en crise.

→ ....

c. Il a commencé à écrire sa biographie à 80 ans mais il est mort deux ans après, sans la terminer.

→ ....

d. De 1920 à 1929, la vie artistique et culturelle était formidable à Paris !

→ ....

Comprendre – S'exprimer

9. 29 Écoutez un extrait de l'émission puis associez.

a. Cochez vrai ou faux. Justifiez les réponses fausses.

1. L'émission interroge des personnes sur leur expérience des recherches généalogiques. ☐ Vrai ☐ Faux

....

2. Les trois personnes qui s'expriment dans l'émission sont des auditeurs. ☐ Vrai ☐ Faux

....

3. Ces personnes veulent savoir comment faire leurs recherches. ☐ Vrai ☐ Faux

....

b. Associez.

1. Leur intérêt pour la généalogie a commencé…

- pour Michel
- pour Nadine
- pour Jean

- pendant l'enfance
- en faisant un travail de classe
- en retrouvant des photos anciennes
- en découvrant que d'autres personnes portaient son nom de famille
- en discutant avec des gens

2. Ils ont continué leurs recherches…

- Michel
- Nadine
- Jean

- pour retrouver une partie de sa famille qui vit à l'étranger
- pour l'intérêt historique et sociologique des découvertes
- pour connaître ses origines

3. Aujourd'hui…

- Michel
- Nadine
- Jean

- est en relation avec une branche de sa famille qui n'est pas française
- a retrouvé des ancêtres du 18e siècle
- est président(e) d'un groupe de recherches en généalogie dans sa région
- a identifié des liens familiaux avec des personnes de son entourage

10. Vous envoyez un message sur le blog de l'émission *Côté experts*.
Répondez aux questions posées dans l'émission : avez-vous fait votre arbre généalogique ou êtes-vous en train de le faire ? Si oui, pourquoi avez-vous décidé de vous lancer dans ces recherches ? Comment cela a-t-il commencé ? Si non, aimeriez-vous le faire un jour ? Pourquoi ? Qu'aimeriez-vous découvrir sur vos aïeux ?

LEÇON 2 — Décrire l'évolution de la vie quotidienne

Lexique

Les objets du quotidien

1 Mettez les légendes à la bonne place.

Vintage ou actuel, tout pour équiper ou décorer votre logement pas cher, chez Lulu la Brocante !

a. four – 100 €

b. grille-pain années 1950 – 20 €

c. collection d'outils anciens – 80 €

d. râpe à fromage – 5 €

e. moulin à café manuel – 15 €

f. machine à laver – 200 €

g. mixeur style ancien – 30 €

h. aspirateur années 1960 – 20 €

i. frigo style vintage – 150 €

2 Complétez le témoignage de Timothée avec les mots suivants. Faites les modifications nécessaires.

ballon — console — stylo — jeu de société — encre — feutre — bille — porte-plume — blouse — trousse — jeu — petite voiture

J'aime bien quand mon Papi raconte comment c'était quand il avait mon âge ! Pour l'école, il n'avait pas de .... pleine de .... pour écrire et de .... de toutes les couleurs pour dessiner. Il écrivait avec un .... et de l'................ . Il dit que c'était plus difficile parce que ça faisait des taches et, à cause de ça, il devait toujours mettre une .... à l'école, c'est bizarre ! Pour les .... , c'était moins différent : dans la cour, Papi jouait aux .... ou au .... avec ses copains, comme moi ! À la maison, il jouait beaucoup avec sa collection de .... mais moi, ça ne m'intéresse pas, je préfère jouer à *Super Mario* ou aux *Pokémon* sur ma .... ! Avec ses parents, Papi jouait à des .... comme le *Monopoly* mais ils en avaient moins que nous, maintenant.

L'évolution dans le temps

3 Entourez la proposition correcte.

COMMENT LA TECHNOLOGIE A-T-ELLE CHANGÉ NOS VIES AU FIL DES ANS ?

Depuis son *innovation / apparition* en 1876, le téléphone a beaucoup *évolué / transformé* ! D'abord avec un fil, il permettait de communiquer sans se voir. Puis, en 1973, les téléphones sans fil *sont apparus / ont changé* et les gens ont pu téléphoner à l'extérieur. Depuis les années 2000, les progrès technologiques ont *révolutionné / évolué* les téléphones portables, avec l'accès à Internet, *la transformation / l'apparition* des applications, qui ont totalement *transformé / dégradé* notre quotidien ! ■

Le GPS est une autre *apparition / innovation* qui a permis *d'améliorer / de dégrader* notre quotidien. Cela a entraîné *un grand changement / une grande dégradation* en voiture : *apparition / disparition* des cartes routières et déplacements facilités pour aller vers un lieu inconnu ! ■

La *révolution / disparition* la plus récente est l'intelligence artificielle. Elle permet aux scientifiques d'étudier *l'amélioration / la dégradation* actuelle de l'environnement. Elle a aussi beaucoup *changé / évolué* notre vie quotidienne ! Il existe beaucoup d'autres technologies qui ont *disparu / amélioré* notre vie au fil des années. ■

Grammaire

Les adjectifs indéfinis *plusieurs, quelques, certain(e)s*

4 Reformulez les parties soulignées avec *plusieurs, quelques, certain(e)s*.

Ex. : Quand j'étais enfant, on n'avait que <u>trois ou quatre jeux</u> à la maison. → on n'avait que **quelques jeux** à la maison

a. <u>Une partie des innovations technologiques</u> ont amélioré notre vie quotidienne.

→ ....

b. Sur mon premier smartphone, je n'avais que <u>deux ou trois applications</u>.

→ ....

c. <u>Dix personnes</u> étaient volontaires pour participer, mais <u>des participants</u> n'ont pas pu se déplacer : six sont venus.

→ ....

d. Sur ces photos, je reconnais <u>six ou sept membres de la famille</u> : mes grands-parents, mes oncles et tantes… mais je ne peux pas identifier <u>une partie des personnes</u>.

→ ....

Exprimer la cause et la conséquence

5 Complétez avec les expressions ou les mots suivants. (Plusieurs possibilités.)

car · parce que · c'est pour ça · donc · à cause de · alors · grâce à

Optimiste ou pessimiste ?

Les optimistes et les pessimistes n'ont pas la même vision du monde, ... leurs avis sur l'évolution de notre vie quotidienne sont différents. Les optimistes pensent qu'on vit mieux .... toutes les innovations technologiques, qu'on communique mieux .... on a Internet et les smartphones. Selon eux, les objets connectés facilitent notre quotidien, ... on a plus de temps pour les loisirs. Les pessimistes, eux, pensent qu'on est plus seuls qu'avant .... tout le temps passé derrière nos écrans. Avant, on restait moins à la maison ; .... que les gens se rencontraient plus. Il y a soixante ans, on faisait les courses chez les commerçants du quartier .... les supermarchés n'étaient pas encore développés, ... on avait plus de contacts humains. ■

Les pronoms COI *en* et *y*

6 À l'aide des éléments donnés, écrivez les réponses en utilisant le pronom *en* ou *y*.

Ex. : Pourquoi tu n'as pas de voiture ? (se passer sans problème)
→ *À Paris, avec les transports en commun, **je m'en passe sans problème**.*

a. Tes grands-parents te parlent parfois de leur enfance ? (jamais)

→ Non, ...

b. Ce n'était pas bizarre d'être séparés entre filles et garçons à l'école ? (être habitués)

→ Non, on ....

c. Comment les gens pouvaient vivre sans smartphone ? (ne pas avoir besoin)

→ Ça n'existait pas donc ils ....

d. Mamie, quand tu avais mon âge, tu imaginais ta vie, adulte ? (penser) → Non, je ....

e. Pourquoi tu vends ta télé, tu ne l'utilises plus ? (se servir, jamais) → Non, je ....

7 Complétez les devinettes avec *en* ou *y*, puis trouvez l'objet correspondant.

*Ex. : À l'école, on ne s'**en** sert plus aujourd'hui pour écrire.* → **un porte-plume**

a. Avec nos trois enfants, il faut faire des lessives tous les jours, on ne peut pas s'...... passer ! → ....

b. Maintenant, on n' ...... a plus besoin mais avant, les écoliers s' ...... servaient pour protéger leurs vêtements, ils devaient ...... penser ! → ....

c. Avant les frigos, on ...... conservait les aliments, on ...... était habitués. → ....

d. Les enfants ...... jouaient il y a cinquante ans et les enfants d'aujourd'hui ...... jouent encore. → ....

Communication

Exprimer la cause et la conséquence

8 Associez. Puis, à l'aide des expressions et des mots suivants, formulez pour chaque association une phrase qui exprime une cause ou une conséquence. Variez les formulations.

(parce que) (c'est pour ça que) (donc) (à cause de) (alors) (car) (grâce à)

a. Aujourd'hui, on exerce moins notre mémoire qu'avant
b. Mes grands-parents passaient beaucoup de temps à faire les tâches ménagères
c. Maintenant, on a beaucoup de confort à la maison
d. Les enfants d'aujourd'hui passent du temps devant les écrans
e. Avant, les enfants inventaient des jeux

1. ils jouent moins souvent dehors.
2. ils avaient peu d'appareils ménagers.
3. ils avaient moins de jeux de société que maintenant.
4. les smartphones se souviennent pour nous des informations importantes de notre vie.
5. les innovations technologiques facilitent le quotidien.

a. *Aujourd'hui, on exerce moins notre mémoire qu'avant **à cause des** smartphones qui se souviennent pour nous des informations importantes de notre vie. / Aujourd'hui, on exerce moins notre mémoire qu'avant **parce que** les smartphones se souviennent pour nous des informations importantes de notre vie.*

b. ....
c. ....
d. ....
e. ....

Comprendre – S'exprimer

9 Lisez l'article, puis répondez.

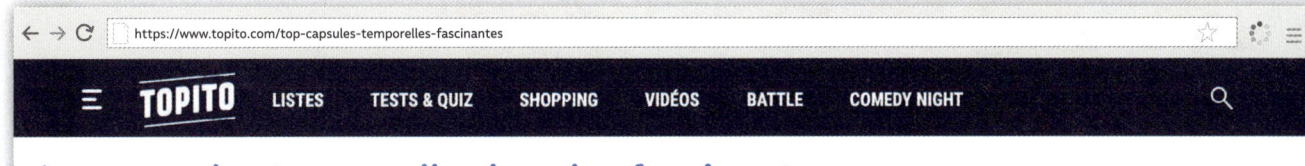

Les capsules temporelles les plus fascinantes

Pour garder un souvenir de notre société, on peut mettre des photos dans des albums ou créer des capsules temporelles, c'est plus stylé. On fait régulièrement des découvertes archéologiques, avec des vestiges vieux de centaines ou de milliers d'années. Mais c'est plus rare de retrouver des objets laissés par quelqu'un volontairement, pour témoigner de son époque.

1 La première capsule temporelle moderne : La Crypte de la civilisation

En 1936, on a créé une capsule temporelle à l'université d'Oglethorpe à Atlanta (États-Unis) : une pièce entière, de 18 m². On sait qu'à l'intérieur, on peut trouver des centaines de livres, d'enregistrements et de microfilms qui représentent la vie à cette époque. Il y a aussi des centaines d'objets du quotidien américain : canette de bière, paquet de cigarettes, jouet en plastique Donald Duck… Il est indiqué qu'il ne faut pas l'ouvrir avant 8113 !

2 Les capsules temporelles dans l'espace

Entre 1958 et 1978, on a envoyé plusieurs capsules temporelles dans notre galaxie, à bord de sondes spatiales. On sait qu'à l'intérieur, il y a des plaques métalliques gravées et des enregistrements avec, entre autres, des salutations dans toutes les langues parlées sur Terre, comme témoins de notre société et de notre civilisation. Est-ce que leurs destinataires, les extraterrestres, les découvriront un jour ?

3 Une capsule temporelle dans une statue

En 2017, des ouvriers qui restauraient l'église de Saint-Águeda, en Espagne, ont fait une trouvaille remarquable : ils ont découvert deux lettres cachées dans une statue du 18e siècle. Ces deux lettres, datées de 1777, décrivent la vie en Espagne à l'époque : les récoltes de grains, les épidémies et les occupations de ce temps-là.

4 La capsule temporelle d'un lycéen de 1938

En 2017, dans un lycée de l'Indiana (États-Unis), des ouvriers ont découvert une boîte en métal cachée dans un des murs. À l'intérieur, ils ont trouvé des listes des élèves et des professeurs des classes de 1938, un livre d'histoire et des journaux de la même année. Il y avait aussi une lettre scellée datant de 1919. Un vrai trésor !

5 La capsule temporelle du lion de l'Old State House

L'Old State House, c'est le plus vieux bâtiment de la ville de Boston (États-Unis). En 2014, on a découvert une capsule temporelle à l'intérieur d'une statue de lion. La capsule date de 1901 et contient plusieurs documents et objets qui retracent la vie à cette époque : des photos, des lettres, des partitions musicales, des badges de campagne électorale…

Trouvez…

a. les deux types de découvertes qui donnent des informations sur la vie dans le passé. ....

b. quelle(s) capsule(s) on a déjà ouverte(s). ....

c. quelle(s) capsule(s) vous ne pourrez jamais ouvrir. ....

d. la capsule la plus ancienne. ....

e. quelle(s) capsule(s) ne contien(nen)t que des écrits. ....

f. quelle(s) capsule(s) contien(nen)t des documents sonores. ....

g. quelle(s) capsule(s) contien(nen)t des objets de la vie de tous les jours. ....

10 Vous avez trouvé une capsule temporelle dans la maison de vos arrière-grands-parents. Racontez votre découverte dans un mail à quelqu'un de votre famille et décrivez le contenu de la capsule.

LEÇON 3 — Exprimer une vision pour l'avenir

Lexique

Les valeurs humaines et morales

1 Complétez avec les mots suivants.

l'égalité • l'attention • la liberté • la solidarité • l'accès • l'inclusion • le respect

a. Agir pour .... à l'éducation doit être une priorité : nous devons nous battre pour .... des chances !

b. .... de la diversité est une règle importante dans notre entreprise, nous agissons pour favoriser ....

c. Défendre .... et la dignité, c'est agir pour le respect des droits humains fondamentaux !

d. Nous devons nous entraider pour survivre : .... est une valeur que nous oublions souvent.

e. .... à l'environnement est un effort au quotidien, mais c'est indispensable pour préserver notre planète !

Les problèmes de l'humanité

2 Lisez les titres de journaux et associez-les aux problèmes correspondants.

la pauvreté • le réchauffement climatique • la destruction de la biodiversité • les inégalités sociales • la destruction des ressources naturelles • les discriminations

a. La moitié des Français possède 92 % du patrimoine.
→ ....

b. Mercredi 2 août, jour du dépassement : nous avons consommé tout le capital que notre planète peut donner en une année.
→ ....

c. Au Cambodge, les derniers dauphins luttent pour leur survie.
→ ....

d. Une employée porte plainte contre son patron à cause de propos racistes.
→ ....

e. Plus de 330 millions d'enfants vivent avec moins de 2,15 dollars par jour.
→ ....

f. 42,5 °C, c'est le nouveau record de chaleur établi ce mardi.
→ ....

3 Transformez avec le nom correspondant au verbe souligné.

Ex. : Introduire des programmes communs pour les universités européennes est nécessaire !
→ *L'introduction de programmes communs pour les universités européennes est nécessaire !*

a. Construire une Europe unie, voilà notre motivation !
→ ....

b. Réduire les inégalités sociales est une priorité !
→ ....

c. Produire des objets durables est un de nos objectifs !
→ ....

d. Détruire les ressources naturelles est inacceptable !
→ ....

Grammaire

Les verbes en *-uire* au présent

4 Conjuguez les verbes entre parenthèses au présent.

> **MANIFESTE**
> **POUR L'AVENIR DE L'ALIMENTATION**
>
> Nous croyons que :
>
> **❶ l'alimentation est un bien collectif**
>
> Certaines pratiques .... (conduire) à des inégalités : dans certaines régions, on .... (produire) trop et dans d'autres, pas assez. Et si on partageait ?
>
> **❷ une alimentation saine .... (ne pas détruire) la planète**
>
> Des producteurs qui .... (réduire) leur impact sur l'environnement, cela doit devenir une généralité.
>
> Avec une seule devise : « Je .... (produire) mais je .... (ne pas détruire) ! »
>
> **❸ les consommateurs doivent protéger leur santé**
>
> Vous mangez des produits bio et locaux ? Vous .... (réduire) les risques de maladies !
>
> **❹ nous pouvons agir ensemble pour l'alimentation de demain**
>
> Si nous .... (réduire) notre consommation de produits industriels, nous .... (construire) les nouvelles bases de l'alimentation de demain !

Exprimer un espoir

5 Complétez avec *que* ou *de* quand c'est nécessaire.

a. J'espère .... nous trouverons des solutions pour lutter contre le réchauffement climatique.

b. Je rêve .... un monde uni et solidaire !

c. Nous avons l'espoir .... un jour, l'égalité des salaires entre les hommes et les femmes sera la règle.

d. J'espère .... une amélioration des conditions de vie pour tout le monde.

e. J'ai l'espoir .... voir les jeunes agir pour protéger la biodiversité.

f. À l'avenir, j'espère .... vivre dans une société plus inclusive.

Prononciation / Phonie-graphie

Les sons [wi] et [ɥi]

6 🔊 30 **Écoutez. Entourez le son [ɥi] et soulignez le son [wi].**

*Ex. : Cette c**ui**llère sur le logo signifie que la c**ui**sine est faite maison et je m'en réj<u>oui</u>s.*

a. La Suisse jouit de beaucoup de pluie en juillet, depuis le dérèglement climatique.

b. À Jouy, où j'habite, le bruit est réduit, il y a moins de pollution sonore.

c. Louise est épanouie en Louisiane, où elle construit des structures écologiques.

d. Oui, cette huile est produite ici et transportée jusqu'à l'épicerie équitable de Montlouis, gratuitement.

e. Je suis éblouie par la quantité de fruits cette année, suite aux pluies du printemps !

f. Je cuisine des légumes et je réduis ma consommation de viande.

Communication

Indiquer la nécessité d'agir

7 Formulez les priorités, comme dans l'exemple.

1. Les droits humains, c'est primordial ! (respecter)
2. La liberté d'expression, c'est nécessaire ! (se battre)
3. L'éducation pour tous, c'est fondamental ! (développer)
4. L'égalité des salaires, c'est urgent ! (agir)
5. L'accessibilité des transports en commun, c'est important ! (favoriser)
6. Le respect de la biodiversité, c'est essentiel ! (lutter)
7. La solidarité entre les générations, c'est indispensable ! (défendre)

Les RdV de la JEUNESSE

Quelles sont vos idées pour améliorer l'avenir ?
Envoyez vos réponses à #PrioritésJeunesse
Mes priorités pour l'avenir

1. *Il est primordial de respecter les droits humains.*
2. ....
3. ....
4. ....
5. ....
6. ....
7. ....

Exprimer un espoir

8 Reformulez les slogans en exprimant un espoir. Variez les formulations.

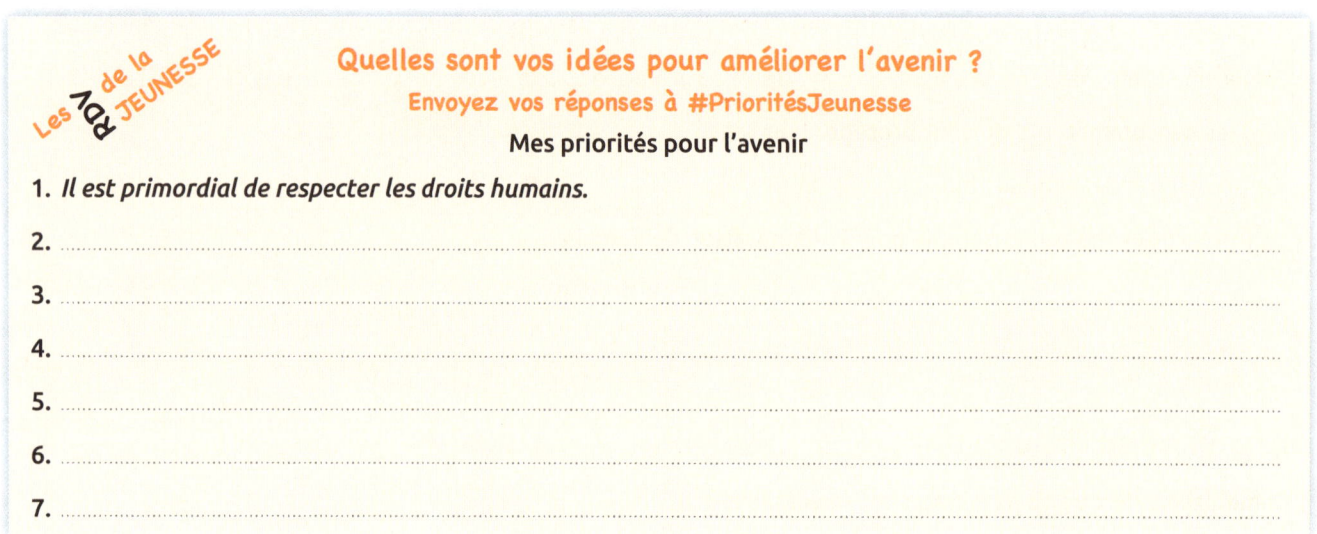

a. Pour une société plus juste !
b. Pour des villes accessibles à tous !
c. Oui à des actions concrètes pour la défense des espèces animales !
d. Nous voulons des logements accessibles pour tous les étudiants !
e. Nous voulons des décisions politiques pour réduire la pauvreté !
f. Oui à une société solidaire !

a. *Nous rêvons d'une société plus juste ! / Nous espérons (vivre dans) une société plus juste !*
b. ....
c. ....
d. ....
e. ....
f. ....

Comprendre – S'exprimer

9 Lisez l'article. Cochez vrai ou faux. Puis citez des passages du texte pour justifier vos réponses.

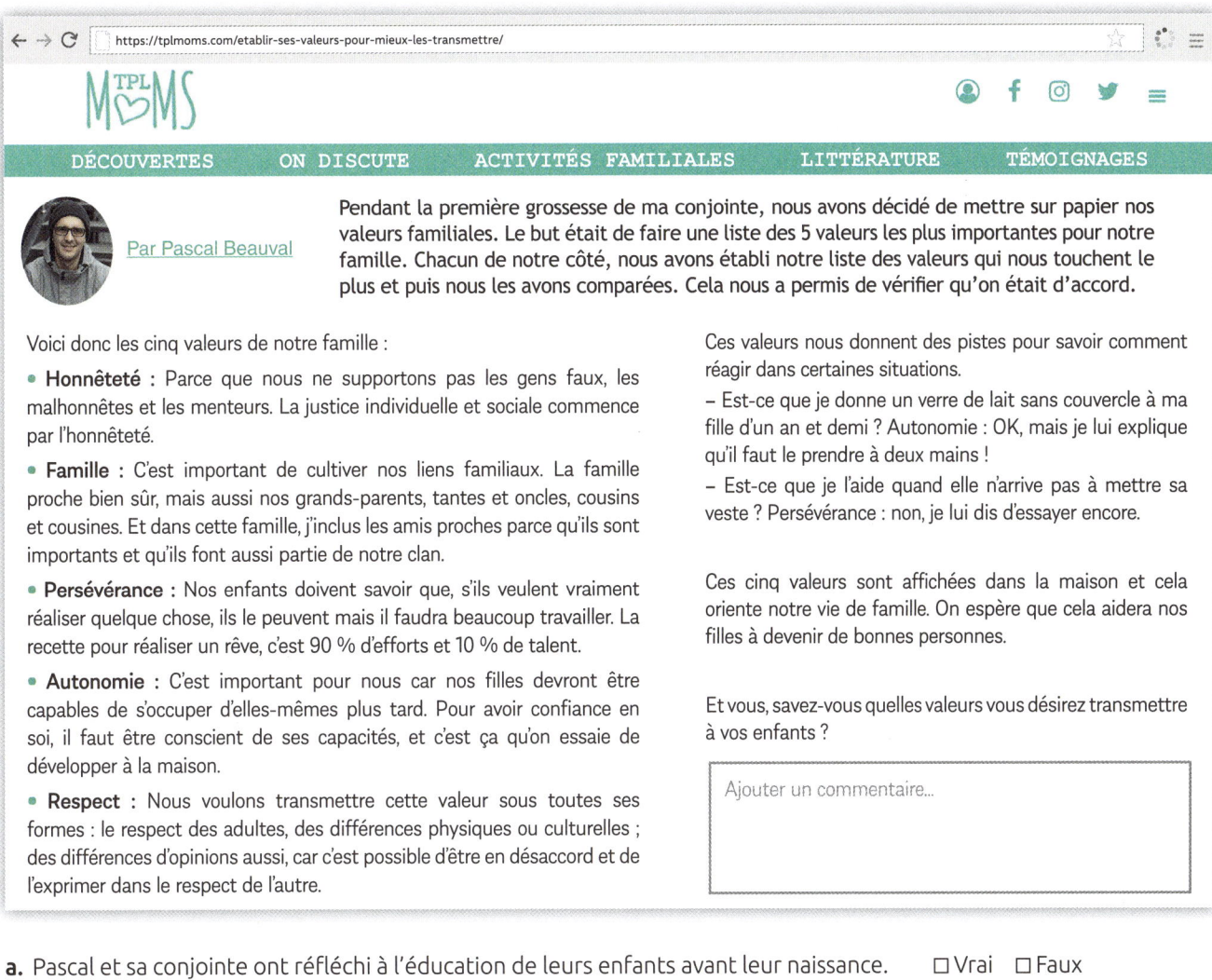

a. Pascal et sa conjointe ont réfléchi à l'éducation de leurs enfants avant leur naissance.   ☐ Vrai   ☐ Faux

b. Chez les Beauval, on a affiché les règles du bien-vivre ensemble.   ☐ Vrai   ☐ Faux

c. Pour eux, il est fondamental de garder le contact avec les gens qu'on aime.   ☐ Vrai   ☐ Faux

d. Dans cette famille, l'excellence est prioritaire.   ☐ Vrai   ☐ Faux

e. Pascal et sa conjointe pensent qu'il faut toujours aider les enfants.   ☐ Vrai   ☐ Faux

f. Chez les Beauval, on valorise la sincérité et la tolérance.   ☐ Vrai   ☐ Faux

10 Vous écrivez un commentaire en réaction à l'article de Pascal Beauval.
Racontez votre expérience de la transmission des valeurs entre parents et enfants. Expliquez quelles sont pour vous les valeurs les plus importantes à transmettre aux enfants et pour quelles raisons. Montrez de quelle façon on peut transmettre ces valeurs, avec quelques exemples concrets de votre vie en tant que parent et / ou en tant qu'enfant.

BILAN

Compétences linguistiques   .../50

1 a. Complétez avec *que* ou *de* si nécessaire. Puis associez chaque phrase à la valeur correspondante.   .../6
(0,5 point par réponse et par association correcte)

Ex. : J'espère **qu'**<u>on se passera des énergies fossiles</u>.

1. Je rêve .... vivre dans une société où <u>on n'a pas peur de la différence</u>.

2. À l'avenir, on espère .... <u>ne plus se servir de produits chimiques</u> dans l'agriculture.

3. Je rêve .... un monde où <u>on répond aux besoins de tous</u>.

4. J'ai l'espoir .... <u>on pensera systématiquement à l'accessibilité pour les personnes en situation de handicap</u>.

5. Je rêve .... une école où <u>on parle d'entraide et de coopération</u> aux enfants.

6. J'espère .... <u>nous arriverons à offrir les mêmes opportunités à tous</u>.

- l'attention à l'environnement
- la solidarité
- l'égalité des chances
- le respect de la diversité
- l'inclusion

b. À l'aide des adjectifs proposés, écrivez les réactions aux phrases (act. a.) en reformulant les parties soulignées. Utilisez *en* ou *y*. *(1 point par phrase correcte)*   .../6

Ex. : *(indispensable)* → Il est indispensable de s'**en** passer !

1. (important) → ....
2. (urgent). → ....
3. (essentiel) → ....
4. (nécessaire) → ....
5. (fondamental) → ....
6. (indispensable) → ....

2 Complétez avec un mot de la liste puis avec un pronom possessif. *(1 point par réponse correcte)*   .../13

frigo | blouse | aspirateur | jouets | billes | machine à laver

a. À l'époque, je mettais ma .... pour aller à l'école et ma mère mettait .... pour faire le ménage.

b. Nos .... sont souvent en plastique mais mes arrière-grands-parents fabriquaient .... en bois.

c. – Mon .... est un modèle américain, il fait des glaçons. Et chez toi, comment est .... ?

– .... est connecté, il m'informe quand un produit manque.

d. Aujourd'hui, c'est facile de laver le linge avec une .... Mais nous, à l'époque, on lavait .... dans une lessiveuse !

e. J'ai apporté mes nouvelles .... pour jouer dans la cour avec toi. Tu as pris .... ?

f. Mon .... est cassé et je dois faire le ménage, vous pouvez me prêter .... ?

3 a. Entourez la proposition correcte. *(1 point par réponse correcte)*   .../11

1. *La / Le* jeunesse n'a pas toujours accès aux grandes écoles *à cause de / grâce à* leur coût.

2. *La / Le* température moyenne a changé sur la planète *car / alors la / le* fréquence des catastrophes naturelles augmente.

3. On n'a pas contrôlé *la / le* destruction des forêts, *c'est pour ça que / à cause de* *la / le* variété des espèces animales diminue.

4. Dans *cette / ce* village, les gens ne sont pas tolérants, *parce que / donc* ils n'acceptent pas quelqu'un qui vient d'*une / un* environnement différent.

b. Associez chaque phrase au problème correspondant. *(0,5 point par réponse correcte)* …/2

[les discriminations] [la destruction de la biodiversité] [le réchauffement climatique] [les inégalités sociales]

1. ………………………………………………… 2. …………………………………………………
3. ………………………………………………… 4. …………………………………………………

4 **Conjuguez les verbes entre parenthèses au présent et reformulez les éléments soulignés.** …/12
(0,5 point par verbe correct, 1 point par reformulation correcte)

– Béatrice Bruault, dans votre famille, vous ……………………… (produire) du vin depuis plusieurs générations. Pouvez-vous nous raconter votre histoire familiale ?

– Les grands-parents de ma mère **Mes arrière-grands-parents**, Charles et Félicie, se marient en 1905. En 1906 ………………………, ils achètent un grand terrain puis ils ……………………… (construire) une grande maison. En 1911 ………………………, il y a 2 enfants dans la famille : mon grand-père Gaston et sa sœur ……………………… Quand Charles meurt ………………………, en 1923, c'est son fils Gaston qui devient responsable de l'exploitation, à seize ans ……………………… À cette époque, nous ……………………… (produire) 15 000 bouteilles par an. En 1949, ma mère reprend l'exploitation mais plusieurs orages ……………………… (détruire) la récolte. Elle ……………………… (reconstruire) tout et, quelques années après, on ……………………… (produire) à nouveau 50 000 bouteilles par an. Moi, enfant ………………………, je suis ma mère partout et j'apprends un peu le métier. Entre 12 et 17 ans ………………………, l'idée de faire ce métier ……………………… (se construire) progressivement dans ma tête. Je suis vigneronne depuis quarante ans ! Maintenant, je ……………………… (réduire) la production parce que c'est trop de travail. Mais le fils de ma sœur ……………………… va bientôt reprendre l'exploitation.

Compétences **socioculturelles** …/10

1 a. Classez les périodes *(0,5 point par réponse correcte)* …/2

[les Trente Glorieuses] [la Belle Époque] [les Années folles] [la Grande Guerre]

Première partie du 20ᵉ siècle : …………………………………………………………………………

Seconde partie du 20ᵉ siècle : …………………………………………………………………………

b. Associez les périodes et les événements à leur nature. *(1 point par réponse correcte)* …/5

[Mai 68] [les Trente Glorieuses] [la crise de 1929] [l'Exposition universelle en 1900] [la Belle Époque]

[économique] [politique] [culturelle]

2 **Cochez la réponse correcte.** *(1 point par réponse correcte)* …/3
  a. La France ☐ a créé l'Union européenne en 1957 ☐ a rejoint l'UE en 1957 ☐ ne fait plus partie de l'UE.
  b. La France est ☐ le pays ☐ le deuxième pays ☐ le troisième pays le plus peuplé d'Europe.
  c. Le Parlement européen a son siège à ☐ Paris ☐ Bruxelles ☐ Strasbourg.

Résultats …/60

Annexes

- **Portfolio** .... p. 117-120
- **DELF A2 épreuve complète** .... p. 121-128

PORTFOLIO

Pour chaque affirmation, cochez une des trois cases :
- 🙂 ☐ Je peux très bien le faire.
- 😐 ☐ Je peux le faire, mais j'ai des difficultés.
- 🙁 ☐ Je ne peux pas encore le faire.

Quand vous cochez 😐 ou 🙁, révisez le dossier et faites à nouveau les exercices.

DOSSIER 1

Je peux comprendre…	À l'oral 🙂	😐	🙁	À l'écrit 🙂	😐	🙁
quand quelqu'un décrit des relations et des interactions.	☐	☐	☐	☐	☐	☐
la description des qualités d'une personne.	☐	☐	☐	☐	☐	☐
quand quelqu'un évoque le passé et le présent, des changements.	☐	☐	☐	☐	☐	☐
des informations sur les étapes et l'évolution d'une relation.	☐	☐	☐	☐	☐	☐
quand quelqu'un exprime des ressentis.	☐	☐	☐	☐	☐	☐

Pour m'exprimer ou interagir, je peux…	À l'oral 🙂	😐	🙁	À l'écrit 🙂	😐	🙁
décrire des relations et des interactions.	☐	☐	☐	☐	☐	☐
décrire les qualités d'une personne.	☐	☐	☐	☐	☐	☐
évoquer le passé et le présent, des changements.	☐	☐	☐	☐	☐	☐
indiquer les étapes et décrire l'évolution d'une relation.	☐	☐	☐	☐	☐	☐
exprimer des ressentis.	☐	☐	☐	☐	☐	☐

DOSSIER 2

Je peux comprendre…	À l'oral 🙂	😐	🙁	À l'écrit 🙂	😐	🙁
des informations sur le prix et la quantité des aliments.	☐	☐	☐	☐	☐	☐
des informations sur les caractéristiques des produits alimentaires ou de consommation courante.	☐	☐	☐	☐	☐	☐
des descriptions d'objets (matière, forme, dimensions, poids…).	☐	☐	☐	☐	☐	☐
des informations sur la fonction, l'usage d'un objet.	☐	☐	☐	☐	☐	☐
des descriptions de vêtements, d'accessoires.	☐	☐	☐	☐	☐	☐
des informations sur des vêtements, des accessoires (taille, pointure, motif, matière…).	☐	☐	☐	☐	☐	☐
des appréciations sur une tenue.	☐	☐	☐	☐	☐	☐

Pour m'exprimer ou interagir, je peux…	À l'oral 🙂	😐	🙁	À l'écrit 🙂	😐	🙁
faire un achat alimentaire.	☐	☐	☐	☐	☐	☐
caractériser des produits alimentaires ou de consommation courante.	☐	☐	☐	☐	☐	☐
décrire des objets (matière, forme, dimensions, poids…).	☐	☐	☐	☐	☐	☐
indiquer la fonction, l'usage d'un objet.	☐	☐	☐	☐	☐	☐
décrire un vêtement, un accessoire.	☐	☐	☐	☐	☐	☐
faire un achat vestimentaire.	☐	☐	☐	☐	☐	☐
faire une appréciation sur une tenue.	☐	☐	☐	☐	☐	☐

PORTFOLIO

DOSSIER 3

Je peux comprendre…	À l'oral 😊	😐	😞	À l'écrit 😊	😐	😞
des informations sur les caractéristiques d'un logement.	☐	☐	☐	☐	☐	☐
quand quelqu'un exprime ses priorités pour le choix d'un logement.	☐	☐	☐	☐	☐	☐
des informations sur les caractéristiques d'un lieu de vie.	☐	☐	☐	☐	☐	☐
quand quelqu'un compare des logements, des lieux de vie.	☐	☐	☐	☐	☐	☐
quand quelqu'un exprime des hypothèses pour le choix d'un lieu de vie.	☐	☐	☐	☐	☐	☐
des recommandations liées au savoir-vivre.	☐	☐	☐	☐	☐	☐
des règles de vie (obligations, autorisations, interdictions).	☐	☐	☐	☐	☐	☐

Pour m'exprimer ou interagir, je peux…	À l'oral 😊	😐	😞	À l'écrit 😊	😐	😞
décrire un logement.	☐	☐	☐	☐	☐	☐
exprimer des priorités pour le choix d'un logement.	☐	☐	☐	☐	☐	☐
parler d'un lieu de vie.	☐	☐	☐	☐	☐	☐
comparer des logements, des lieux de vie.	☐	☐	☐	☐	☐	☐
exprimer des hypothèses pour le choix d'un lieu de vie.	☐	☐	☐	☐	☐	☐
exprimer des recommandations liées au savoir-vivre.	☐	☐	☐	☐	☐	☐
indiquer des règles de vie (obligations, autorisations, interdictions).	☐	☐	☐	☐	☐	☐

DOSSIER 4

Je peux comprendre…	À l'oral 😊	😐	😞	À l'écrit 😊	😐	😞
la description d'un futur poste.	☐	☐	☐	☐	☐	☐
des indications sur les compétences.	☐	☐	☐	☐	☐	☐
quand quelqu'un présente son parcours (professionnel / de formation).	☐	☐	☐	☐	☐	☐
des informations sur les qualités professionnelles.	☐	☐	☐	☐	☐	☐
quand quelqu'un exprime ses motivations pour un poste.	☐	☐	☐	☐	☐	☐
des souhaits, des conseils, des suggestions.	☐	☐	☐	☐	☐	☐
quand quelqu'un explique le déroulement d'un parcours de formation.	☐	☐	☐	☐	☐	☐

Pour m'exprimer ou interagir, je peux…	À l'oral 😊	😐	😞	À l'écrit 😊	😐	😞
décrire les futures tâches d'un poste.	☐	☐	☐	☐	☐	☐
indiquer des compétences.	☐	☐	☐	☐	☐	☐
présenter un parcours (professionnel / de formation).	☐	☐	☐	☐	☐	☐
décrire des qualités professionnelles.	☐	☐	☐	☐	☐	☐
exprimer des motivations pour un poste.	☐	☐	☐	☐	☐	☐
exprimer des souhaits, des conseils, des suggestions.	☐	☐	☐	☐	☐	☐
expliquer le déroulement d'un parcours de formation.	☐	☐	☐	☐	☐	☐

DOSSIER 5

Je peux comprendre…	À l'oral 🙂 😐 ☹️	À l'écrit 🙂 😐 ☹️
la présentation d'un restaurant et de ses caractéristiques.	☐ ☐ ☐	☐ ☐ ☐
des interactions entre serveur et client au restaurant.	☐ ☐ ☐	☐ ☐ ☐
des appréciations sur un restaurant ou sur un plat.	☐ ☐ ☐	☐ ☐ ☐
quand quelqu'un parle de son expérience de spectateur.	☐ ☐ ☐	☐ ☐ ☐
quand quelqu'un demande ou donne un avis.	☐ ☐ ☐	☐ ☐ ☐
des informations sur les caractéristiques d'une œuvre cinématographique.	☐ ☐ ☐	☐ ☐ ☐
l'annonce d'un événement culturel.	☐ ☐ ☐	☐ ☐ ☐
des explications sur le déroulement d'un projet culturel.	☐ ☐ ☐	☐ ☐ ☐

Pour m'exprimer ou interagir, je peux…	À l'oral 🙂 😐 ☹️	À l'écrit 🙂 😐 ☹️
présenter un restaurant et ses caractéristiques.	☐ ☐ ☐	☐ ☐ ☐
interagir au restaurant.	☐ ☐ ☐	☐ ☐ ☐
exprimer des appréciations sur un restaurant ou sur un plat.	☐ ☐ ☐	☐ ☐ ☐
parler d'une expérience de spectateur.	☐ ☐ ☐	☐ ☐ ☐
demander et donner un avis.	☐ ☐ ☐	☐ ☐ ☐
caractériser une œuvre cinématographique.	☐ ☐ ☐	☐ ☐ ☐
annoncer un événement culturel.	☐ ☐ ☐	☐ ☐ ☐
expliquer le déroulement d'un projet culturel.	☐ ☐ ☐	☐ ☐ ☐

DOSSIER 6

Je peux comprendre…	À l'oral 🙂 😐 ☹️	À l'écrit 🙂 😐 ☹️
des informations sur des paysages et leurs caractéristiques.	☐ ☐ ☐	☐ ☐ ☐
des informations sur les ressemblances entre des lieux.	☐ ☐ ☐	☐ ☐ ☐
des suggestions et des réactions.	☐ ☐ ☐	☐ ☐ ☐
un programme de voyage.	☐ ☐ ☐	☐ ☐ ☐
des informations sur des traditions.	☐ ☐ ☐	☐ ☐ ☐
quand quelqu'un exprime des ressentis, des sensations.	☐ ☐ ☐	☐ ☐ ☐
quand quelqu'un évoque des difficultés et des solutions.	☐ ☐ ☐	☐ ☐ ☐

Pour m'exprimer ou interagir, je peux…	À l'oral 🙂 😐 ☹️	À l'écrit 🙂 😐 ☹️
décrire des paysages.	☐ ☐ ☐	☐ ☐ ☐
décrire des ressemblances entre des lieux.	☐ ☐ ☐	☐ ☐ ☐
faire des suggestions et réagir à des suggestions.	☐ ☐ ☐	☐ ☐ ☐
présenter un programme de voyage.	☐ ☐ ☐	☐ ☐ ☐
décrire une tradition.	☐ ☐ ☐	☐ ☐ ☐
exprimer des ressentis, des sensations.	☐ ☐ ☐	☐ ☐ ☐
évoquer des difficultés et des solutions.	☐ ☐ ☐	☐ ☐ ☐

PORTFOLIO

DOSSIER 7

Je peux comprendre…	À l'oral 🙂 😐 ☹️			À l'écrit 🙂 😐 ☹️		
des informations sur des faits d'actualité.	☐	☐	☐	☐	☐	☐
des indications sur la manière de bien s'informer.	☐	☐	☐	☐	☐	☐
des questions, des informations sur un événement sportif.	☐	☐	☐	☐	☐	☐
quand quelqu'un rapporte des paroles.	☐	☐	☐	☐	☐	☐
des résultats d'enquête.	☐	☐	☐	☐	☐	☐
la présentation d'un livre.	☐	☐	☐	☐	☐	☐
quand quelqu'un exprime l'accord, le désaccord.	☐	☐	☐	☐	☐	☐
des commentaires sur un livre et son caractère exceptionnel.	☐	☐	☐	☐	☐	☐

Pour m'exprimer ou interagir, je peux…	À l'oral 🙂 😐 ☹️			À l'écrit 🙂 😐 ☹️		
donner des informations sur des faits d'actualité.	☐	☐	☐	☐	☐	☐
indiquer la manière de bien s'informer.	☐	☐	☐	☐	☐	☐
questionner, donner des informations sur un événement sportif.	☐	☐	☐	☐	☐	☐
rapporter des paroles.	☐	☐	☐	☐	☐	☐
rapporter des résultats d'enquête.	☐	☐	☐	☐	☐	☐
présenter un livre.	☐	☐	☐	☐	☐	☐
exprimer l'accord, le désaccord.	☐	☐	☐	☐	☐	☐
commenter un livre et son caractère exceptionnel.	☐	☐	☐	☐	☐	☐

DOSSIER 8

Je peux comprendre…	À l'oral 🙂 😐 ☹️			À l'écrit 🙂 😐 ☹️		
quand quelqu'un évoque des origines familiales, des liens familiaux.	☐	☐	☐	☐	☐	☐
le résumé des grandes étapes d'une vie et leur chronologie.	☐	☐	☐	☐	☐	☐
des explications sur les habitudes quotidiennes passées ou actuelles.	☐	☐	☐	☐	☐	☐
quand quelqu'un évoque des changements, une évolution dans le temps.	☐	☐	☐	☐	☐	☐
quand quelqu'un indique la nécessité d'agir.	☐	☐	☐	☐	☐	☐
quand quelqu'un parle des problèmes de l'humanité.	☐	☐	☐	☐	☐	☐
quand quelqu'un exprime un espoir.	☐	☐	☐	☐	☐	☐

Pour m'exprimer ou interagir, je peux…	À l'oral 🙂 😐 ☹️			À l'écrit 🙂 😐 ☹️		
évoquer des origines familiales, des liens familiaux.	☐	☐	☐	☐	☐	☐
résumer les grandes étapes d'une vie et leur chronologie.	☐	☐	☐	☐	☐	☐
expliquer des habitudes quotidiennes passées ou actuelles.	☐	☐	☐	☐	☐	☐
évoquer des changements, une évolution dans le temps.	☐	☐	☐	☐	☐	☐
indiquer la nécessité d'agir.	☐	☐	☐	☐	☐	☐
parler des problèmes de l'humanité.	☐	☐	☐	☐	☐	☐
exprimer un espoir.	☐	☐	☐	☐	☐	☐

DELF A2

Compréhension de l'oral — 25 POINTS

🔊 31 **Vous allez écouter plusieurs documents. Il y a deux écoutes.**
Avant chaque écoute, vous entendez le son suivant : 🔔.
Dans les exercices 1, 2 et 3, pour répondre aux questions, cochez (X) la bonne réponse.

Exercice 1 Comprendre des annonces et des instructions orales — 6 POINTS

🔊 32 **Vous êtes en France. Vous écoutez des annonces publiques. Lisez les questions. Écoutez les documents puis répondez.**

Document 1
1. Que peut-on voir au musée de Neuville-sur-Seine ? — 1 POINT

a. ☐ b. ☐ c. ☐

🔊 33 **Document 2**
2. Grâce à sa nouvelle campagne, Emmaüs vous propose de… — 1 POINT

a. ☐ donner vos vêtements.   b. ☐ vendre vos vêtements.   c. ☐ réparer vos vêtements.

🔊 34 **Document 3**
3. Au forum des métiers de Grenoble, on peut… — 1 POINT

a. ☐ voir des spectacles.   b. ☐ écouter des conférences.   c. ☐ parler avec des spécialistes.

🔊 35 **Document 4**
4. L'association Diapason propose quel type de festival ? — 1 POINT

a. ☐ b. ☐ c. ☐

🔊 36 **Document 5**
5. Aux Halles d'Avignon, on peut trouver… — 1 POINT

a. ☐ des flacons de parfum.   b. ☐ des bouquets de fleurs.   c. ☐ des produits régionaux.

🔊 37 **Document 6**
6. Que pouvez-vous faire le vendredi à la médiathèque ? — 1 POINT

a. ☐ b. ☐ c. ☐

DELF A2

Exercice 2 Comprendre l'information essentielle de courtes émissions de radio — 6 POINTS

🔊 38 Vous êtes en France. Vous écoutez la radio. Lisez les questions, écoutez les documents puis répondez.

Document 1

1 Les personnes qui se sont réunies dimanche à Lille étaient… — 1 POINT

   a. ☐ des amis.   b. ☐ des parents.   c. ☐ des collègues.

2 Certains participants venaient… — 1 POINT

   a. ☐ d'Italie.   b. ☐ d'Amérique.   c. ☐ du monde entier.

🔊 39 **Document 2**

3 Que peut-on voir à l'exposition ? — 1 POINT

a. ☐   b. ☐   c. ☐

4 Pour faire évoluer l'exposition, les visiteurs peuvent… — 1 POINT

   a. ☐ apporter des objets personnels.   b. ☐ acheter des objets exposés.   c. ☐ donner leurs textes personnels.

🔊 40 **Document 3**

5 À la Boutique du vrac, le lundi, on peut acheter les produits… — 1 POINT

   a. ☐ seulement sur Internet.   b. ☐ seulement en boutique.   c. ☐ sur Internet et en boutique.

6 Comment sont vendus les produits à la Boutique du vrac ? — 1 POINT

a. ☐   b. ☐   c. ☐

Exercice 3 Comprendre une interaction entre locuteurs natifs — 6 POINTS

🔊 41 Vous écoutez ce message sur un répondeur téléphonique. Lisez les questions. Écoutez le document puis répondez.

1 Vendredi, que va-t-il se passer ? — 1 POINT

a. ☐   b. ☐   c. ☐

2 L'événement en préparation aura lieu... [1 POINT]
  a. ☐ à la mairie.   b. ☐ à l'université.   c. ☐ dans un théâtre.

3 Pour annoncer le forum des associations, vous devez contacter... [1 POINT]
  a. ☐ la radio locale.   b. ☐ la télévision régionale.   c. ☐ les journaux nationaux.

4 Sur le site, vous devez mettre... [1 POINT]
  a. le programme de la rencontre.
  b. un lien pour s'inscrire à la rencontre.
  c. la liste des intervenants à la rencontre.

5 Quel technicien devez-vous contacter ? [1 POINT]

  a. ☐   b. ☐   c. ☐

6 Vous devez communiquer au traiteur... [1 POINT]
  a. ☐ qui sont les participants à l'inauguration.
  b. ☐ quels plats il doit préparer pour l'inauguration.
  c. ☐ combien de personnes sont invitées à l'inauguration.

Exercice 4 Comprendre de brefs échanges entre locuteurs natifs [7 POINTS]

🔊 42 Vous écoutez quatre dialogues. Cochez pour associer chaque dialogue à la situation correspondante. Attention : il y a six situations mais seulement quatre dialogues. Lisez les situations. Écoutez les dialogues puis répondez.

	a. Exprimer une nécessité	b. Donner une autorisation	c. Donner un conseil	d. Exprimer un espoir	e. Exprimer le mécontentement	f. Exprimer une appréciation
🔊 43 **Dialogue 1** [1,5 POINT]	☐	☐	☐	☐	☐	☐
🔊 44 **Dialogue 2** [2 POINTS]	☐	☐	☐	☐	☐	☐
🔊 45 **Dialogue 3** [2 POINTS]	☐	☐	☐	☐	☐	☐
🔊 46 **Dialogue 4** [1,5 POINT]	☐	☐	☐	☐	☐	☐

Compréhension des écrits [25 POINTS]

Exercice 1 Lire pour s'orienter [6 POINTS]

Vous vivez en France. Vous devez aider des amis à trouver un logement. Vous consultez un site d'annonces immobilières.

Doc. 1
À louer appartement ancien, deux pièces, dans quartier animé du centre. Commerces à proximité.
Loyer : 450 € + 50 € de charges.

Doc. 2
Appartement 4 pièces, lumineux, balcon. 3ᵉ étage avec ascenseur. Quartier calme. Bus et tram à proximité.
Loyer : 1 200 € tout compris.

Doc. 3
À louer petite maison de 3 pièces avec jardin et garage dans quartier excentré. Commerces et transports proches.
Loyer 750 € sans charges.

DELF A2

Doc. 4
Maison de 150 m² à 12 km du centre-ville. Grand jardin, piscine. Proche de la gare. Loyer : 1 400 €.

Doc. 5
Studio centre-ville, lumineux, 4ᵉ étage sans ascenseur, avec du cachet. Petit mais bien agencé. Loyer : 350 € charges comprises.

Doc. 6
Appartement spacieux et lumineux, avec terrasse. 1ᵉʳ étage. Un peu bruyant mais bien isolé. Peintures refaites. Loyer : 800 € + 75 € de charges.

Quelle annonce va intéresser vos amis ? Associez chaque annonce à la personne correspondante. Attention : il y a huit personnes mais seulement six documents. Cochez (X) une seule case pour chaque document.

Personnes	Doc. 1 1 POINT	Doc. 2 1 POINT	Doc. 3 1 POINT	Doc. 4 1 POINT	Doc. 5 1 POINT	Doc. 6 1 POINT
a. Marco cherche un petit logement bien organisé en centre-ville.	☐	☐	☐	☐	☐	☐
b. Simon voudrait un appartement de 3 pièces avec un local pour mettre son vélo.	☐	☐	☐	☐	☐	☐
c. Lucille cherche un appartement central, dans une zone animée et commerçante.	☐	☐	☐	☐	☐	☐
d. Héloïse voudrait une maison avec jardin et un parking, pour sa voiture, loin du centre-ville, proche des commerces.	☐	☐	☐	☐	☐	☐
e. Mathias veut vivre dans un appartement spacieux dans un quartier calme.	☐	☐	☐	☐	☐	☐
f. Anouk cherche un appartement lumineux avec un espace extérieur, loyer maximum 900 €.	☐	☐	☐	☐	☐	☐
g. Clara cherche un deux pièces avec cave privative, complètement refait, au dernier étage avec ascenseur.	☐	☐	☐	☐	☐	☐
h. Arthur cherche une maison hors de la ville, avec un bel espace extérieur pour ses enfants.	☐	☐	☐	☐	☐	☐

Exercice 2 Comprendre une correspondance personnelle et brève

6 POINTS

Vous êtes en France. Vous lisez ce message de votre ami français.

---
nouveau message

Bonjour !
J'espère que tu vas bien. Moi, je suis très content car j'ai enfin trouvé mon premier travail. Tu sais que j'ai postulé dans plusieurs entreprises et, vendredi dernier, j'ai passé un entretien chez *Technologie Services*, une entreprise informatique. On m'a interrogé sur ma formation d'informaticien et j'ai raconté le stage de huit mois que j'ai fait aux États-Unis à la fin de mes études. Grâce à mon CV vidéo, le recruteur a apprécié ma créativité et mes compétences techniques. Cela lui a permis d'évaluer mes savoir-faire mais surtout mon savoir-être. Et voilà ! Je commence chez *Technologie Services* dans une semaine. Un conseil : si tu cherches un emploi, envoie un CV vidéo ! C'est un moyen vivant et authentique pour se présenter et montrer sa personnalité. Aujourd'hui, les recruteurs les apprécient beaucoup.
À bientôt,
Raphaël

Pour répondre aux questions, cochez (X) la bonne réponse.

1 Raphaël est content parce qu'il... **1 POINT**

a. ☐ a trouvé un travail. b. ☐ a quitté son travail. c. ☐ a changé de travail.

2 Vendredi, qu'a fait Raphaël ? [1 POINT]

a. ☐   b. ☐   c. ☐

3 Raphaël est allé aux États-Unis pour… [1 POINT]
- a. ☐ visiter le pays.
- b. ☐ faire des études.
- c. ☐ compléter sa formation.

4 Comment Raphaël a-t-il envoyé sa candidature ? [1 POINT]

a. ☐   b. ☐   c. ☐

5 Selon Raphaël, pour se présenter à un emploi, le CV vidéo est un moyen… [1 POINT]
- a. ☐ insolite.
- b. ☐ efficace.
- c. ☐ artificiel.

6 Raphaël pense que, pour les recruteurs, il est important de connaître… [1 POINT]
- a. ☐ le caractère des candidats.
- b. ☐ l'expérience des candidats.
- c. ☐ la motivation des candidats.

Exercice 3 Lire des instructions simples [6 POINTS]

Vous travaillez dans une agence de voyages en France. Vous lisez les documents suivants.
Pour répondre aux questions, cochez (X) la bonne réponse.

Document 1

> **LA PAGE D'ACCUEIL DU SITE WEB DE L'AGENCE**
> ➤ C'est l'élément le plus important du site et le premier contact avec le voyageur.
> ➤ Elle doit être attrayante pour attirer et fidéliser les visiteurs.
> ➤ Il faudra insérer un diaporama des différentes destinations disponibles ou bien des photos d'un endroit en particulier.
> ➤ Pour plus de crédibilité, on pourra y ajouter de vraies photos de vacances avec des personnes réelles.

1 La page d'accueil du site d'une agence de voyages doit… [1 POINT]
- a. ☐ donner les tarifs des hébergements.
- b. ☐ afficher des photos des destinations.
- c. ☐ informer sur les prestations de l'agence.

2 Pour rendre l'offre de l'agence plus crédible, on peut… [1 POINT]
- a. ☐ mettre des photos de vrais vacanciers.
- b. ☐ ajouter des témoignages de voyageurs.
- c. ☐ insérer des vidéos de lieux exceptionnels.

DELF A2

Document 2

LA PAGE *À PROPOS DE NOUS* ET LA RUBRIQUE *CONTACTS*

› Ces deux pages sont essentielles pour le site web de l'agence. La première doit se situer après la page d'accueil et doit contenir des informations sur l'agence, sur sa conception du voyage et sur les prestations garanties par l'agence.
› La rubrique *Contacts* est indispensable. On la retrouve en général en bas de chaque page du site.

3 La page *À propos de* nous est essentielle parce que… **1 POINT**
  a. ☐ c'est la première page du site.
  b. ☐ on y trouve les destinations disponibles.
  c. ☐ l'agence y présente sa vision du voyage.

4 La rubrique *Contacts* se trouve… **1 POINT**
  a. ☐ avant la page d'accueil. b. ☐ sur toutes les pages du site. c. ☐ après la page *À propos de nous*.

Document 3

LES PAGES SUIVANTES

Après les deux premières, il faut prévoir au moins trois pages supplémentaires.
› La page *Forfaits vacances* : elle contient toutes les informations sur les forfaits pour les familles, ou pour des circuits guidés.
› La page *Destinations* : elle affiche les différentes destinations avec des détails et des images.
› La page *Itinéraires* : elle suggère une liste de différents endroits à visiter et d'activités intéressantes à faire.

5 Dans la page *Forfaits vacances*, on informe sur… **1 POINT**
  a. ☐ des itinéraires de visites. b. ☐ des offres pour les familles. c. ☐ des détails sur les destinations.

6 Dans la page *Itinéraires*, on fournit… **1 POINT**
  a. ☐ des conseils de visites. b. ☐ des listes de visites guidées. c. ☐ des témoignages de voyageurs.

Exercice 4 Lire pour s'informer — **7 POINTS**

Vous lisez cet article sur Internet.

 https://www.un.org/fr/observances/friendship-day

La journée internationale de l'Amitié

En 2011, l'ONU a proclamé le 30 juillet, journée internationale de l'Amitié. Mais chaque pays est libre de fixer une date adaptée à son calendrier national. Son objectif : promouvoir l'amitié entre les peuples, les pays, les cultures et les individus, et inspirer les efforts de paix entre communautés.

L'ONU insiste sur la participation des jeunes et celles des futurs dirigeants des pays à des activités qui impliquent les différentes cultures et défendent la compréhension entre les communautés et le respect de la diversité.

Pour cette occasion, l'ONU encourage les gouvernements, les associations et les individus à organiser dans le monde entier toutes sortes d'événements, d'activités et d'initiatives.

Rencontres entre les habitants d'un même quartier, dîners de rue participatifs ou spectacles peuvent donc contribuer à la promotion de l'amitié, au dialogue entre les personnes et à la solidarité.

Pour répondre aux questions, cochez (X) la bonne réponse.

1 Le texte présente une initiative proposée par... **1 POINT**
   a. ☐ le gouvernement français.   b. ☐ un organisme international.   c. ☐ une association de quartier.

2 La journée de l'Amitié a lieu le 30 juillet dans tous les pays du monde. **1 POINT**
   a. ☐ VRAI   b. ☐ FAUX

3 Un des objectifs de la journée de l'Amitié est de promouvoir... **2 POINTS**
   a. ☐ la paix.   b. ☐ le travail.   c. ☐ l'écologie.

4 Cette initiative s'adresse particulièrement... **2 POINTS**
   a. ☐ aux jeunes.   b. ☐ aux plus âgés.   c. ☐ aux familles.

5 Pour fêter la journée de l'Amitié, l'ONU invite à organiser... **1 POINT**
   a. ☐ des rencontres littéraires.   b. ☐ des compétitions sportives.   c. ☐ des événements participatifs.

Production écrite   **25 POINTS**

Exercice 1 Décrire un événement ou raconter une expérience personnelle   **12,5 POINTS**

Vous avez vécu en colocation pendant trois mois dans un pays francophone. Vous écrivez à votre ami(e) français(e) pour lui raconter cette expérience. Vous lui parlez de l'organisation quotidienne et de quelques règles à respecter. Vous lui donnez vos impressions sur cette expérience. (60 mots minimum)

Exercice 2 Répondre à une invitation   **12,5 POINTS**

Vous recevez une invitation de votre amie Élodie.

> **Invitation**
>
> Salut !
> Comment ça va ? Moi, super ! Je suis en train d'organiser un mini festival de cinéma. Il aura lieu le week-end prochain. Deux acteurs célèbres et une réalisatrice viendront rencontrer le public. J'ai besoin d'une personne qui les accueille à la gare et les accompagne pendant leur séjour dans notre ville. J'ai pensé à toi parce que tu es fan de cinéma. Tu es d'accord ?
> Réponds-moi vite !

Vous répondez à Élodie. Vous la remerciez et acceptez sa proposition. Vous lui demandez quelques précisions sur le lieu du festival, l'heure d'arrivée des artistes, les visites à organiser. (60 mots minimum)

Production orale

25 POINTS

L'épreuve comporte trois parties. Elle dure 6 à 8 minutes. La première partie se déroule sans préparation. Vous avez 10 minutes pour préparer les parties 2 et 3. Les trois parties s'enchaînent.

1. Entretien dirigé – 1 minute 30 environ

Après avoir salué votre examinateur, vous vous présentez (vous parlez de vous, de votre famille, de vos amis, de vos études, de vos goûts, des animaux que vous aimez, etc.). L'examinateur vous posera des questions complémentaires.

2. Monologue suivi – 2 minutes environ

Vous tirez au sort deux sujets et vous en choisissez un. Vous vous exprimez sur le sujet. L'examinateur peut ensuite vous poser des questions.

Sujet n° 1 – Lieux de la ville

Quels sont les lieux de votre ville que vous préférez ? Pourquoi ? Ces lieux sont-ils célèbres ? Que peut-on y faire ?

Sujet n° 2 – Actualité

Comment vous informez-vous ? Quels types d'information suivez-vous en particulier ? Vérifiez-vous les informations que vous lisez ou recevez ?

3. Exercice en interaction – 3 à 4 minutes environ

Vous tirez au sort deux sujets et vous en choisissez un. Vous devez simuler un dialogue avec l'examinateur afin de résoudre une situation de la vie quotidienne. Vous montrez que vous êtes capable de saluer et d'utiliser les règles de politesse.

Sujet n° 1 – Consommation responsable

Un magasin bio vient d'ouvrir dans votre quartier. Vous proposez à votre ami(e) français(e) d'aller y faire les courses. Vous discutez avec lui/elle pour décider quels produits acheter. Vous lui expliquez comment les produits sont vendus.

Sujet n° 2 – Travail idéal

Avec votre ami(e) français(e), vous cherchez un petit travail pour l'été. Vous décidez de consulter des annonces. Vous discutez avec lui/elle sur le travail idéal et des qualités nécessaires pour l'exercer.

mon alter ego 2

A2

MÉTHODE DE FRANÇAIS

Cahier d'activités

Corrigés

Transcriptions

Lexique

hachette
FRANÇAIS LANGUE ÉTRANGÈRE

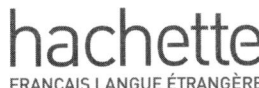

Corrigés

DOSSIER 1 Être en relation

Leçon 1 • Parler d'une relation amicale

1 a. Avec Lucille, on se téléphone tous les deux jours : on adore **s'appeler** pour **discuter** de tout et de rien.
b. Je loge souvent des amis chez moi : j'ai de la place pour les **accueillir** et les **héberger**. / pour les **héberger** et les **accueillir**.
c. Je n'ai pas été sympa avec Luc, je l'ai vexé. Je n'aime pas lui **faire de la peine**.
d. Martin aime **aider** les autres : il fait beaucoup de choses pour ses amis.
e. Ne dis jamais de secrets à Manon : on ne peut pas lui **faire des confidences** : elle répète tout !
f. Tu peux faire confiance à Bruno : on peut **compter** sur lui.

2 Je voudrais te présenter Loïc ; c'est très vieil ami, un ami **fidèle** : on s'est rencontrés à l'âge de 11 ans ! Tu vas l'adorer ! Il est **drôle**, il me fait beaucoup rire ! Et il est toujours **positif** : il voit la vie du bon côté. C'est aussi un homme très **attentif** aux autres : il écoute, il s'intéresse aux gens. Il est **disponible** pour ses amis : il est toujours là quand on a des problèmes et aussi pour sortir, s'amuser… Et puis, Loïc est **généreux** : toujours prêt à rendre service ou à aider. Son seul défaut, c'est qu'il est parfois un peu trop **sincère** : il dit toujours la vérité, même quand elle est difficile à entendre. Mais bon, c'est aussi une qualité : on peut lui faire confiance !

3 a. Natalia et Sylvie sont des **amies intimes**. Elles n'ont pas de secret l'une pour l'autre.
b. Armand est le **conjoint** d'Isabelle. Ils sont mariés depuis trois ans.
c. Arnaud et Driss font partie du même groupe d'amis. Ils sont bons **copains**.
d. Fred ne connaît pas bien Jeanne, c'est seulement une **connaissance** rencontrée une fois chez un ami.
e. Le samedi soir, Léon et Béatrice font souvent des apéros entre **potes**.

4 a. Moi, je peux les loger jeudi et vendredi.
b. Non, il ne lui écrit jamais.
c. Si, je l'ai appelé ce matin.
d. Oui, bien sûr, tu peux lui faire confiance (elle ne va pas tout lui raconter) !
e. Si, je vais le remercier tout de suite.
f. Nous leur avons tout dit hier soir.
g. Oui, elle les aide beaucoup.

5 a. Elle **l'**écoute quand il a besoin de parler et elle **lui** raconte aussi ses secrets. Sandra **lui** fait vraiment confiance : elle **lui** a déjà prêté de l'argent quand il a eu des problèmes ! Elle **lui** dit toujours la vérité mais ça ne **le** vexe pas : il apprécie sa sincérité !
b. Elle **leur** téléphone tout le temps : elle veut **les** voir, elle **les** invite au restaurant, elle **leur** propose des sorties… C'est bizarre parce qu'elle ne **les** connaît pas bien !

6 a. Je discute beaucoup avec Laura mais on ne se **dit** pas tout.
b. Ils habitent loin l'un de l'autre : ils ne se voient pas mais ils **s'écrivent** souvent.
c. Quand vous parlez des heures au téléphone, qu'est-ce que vous vous **dites** ?
d. Je ne vous **écris** pas souvent de messages parce que vous ne les **lisez** jamais !
e. Tu **lis** tous les posts de Joris sur Instagram ?
f. Nous ne nous **écrivons** jamais de SMS, nous préférons nous appeler.

7 a. 4 – 2 – 1 – 3 – 5
b. 5 – 1 – 3 – 4 – 2
c. 2 – 3 – 5 – 1 – 4
d. 1 – 2 – 4 – 3 – 5
e. 2 – 1 – 5 – 4 – 3
f. 3 – 1 – 5 – 2 – 4

8 a. 2 – **b.** 1 – **c.** 2 – **d.** 1
a. il apprend. – **b.** Il l'échange. – **c.** Il exprime. – **d.** Il l'apporte.

9 a. Tu peux me faire une confidence ! – **b.** Il a fait quelque chose pour lui ! – **c.** Je l'accueille souvent. – **d.** Elle lui dit un secret. – **e.** Nous lui avons fait confiance.

10 a. Vrai : « Écrire un beau message d'amitié. / Quand une amitié est forte et sincère, c'est important de le dire ! »
b. Faux : « Il n'est pas facile de remercier un ami pour son amitié. Nous ne savons pas toujours comment faire pour exprimer notre attachement et décrire l'importance de cette relation. »
c. Vrai : « Il faut saisir la bonne occasion : le féliciter pour un examen ou un événement, le remercier pour un service, lui dire qu'on pense à lui pendant les moments difficiles. Un message écrit est aussi idéal pour exprimer des choses difficiles à dire, ou même s'excuser quand on a fait de la peine. »
d. – Vrai : « Merci d'être toujours là pour moi, dans les bons comme dans les mauvais moments. Tu as toujours répondu présent quand j'ai eu besoin de toi. »
– Faux
– Vrai : « Je suis heureux de ces heures passées ensemble à discuter, à refaire le monde. »

Leçon 2 • Décrire des changements dans la communication

1 a. À l'époque actuelle, tout le monde a un smartphone.
b. Julien a déménagé, alors **maintenant**, on ne se voit pas souvent.
c. Avant, sans les portables, ce n'était pas facile de se donner rendez-vous.
d. À l'époque, on ne se téléphonait pas comme **maintenant**.
e. Quand on était jeune, on utilisait d'autres moyens pour communiquer.

Corrigés

2.

E	R	O	T	R	A	N	S	F	O	T	U
P	F	J	R	E	G	M	O	D	I	F	B
U	S	A	A	D	I	M	I	N	U	E	R
C	H	A	N	G	E	R	C	H	A	M	E
D	R	I	S	G	T	R	I	C	H	O	Z
R	I	M	F	U	I	O	A	F	G	D	R
S	E	R	O	H	U	K	U	O	R	I	U
R	D	F	R	N	U	E	G	T	Y	F	O
A	U	G	M	E	N	T	E	R	O	I	T
A	I	D	E	V	E	L	O	P	P	E	R
B	R	O	R	G	M	E	N	T	I	R	O

3. a. Beaucoup d'adultes et de jeunes jouent à des jeux vidéo **en ligne**.
b. J'aime bien les vidéos de ce youtubeur, j'ai envie de le **suivre** sur Instagram.
c. Avec mon équipe, on ne se réunit jamais en présentiel, toujours en **visio**.
d. Beaucoup de gens utilisent des **applis** de rencontre pour se faire des amis.
e. Ils ne s'écrivent jamais de mails, seulement des **SMS**.
f. Mon fils aime poster des vidéos parce que ses amis mettent des **likes** à chaque publication.

4. – Moi, je ne **sortais** plus avec mes amis, je ne **descendais** pas de ma chambre.
– Oui, et nous ne **réussissions** pas à nous concentrer à l'école. Nous ne **travaillions** pas bien.
– Parce que toi, Émeline, tu ne **dormais** pas la nuit, tu **répondais** à tes messages à toute heure !
– On ne **partageait** pas beaucoup de conversations ensemble à la maison et vous, les ados, vous ne **lisiez** plus de livres, vous **regardiez** trop de vidéos.

5. a. Avant l'arrivée des smartphones, on **utilisait** des téléphones portables mais ils **n'offraient** pas beaucoup de possibilités. On ne **pouvait** pas se connecter à Internet, les réseaux sociaux n'**existaient** pas. Nous **devions** contrôler nos appels téléphoniques parce que nous **avions** un forfait avec un temps limité.
b. – Avant, comment **faisiez**-vous pour communiquer avec vos potes sans portable ?
– Parfois, nous nous **téléphonions** de la maison, mais nous ne nous **envoyions** jamais de messages ! Alors on **se rencontrait** dans un lieu précis et on **passait** du temps ensemble. Moi j'**allais** souvent dans une salle de jeux vidéo et mes amis **venaient** là-bas aussi.

6. a. Aujourd'hui, on n'utilise plus de téléphone fixe à la maison, c'est terminé !
b. Je n'utilise les réseaux sociaux que pour communiquer avec ma famille et mes amis proches.
c. On a limité l'utilisation du smartphone à la maison parce que nos ados ne nous parlaient plus !
d. Avant les smartphones, il n'y avait qu'une manière de se connecter à Internet : sur un ordinateur.
e. Lison est désespérée ! Elle ne peut plus utiliser son téléphone, il ne fonctionne plus !
f. Je ne peux te parler que quelques minutes, mon téléphone n'a plus de batterie !

7. Époque actuelle : a – d – e – h – i
Époque passée : b – c – f – g

8. *À titre indicatif :*
a. Maintenant, vous n'utilisez que votre smartphone, vous n'avez plus de téléphone fixe à la maison. / Avant, vous aviez un téléphone fixe à la maison. Maintenant, vous n'utilisez que votre smartphone.
b. Maintenant / Aujourd'hui, les gens s'écrivent des messages ou des mails, ils ne s'envoient plus de lettres ou de cartes postales. / Avant, les gens s'envoyaient des lettres ou des cartes postales, maintenant / aujourd'hui, ils s'écrivent des messages ou des mails.
c. Avant, nous ne travaillions qu'en présentiel. Aujourd'hui, nous télétravaillons deux jours par semaine. / Aujourd'hui, nous télétravaillons deux jours par semaine, nous ne travaillons pas qu'en présentiel.
d. Maintenant, on utilise un GPS, on ne s'oriente plus avec un plan ou une carte. / Avant, on s'orientait avec un plan ou une carte. Maintenant, on utilise un GPS.
e. Avant, je participais à des soirées jeux de société avec des amis. Maintenant, je joue à des jeux en ligne. / Maintenant, je ne participe plus à des soirées jeux de société avec des amis, je joue à des jeux en ligne.

9. a. L'émission parle des jeunes qui veulent se séparer de leur smartphone.
b. Selon Emma, être née avec les smartphones, c'est une bonne et une mauvaise chose / une dépendance.
c. Actuellement, des jeunes et des youtubeurs font l'expérience de la déconnexion.
d. Sans leur smartphone, les jeunes utilisent à nouveau des fonctionnalités de leur cerveau. / retrouvent une bonne qualité de relation.
e. Aujourd'hui, ces jeunes utilisent des smartphones avec un minimum d'applis. / d'anciens téléphones.

Leçon 3 • Raconter l'histoire d'une relation

1. b. 3 / 5 / 6 – **c.** 7 – **d.** 1 – **e.** 4 – **f.** 2 / 4

2. « J'ai rencontré Joël à l'université. On formait un couple **heureux** : on s'entendait bien, on était **contents** de partager notre vie ensemble. Mais un jour, il a dû partir aux États-Unis pour une mission professionnelle de six mois. Au début, j'étais **triste** de le quitter, je me sentais **seule** et j'avais **peur** de le perdre. Et puis j'ai appris à vivre notre amour à distance. À la fin des six mois, Joël a voulu prolonger son contrat de six autres mois. Mais moi, je ne pouvais pas aller le retrouver et j'en avais **marre** de l'attendre. J'étais en **colère** parce que sa vie professionnelle était plus importante que notre relation ! Alors on s'est séparés. C'est **dommage** parce qu'on formait un beau couple, mais c'est la vie ! »

3 a. Charles et Victor **ont** discuté ensemble pendant des heures. Ils **sont** tout de suite deven**us** amis.
b. Mathilde et moi, nous nous **sommes** rencontr**ées** à l'école primaire. On **a** fait toute notre scolarité ensemble et on **a** toujours été copines.
c. Axelle **s'est** disput**ée** avec sa meilleure amie et après ça, elles se **sont** perd**ues** de vue.
d. Michel **a** tout de suite appelé son ami quand il **est** rentré de l'étranger.
e. Johanna et Paul **sont** part**is** en vacances ensemble et leur relation **a** changé.
f. Vous **avez** déménagé dans une autre ville quand votre fille **est** n**ée** ?

4 a. Pierre **a vu** Nina pour la première fois chez des amis et il **est tombé** amoureux d'elle.
b. Nous **sommes entré(e)s** au lycée la même année, nous **sommes resté(e)s** dans la même classe pendant trois ans et nous **nous sommes revu(e)s** à la fac.
c. Gaspard et Lila **se sont mis** en couple et ils **ont choisi** d'habiter à Paris. Ils y **ont vécu** pendant dix ans.
d. Mike et Lionel **ont fait** connaissance à l'université. Puis Mike **est allé** vivre en Allemagne et ils **ont arrêté** de se voir.
e. Angélique et Alma **sont nées** la même année, elles **ont grandi** dans la même ville mais elles ne **se sont jamais rencontrées**.
f. Jeanne **a dit** son amour à Francis, elle lui **a écrit** une lettre mais il **ne lui a pas répondu**.

5 a. « À l'adolescence, Delphine et moi nous **allions** dans le même collège. Nous **nous détestions**. Nous **avions** chacun notre groupe de copains et nous **ne nous parlions pas**. Et puis un jour, notre professeur nous **a demandé** de faire un travail ensemble en classe. On **l'a fait** mais on **n'était pas** très contents de cette situation. Finalement, pendant ce travail, on **a commencé** à s'apprécier et notre relation **s'est modifiée**. Aujourd'hui, on **continue** à se voir régulièrement et on **partage** de super moments ensemble ! »
b. « Quand j'**étais** à l'université, Aurélie **faisait** partie de mon groupe de potes. Je la **trouvais** sympa, on **passait** de bons moments ensemble mais on ne se **connaissait** pas très bien. Un jour, mon chien est **mort**. J'**étais** très triste et quand Aurélie **a appris** la nouvelle, elle **est venue** me voir. Ce jour-là, nous **avons discuté** pendant des heures et elle m'**a remonté** le moral. Maintenant, on **s'adore** ! »

6 J'**ai étudié** la linguistique à l'université. J'**étudiais** avec Pierre. **C'était** à Amsterdam. Ça **a été** mon premier amoureux. On **se disputait** rarement. Un jour, à cause d'un rendez-vous manqué, on **s'est disputés** pour de bon et on **s'est séparés**. Je lui **ai donné** ma nouvelle adresse. Je lui **donnais** de mes nouvelles régulièrement, mais plus maintenant.

7 À titre indicatif :
a. L'année dernière, Flore avait un petit groupe d'amies (sympas). Elles s'entendaient bien, elles riaient beaucoup ensemble. Mais un jour, Flore est tombée amoureuse d'un garçon du lycée. Alors, ses copines se sont éloignées d'elle, elles étaient jalouses. Maintenant, Flore n'est plus avec le garçon, mais ses copines continuent à ne plus lui parler.
b. Avant, Margot et Pascal se disputaient tout le temps. Margot en avait marre de ces disputes, alors elle a décidé de partir. À ce moment-là, Pascal était très triste. Mais aujourd'hui, Margot est en couple avec un autre homme. Ils sont heureux. Et Pascal a un enfant ! Maintenant, Pascal et Margot sont amis.

8 a. Je suis en colère ! – J'en ai marre de cette situation ! C'est dommage !
b. C'est dommage !
c. C'est dommage ! – Je suis déprimé !
d. C'est chouette ! – Je suis contente !
e. J'ai peur de le perdre !

9 a. Vrai : « ils ont été amis pendant vingt ans avant de tomber amoureux. / Hélène (52 ans) et Stéphane (57 ans) ont fait partie du même groupe d'amis pendant plus de vingt ans avant de devenir un couple. / Nous faisions partie de la même bande d'amis. / qui a été pendant longtemps une amie »
b. Faux : Hélène : « Quand j'ai rencontré Stéphane, je vivais seule, j'aimais faire la fête, et lui avait une femme et des enfants. / J'appréciais d'être célibataire. »
c. Faux : Hélène : « Mais un jour, il m'a envoyé un SMS qui pouvait être interprété comme un message amoureux. J'ai été très surprise et alors, je l'ai vu d'une manière différente. »
d. Vrai : Hélène : « Il a réagi assez vite et voilà ! » / Stéphane : « J'ai alors envoyé un message d'amour en retour et voilà ! »
e. Vrai : Hélène : « Aujourd'hui, cette proximité est précieuse et je suis heureuse d'avoir dans ma vie cet homme nouveau (mais connu). » / Stéphane : « Aujourd'hui, on est un peu comme des ados. Je n'imaginais pas vivre cela à 57 ans ! C'est extraordinaire d'avoir dans ma vie cette femme drôle et attentionnée, qui a été pendant longtemps une amie. »

Bilan
Compétences linguistiques

1 a. il lui raconte des histoires drôles et il la fait rire. / il la fait rire et il lui raconte des histoires drôles. → l'humour
b. il les aide souvent et il leur prête de l'argent. / il les aide et il leur prête souvent de l'argent. / il leur prête de l'argent et il les aide souvent. → la générosité
c. il le voit souvent et il lui répond toujours quand il l'appelle. / il lui répond toujours quand il l'appelle et il le voit souvent. → la disponibilité
d. je lui dis la vérité et je n'ai pas peur de la vexer. → la sincérité

Corrigés

e. elle le comprend et elle l'accepte comme il est. / elle l'accepte comme il est et elle le comprend. → la tolérance
f. je les connais très bien et je leur fais confiance. → la fidélité

2 a. Avant, en vacances, on écrivait des cartes postales aux amis. Maintenant, on (leur) écrit des SMS.
b. Avant, Luce disait tous ses secrets à Floriane. Maintenant, elle lui dit peu de choses intimes.
c. Avant, Yann et moi, nous faisions beaucoup d'activités ensemble. Maintenant, nous faisons des sorties occasionnelles.
d. Avant, pour vous informer, vous lisiez le journal. Maintenant, vous lisez des articles web.
e. Avant, tu avais peu d'amis. Maintenant, tu as une belle bande de copains.
f. Avant, les gens écrivaient avec un stylo et du papier. Maintenant, ils écrivent sur un ordinateur.

3 a. Quand j'**étais** enfant, dans les années 1990, nous n'**avions** pas d'ordinateur à la maison. Et puis pour mes 15 ans, mes parents m'**ont offert** un ordinateur et une connexion à Internet. Ça **a été** un vrai changement dans ma vie ! J'**ai appris** à l'utiliser et très vite, je **me suis passionné** pour l'informatique. C'est comme ça que j'**ai choisi** de faire des études dans ce domaine !
b. J'**ai eu** mon premier téléphone à l'âge de 12 ans, un vieux téléphone à touches. Mes parents **ne voulaient** pas me donner un smartphone. C'**était** difficile parce que tous mes copains **pouvaient** utiliser les réseaux sociaux, mais pas moi. Un jour, une idée m'**est venue** : j'**ai fait** tomber mon téléphone dans l'eau, volontairement, pour le rendre inutilisable et je **suis allée** demander un nouveau téléphone à mes parents ! Mais ils **ont compris** ma ruse et j'**ai dû** attendre mes 14 ans pour avoir un smartphone !

4 a. Je ne vois **plus** Karine, c'est **dommage**, je l'aimais bien !
b. Lila n'utilise **que** très peu les réseaux sociaux, **elle a peur** d'être dépendante.
c. Claire est **en colère** parce que son petit frère a cassé son smartphone ; elle ne peut **plus** l'utiliser, c'est terrible pour elle !
d. Avec les collègues, on ne se parle **qu'**en visio, maintenant. On **regrette** la convivialité de nos réunions en présentiel, c'était bien !
e. Adeline en **a marre** des réseaux sociaux ! Elle ne voit **plus** ses amis en vrai !
f. Mélanie est **heureuse** parce que sa relation avec Patrick a évolué de façon positive. Ils ne se disputent **plus** comme avant.

Compétences socioculturelles

1 a. le lycée – **b.** l'université – **c.** au collège – **d.** une licence – **e.** l'école primaire

2 Catherine Deneuve : une actrice – Jean Cocteau : un écrivain, un artiste peintre, un dramaturge, un cinéaste – Yves Saint Laurent : un couturier – Paul Gauguin : un artiste peintre – Édith Piaf : une chanteuse

DOSSIER 2 Agir en consommateur

Leçon 1 • Faire des courses

1 – 2 filets de saumon → Il faut aller chez le poissonnier / à la poissonnerie.
– 1 camembert → Il faut aller chez le fromager / à la fromagerie.
– 150 g de jambon blanc → Il faut aller chez le charcutier / à la charcuterie.
– 1 baguette tradition → Il faut aller chez le boulanger / à la boulangerie.
– 1 melon → Il faut aller chez le primeur.
– 4 tomates → Il faut aller chez le primeur.
– 1 bouquet → Il faut aller chez le fleuriste.
– 1 bouteille de vin rouge → Il faut aller chez le caviste.
– 1 plat de lasagnes → Il faut aller chez le traiteur / (chez le boucher, à la boucherie).

2 a. 1. la lessive – **2.** la crème – **3.** le vinaigre – **4.** le savon – **5.** des disques démaquillants – **6.** le produit vaisselle
b. 1. un bidon de lessive – **2.** un pot de crème – **3.** une bouteille de vinaigre – **4.** un flacon de savon – **5.** un sac de disques démaquillants – **6.** un flacon de produit vaisselle

3 a. J'en voudrais une tranche pas trop **épaisse**, s'il vous plaît.
b. Je voudrais deux avocats pour ce soir, bien **mûrs**.
c. Je vais prendre un kilo de tomates pas trop **mûres**, assez **fermes**.
d. Je voudrais un poulet pour 4 personnes, **ferme** et pas **gras**.
e. Ce gâteau est **délicieux**, il n'est pas trop **sucré** !

4 a. des chaises empilables / **pliables**
b. des mouchoirs **jetables** / **lavables** et **réutilisables**
c. un sac **jetable** / **lavable** et **réutilisable**
d. des déchets **recyclables** / **compostables**
e. des bouteilles **réutilisables** / **jetables** et **recyclables**

5 a. Oui, je veux en prendre un morceau.
b. Tu en achètes une.
c. Oui, nous en voulons une barquette.
d. Elle va en commander deux.
e. Non, maintenant je n'en mets plus.
f. Oui, j'en ai acheté un bidon.

6 – la viande : je n'**en** mange pas beaucoup.
– les produits d'épicerie : je **les** achète en vrac.
– les fruits et légumes : j'**en** mange tous les jours et je **les** choisis toujours de saison, chez le primeur.
– les bouteilles d'eau : je n'**en** achète plus du tout ! J'ai une gourde et je **la** prends toujours avec moi.
– le poisson : j'**en** consomme souvent. Je l'achète chez le poissonnier pour la qualité et je **le** trouve toujours très bon.

7 *À titre indicatif :*
– Bonjour ! Je voudrais des tomates. **Elles coûtent combien ?**

– Elles sont à 8,50 € le kilo ! **Vous en voulez combien ?**
– Mettez-en un kilo, s'il vous plaît !
– **Avec ceci ? / Il vous faut autre chose ? / Vous désirez autre chose ?**
– Je vais prendre aussi des haricots verts. **Vous en avez ? / Il y en a ?**
– Ah non, **il n'y en a plus / il n'y en a pas** aujourd'hui. Vous voulez un autre légume à la place ?
– Oui, des petits pois. **Je vais en prendre / J'en voudrais** 600 grammes.
– Et voilà les petits pois ! **Avec ceci ? / Il vous faut autre chose ? / Vous désirez autre chose ?**
– Non, c'est tout pour aujourd'hui. **Ça fait combien ?**
– Ça fait 13,80 €, s'il vous plaît ! **Vous payez comment ?**
– **En espèces !** Voilà, j'ai la somme exacte !

8 a. 6 – b. 1 – c. 5 – d. 2 – e. 4 – f. 3 / 6

9 a. Vrai : « J'ai commencé par les changements faciles » / « Après, je suis passée à la cuisine »
b. Faux : « dans ma famille, on est six »
c. Faux : « aller au magasin trois fois par semaine pour acheter en vrac, c'était compliqué ! »
d. Vrai : « j'ai décidé de faire mes courses en ligne sur le site de La Fourche bio. Avoir les courses livrées à domicile, c'est la bonne solution ! »
e. Faux : « Pour le moment, je trouve que c'est encore difficile d'utiliser ses propres bocaux, ses sacs, etc. partout. À la boucherie, par exemple, on ne peut pas apporter ses propres boîtes. »
f. Faux : « je refuse d'acheter de l'eau ! »

Leçon 2 • Acheter / Vendre sur Internet

1 Quand vous avez terminé vos **achats**, validez votre panier puis choisissez la **livraison** à domicile ou le **retrait en boutique**. Ensuite, procédez au **paiement** de vos achats : tapez les informations de votre carte bancaire. Après la réception de votre **commande**, vous avez un mois pour renvoyer les **objets** que vous ne voulez pas garder. Quand nous recevons ces articles, nous effectuons le **remboursement** sur votre compte bancaire.

2 a. On a acheté pour notre fille un lit **en forme de** bateau.
b. Pour mon salon, je cherche une petite table **ovale, en** bois.
c. On utilise ces bocaux en **verre** pour conserver les produits d'épicerie.
d. Comme cadeau pour l'anniversaire d'Ella, on prend ce vase en **céramique** ou ce joli sac en **cuir** ?

3 Table d'**occasion** 250 € / TABLE ANCIENNE
Dimensions
Longueur : 125 cm
Largeur : 79 cm
Diamètre des pieds : 5 cm
Poids : 25 kg

État
pieds en **bon état** (rénovés), plateau **usé**, à peindre ou à rénover
Style **vintage** (campagne)

4 1. Mettez vos photos dans des moules qui servent à faire des tartes et que vous transformez en cadres !
2. Fabriquez une petite table originale avec une valise vintage qui était abandonnée dans la cave.
3. Faites une lampe avec un vieux chapeau qui vient de votre grand-père ou que vous avez trouvé dans une brocante.
4. Transformez en lampes ou en vases les jolies bouteilles que vous ne voulez pas jeter mais qui ne servent plus. / Transformez ces jolies bouteilles que vous ne voulez pas jeter mais qui ne servent plus en lampes ou en vases.
5. Faites des porte-manteaux avec des vieilles cuillères qui prennent de la place dans les placards et que vous n'utilisez pas.

5 a. Cet artiste imagine ses créations à partir d'objets **qu'**il récupère ou **que** ses amis lui donnent.
b. L'*upcycling*, c'est l'art de récupérer des objets **qui** ne servent plus pour les transformer en d'autres objets.
c. Amélie aménage son appartement avec des meubles d'occasion **qu'**elle achète chez Emmaüs.
d. J'ai trouvé sur ce site de seconde main un objet de collection **que** je trouve parfait comme cadeau pour Robin.
e. Ils ont décoré leur maison avec des objets anciens **qui** étaient chez leurs grands-parents.
f. C'est une bonne idée, ce bocal en verre **qui** sert de lampe !

6 a. C'est solide, carré et ça sert **à** se laver. → un savon
b. Ça permet **d'**ouvrir les bouteilles de vin. → un tire-bouchon
c. C'est un meuble qu'on utilise **pour** dormir. → un lit
d. On utilisait cet objet **pour** réchauffer le lit, ça servait **de** bouillotte à l'époque. → un chauffe-pieds
e. C'est un objet qui sert **à** éclairer une pièce → une lampe

7 = : d – f
≠ : a – b – c – e – g – h – i

8 b. Corbeille à fruits **ronde en métal**
c. Vase **cylindrique en céramique**
d. Table **ovale en bois / en métal**
e. Lunettes **en plastique en forme de cœur**

9 *À titre indicatif :*
a. un lave-vaisselle → Cet appareil sert à laver la vaisselle. / On utilise cet appareil pour laver la vaisselle.
b. un porte-serviettes → Cet objet sert à mettre des serviettes / permet de mettre des serviettes.
c. un lance-pierre → Cet objet sert à lancer des pierres / permet de chasser ou de se défendre.
d. un coupe-ongles → Cet objet sert à couper les ongles / On utilise cet objet pour (se) couper les ongles.

Corrigés

10 a. Émilie répond à des questions sur **une passion personnelle**.
b. Pour Émilie, l'*upcycling* permet **de limiter les déchets** et **d'avoir des objets personnels et originaux**.
c. Émilie **a l'habitude de recycler des objets**.
d. Émilie pense que l'*upcycling* **n'est pas compliqué**.
e. Émilie **montre comment transformer des objets**.

Leçon 3 • Choisir une tenue vestimentaire

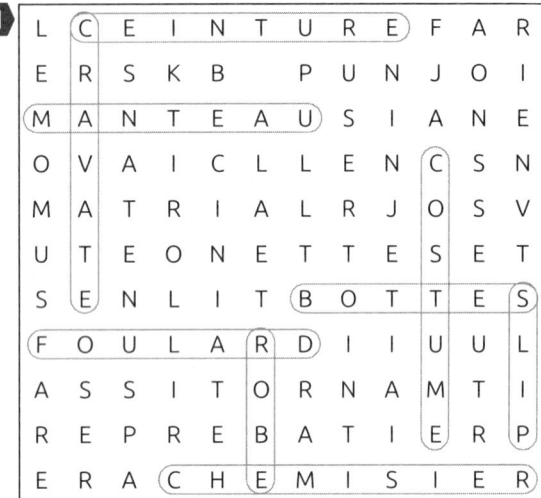

a. une tenue formelle masculine : un costume
b. un sous-vêtement : un slip
c. un accessoire formel masculin : une cravate
d. une tenue féminine : une robe
e. un type de chaussures, pour l'hiver : des bottes
f. un accessoire qu'on porte autour du cou : un foulard
g. un accessoire qui va avec un pantalon : une ceinture
h. un haut féminin : un chemisier

2 a. une veste – **b.** un pantalon – **c.** des manteaux – **d.** un costume – **e.** une chemise

3 a. Chemise en **coton** à manches **courtes** à **carreaux**.
b. Robe **courte** rouge à **pois**, **sans manches** et sandales noires **à talons**.
c. Robe **longue** à **pois** et chapeau noir **uni**.
d. Jupe **longue** en **jean**, veste en jean, **bottines** à talons en **cuir**

4 b. **Laquelle** est plus légère ?
c. **Lesquelles** tu préfères ?
d. **Lequel** voulez-vous voir ?
e. **Lesquels** me vont bien ?
f. **Laquelle** ?

5 a. – Vous **payez** comment ? Par carte ou en espèces ?
– Ah, non, moi je **paie** tout avec mon smartphone, c'est pratique !
b. – Très beau, ton sac ! Mais comment tu le **nettoies** quand il est sale ?
– Je le lave en machine.

c. – Les filles sont dans la cabine d'essayage ?
– Oui, elles **essaient** des robes pour voir si ça leur va.
d. – Il est content du pantalon qu'il a acheté en ligne ?
– Non, il ne l'aime pas, il le **renvoie**.
e. – Nous adorons acheter nos vêtements dans les brocantes !
– Mais, dans une brocante, vous n'**essayez** pas les vêtements, ce n'est pas un problème ?
– Non, nous ne les **essayons** pas, mais nous ne les **payons** que quelques euros !

6 Nous avons des clientes qui viennent très régulièrement : quand elles **voient** des nouveaux articles en vitrine, elles entrent. Quand nous **voyons** arriver une cliente fidèle, nous sommes très attentives et nous cherchons la tenue parfaite pour elle. Mais quand je **vois** qu'un vêtement ne lui va pas, je lui dis ! On est contentes quand on **voit** la cliente satisfaite. Et si elle **voit** un article qu'elle aime et qu'il n'y a pas sa taille, on le commande, bien sûr. Vous **voyez**, j'aime mon métier !

7 a. Un bon mo<u>y</u>en de s'habiller sans pa<u>y</u>er cher, c'est d'acheter des p<u>i</u>èces dans une boutique d'occas<u>i</u>on.
b. Il <u>y</u> a une relat<u>i</u>on de conf<u>i</u>ance entre le vendeur et le cl<u>i</u>ent.
c. Tous les soirs, j'utilise du démaqu<u>i</u>llant, en grande boute<u>i</u>lle pour mes f<u>i</u>lles et moi.
d. La rad<u>i</u>o et les fl<u>y</u>ers annoncent les vide-greniers aux passionnés de mobil<u>i</u>er ancien.

8 Vendeuse : **Bonjour Madame, je peux vous aider ?**
Cliente : Oui, je cherche une robe longue élégante pour aller à une fête !
Vendeuse : Regardez, il y a ces trois modèles !
Cliente : **J'aime bien la rouge. Je peux l'essayer ?**
Vendeuse : **Oui, bien sûr ! Quelle est votre taille ?**
Cliente : Je fais du 40.
Vendeuse : **Voilà un 40 !**
Cliente : Merci. Et est-ce que vous avez des chaussures assorties à la robe ?
Vendeuse : **Ces sandales à talons vont bien avec la robe.** Voulez-vous les essayer ?
Cliente : Oui, d'accord ! Je veux bien.
Vendeuse : **Vous faites quelle pointure ?**
Cliente : Je chausse du 38.
Vendeuse : Voici une paire en 38.
Cliente : C'est parfait ! Je prends la robe rouge et les sandales.
Vendeuse : **Vous voulez payer comment ?**
Cliente : Par carte.

9 a. Ça ne me va pas !
b. Cette robe me plaît, elle me va parfaitement / très bien.
c. C'est très élégant / chic mais ce n'est pas mon style !
d. C'est joli, c'est assorti à ma robe / c'est dans le style de ma robe… mais la couleur, elle / ça ne me plaît pas trop !

10 a. vrai – **b.** faux – **c.** faux – **d.** vrai – **e.** faux – **f.** vrai

Bilan

Compétences linguistiques

1 a. – Il faut des avocats pour ce soir. Regarde s'ils sont **assez** mûrs.
– Ah non, ils sont très durs : ils ne sont **pas du tout** mûrs ! Alors on prend un melon ?
– D'accord ! **Lequel** tu choisis ?
– Ce melon ! Il va être bien **sucré**.
b. – Oh, regarde ces chaussures ! Elles **me plaisent beaucoup** !
– **Lesquelles** ? Les vertes **à talons** ?
– Oui ! Elles sont **pas mal**, j'aime bien ! Oh, mais le prix… Je ne peux pas les acheter, elles sont **trop** chères.
– Et regarde les petits sacs, là, ils sont **classe** ! Parfaits pour une fête !
– **Lesquels** ? Les noirs à paillettes ? Ah oui, ils sont **très** chics ! Et c'est **ton style** !

2 a. Ces cravates à pois / à rayures sont lavables en machine – longueur : 150 cm, largeur : 7 cm.
b. Ce parapluie à carreaux est pliable. / Poids : 90 grammes.
c. Cette boîte rectangulaire / vintage en bois est en mauvais état / abîmée / usée.
d. Ce fauteuil rouge uni en métal et coton est pratique pour le camping.

3 a. C'est un objet que les gens peuvent acheter **chez** le caviste et **qui** sert **à** ouvrir les bouteilles.
→ **un tire-bouchon**
b. C'est un objet **qu'**on utilise pour mettre un bouquet de fleurs. On **en** voit beaucoup **chez** les fleuristes.
→ **un vase**
c. C'est un objet **en** verre **qui** sert **de** contenant et **qui** permet **d'**acheter les produits sans emballage, à l'épicerie de vrac. → **un bocal**

4 b – 4 – D → Ils essaient des nouveaux produits cosmétiques qui ne sont pas mauvais pour la planète.
c – 6 – B → Nous payons les produits pas trop cher parce qu'ils sont en vrac.
d – 3 – F → Vous voyez ce bocal en verre pour les produits en vrac ?
e – 2 – E → Jeanne envoie à son amie des informations sur des cotons démaquillants qui sont lavables et réutilisables.
f – 5 – A → Je vois des capsules de café qui sont compostables.

Compétences socioculturelles

1 Pour…
– acheter des produits frais, des fleurs → les marchés alimentaires
– acheter des meubles ou des appareils de seconde main, rénovés → les boutiques Emmaüs
– acheter ou vendre entre particuliers des vêtements, des livres, de la vaisselle, des jeux, etc. → les vide-greniers

2 a. **L'opinel**, c'est un couteau pliable et solide qu'on emporte partout.
b. **La 2 CV** (**deux-chevaux**) était une voiture très simple et très populaire.
c. **Le Bic** est un stylo jetable que tous les écoliers utilisent et qui est très populaire dans le monde entier.
d. **Le savon de Marseille** est un produit naturel, simple et économique qui sert à tout laver.

DOSSIER 3 Choisir son cadre de vie

Leçon 1 • Définir des critères pour le logement

1 a. L'appartement de Caroline a : du cachet – un balcon.
b. Il est : spacieux – bien agencé – dans un quartier calme – excentré – exposé au sud – lumineux.

2 Près de la place de l'Édit de Nantes, à proximité des commerces, ce beau **trois pièces** (T3) meublé est situé dans un immeuble ancien, au deuxième étage, sans **ascenseur**. Il comprend un séjour avec beaucoup de charme : du **parquet** et une **cheminée**, une cuisine équipée et deux chambres avec placards. Appartement refait **à neuf** (**peintures** refaites en 2023) et **bien isolé** : les fenêtres sont neuves. **Cour** intérieure partagée, **cave** privative au sous-sol. **Loyer** : 995 euros par mois, **charges** comprises.

3 a. Je veux bien habiter dans ce quartier **s'**il y a des transports à proximité.
b. **Si** l'appartement est moderne et bien agencé, j'accepte de faire un compromis sur la surface.
c. **S'**il n'y a pas de travaux à faire, on prend l'appartement !
d. **Si** vous voulez un logement lumineux, il faut habiter à un étage élevé.
e. Maryse ne veut pas habiter au 4ᵉ étage **s'**il n'y a d'ascenseur.
f. **Si** c'est possible, je voudrais un trois pièces avec un balcon ou une terrasse.

4 Ça y est ! J'ai emménagé dans mon nouvel appartement ! Je suis content, il est **mieux** que mon appart précédent ! Il est **plus** grand (il fait 45 m², l'ancien faisait 32 m²), il a **plus de** pièces (une chambre supplémentaire) et il est **mieux** agencé. Autre point positif : j'ai **moins de** problèmes de chauffage. Avant, j'avais un vieux radiateur électrique qui ne fonctionnait pas bien et l'appartement était mal isolé. Ici, l'isolation est de **meilleure** qualité parce que l'immeuble est **plus** moderne que l'autre. Fini le froid qui entre en hiver !
Bon, je suis **plus** loin du centre mais c'était mon choix d'habiter dans un quartier excentré, **moins** animé. C'est beaucoup **moins** bruyant que dans mon ancien quartier : je n'entends plus la circulation des voitures toute la nuit, donc ça me réveille **moins** !

Corrigés

5 a. Ton salon est moins lumineux que ta chambre.
b. Le studio de la rue des Lilas a plus de cachet que le studio de la rue Montaigne.
c. Le logement de Claude a un meilleur emplacement que le logement de Nicole.
d. Ce quartier calme me plaît plus qu'un quartier animé.
e. Mon appart actuel est moins loin du centre que mon ancien appart.
f. Ce T3 a moins d'avantages que ce T2.
g. La maison de Romane est mieux isolée que la maison de Mathilde.

6 [ply] : b – d – h – j
[plys] : c – g
[plyz] : a – e – f – i

7 *À titre indicatif :*
a. Jérôme est prêt à habiter dans ce quartier si c'est dans une rue calme / si la rue est calme. / Si la rue est calme, Jérôme est prêt à habiter dans ce quartier.
b. Sophie accepte de / est prête à / veut bien louer cet appartement s'il a du cachet. / Si l'appartement a du cachet, Sophie accepte de / est prête à / veut bien le louer.
c. Gilles et Marta veulent bien prendre un appartement sans balcon s'il est / se trouve à un bon emplacement / s'il est bien situé. / S'il se trouve à un bon emplacement / S'il est bien situé, Gilles et Marta veulent bien prendre un appartement sans balcon.
d. Fouad accepte de / est prêt à / veut bien louer cet appartement s'il y a deux chambres et une salle de bain avec baignoire. / S'il y a deux chambres et une salle de bain avec baignoire dans l'appartement, Fouad accepte de / est prêt à / veut bien le louer.
e. J'accepte de / Je veux bien ne pas avoir d'espace extérieur si l'appartement est spacieux et (si) les pièces (sont) bien agencées. / Si l'appartement est spacieux et (si) les pièces (sont) bien agencées, j'accepte de / je veux bien ne pas avoir d'espace extérieur.

8 *À titre indicatif :*
L'appartement 1 est plus grand que l'appartement 2.
L'appartement 1 est plus loin du centre / plus excentré que l'appartement 2.
L'appartement 1 se trouve dans un immeuble plus moderne et à un étage plus élevé mais il a moins de cachet que l'appartement 2.
L'appartement 2 est moins pratique parce qu'il n'y a pas d'ascenseur.
Le séjour de l'appartement 1 est plus spacieux. / La pièce à vivre est moins grande dans l'appartement 2.
Il y a moins de lumière qui entre dans l'appartement 2 parce qu'il a une vue sur cour. (parce que la vue est moins dégagée) / L'appartement 2 est moins lumineux que l'appartement 1.
Le loyer de l'appartement 2 est moins élevé et il y a moins d'équipements dans l'immeuble.
L'appartement 2 est disponible plus rapidement / vite que l'appartement 1.
L'appartement 1 plaît plus que l'appartement 2. /
La personne qui a regardé les annonces aime mieux l'appartement 1.

9 a. L'émission donne des conseils **aux étudiants qui cherchent un logement**.
b. Selon Julien Delaroche, les deux principales questions à se poser quand on cherche un logement concernent **le type de logement, l'emplacement**.
c. Quand on est étudiant, c'est plus avantageux d'habiter dans **une colocation**.
d. Quand on visite un appartement, il faut faire attention **à l'état des équipements, au bruit, aux équipements présents dans l'immeuble, aux autres coûts en plus du loyer**.

Leçon 2 • Définir des préférences pour le lieu de vie

1 a. la convivialité – b. l'accessibilité – c. le coût de la vie – d. le dynamisme de la ville – e. l'environnement naturel – f. la proximité des commerces – g. la qualité de vie – h. le rythme de vie

2 a. – Alors, ta nouvelle vie à Nantes ? Ça va ?
– Super ! Je me déplace beaucoup à vélo, donc fini les transports en commun **bondés** ou les heures passées en voiture dans les **embouteillages** !
– Et tu as trouvé un logement qui te plaît ?
– Oui, et pas trop cher ! Les loyers sont assez **bas** ici, comparé à Paris ! Le quartier où j'habite est très joli. Il y a beaucoup d'**espaces** verts.
– Et l'ambiance de la ville, les gens ?
– Le rythme de vie est moins **stressant** ici ! Les gens prennent le temps de vivre, ils sont plus **ouverts** et ne sont pas **stressés** comme à Paris. C'est agréable !
b. 2. les espaces verts – 3. les embouteillages – 4. les gens stressés / le rythme de vie stressant

3 *À titre indicatif :*
1. Angers est une ville médiévale où la vie culturelle est dynamique, où il y a un bon réseau de transports en commun et où on compte / il y a / vivent 42 000 étudiants.
2. Bayonne est une ville située entre mer et montagne où le climat est doux en hiver et où il y a de nombreuses traditions comme les fêtes de Bayonne.
3. Biarritz est une charmante station balnéaire du Pays basque où les fêtes et les animations rythment la vie et où on peut goûter des spécialités gastronomiques locales.
4. Anglet est une petite ville tranquille où on peut faire des balades en forêt à proximité et où on peut pratiquer différents sports, nautiques ou de montagne.
5. La Rochelle est une ville à taille humaine où le patrimoine historique est important, où il y a de nombreux bars et restaurants et où c'est facile de se déplacer à vélo / les déplacements à vélo sont faciles.

4 b – 1 → Si vous n'aimez pas la campagne, vous n'allez pas apprécier la vie dans ce village.
c – 3 → Si vous choisissez une ville où les loyers sont bas, vous allez pouvoir habiter dans un logement plus grand.

d – 2 → Si vous quittez la capitale, vous allez devoir vous habituer à une vie culturelle moins riche.

5 *À titre indicatif :*
a. Si vous n'aimez pas les embouteillages, n'allez pas vivre dans une grande métropole / à Paris !
b. Si tu veux changer de région, prends le temps de bien choisir où habiter / tu peux d'abord faire la liste de tes préférences.
c. Si vous voulez vivre à proximité de la mer, vous pouvez habiter à Biarritz / à La Rochelle / en Bretagne. / Allez vivre dans l'ouest de la France, les villes y sont agréables !

6 J'avais peur de ne pas m'adapter à notre vie en province, mais finalement ça a été facile ! La ville n'est pas **aussi** grande mais on a une vie sociale **aussi** riche qu'à Paris. Les bars et les restos ferment plus tôt mais on sort **autant** et notre vie culturelle est **aussi** variée : il y a presque **autant de** choix ! On a rencontré des gens très facilement, et maintenant, on a **autant d'**amis qu'à Paris ! Pour les activités sportives, on en fait **autant** qu'avant et même plus ! Pour les trajets en voiture, c'est plus simple : j'habite **aussi** loin de mon lieu de travail qu'avant mais je mets moins de temps pour y aller !

7 a. Si on quitte la capitale, <u>on va passer moins de temps dans les transports.</u> / <u>On va passer moins de temps dans les transports</u> si on quitte la capitale. (information sur le futur)
b. Si vous ne savez pas quelle ville choisir, <u>vous pouvez consulter notre classement.</u> / <u>Vous pouvez consulter notre classement</u> si vous ne savez pas quelle ville choisir. (suggestion)
c. Si les villes moyennes l'attirent, <u>elle va adorer Angers</u> ! (information sur le futur)
d. Si vous aimez la montagne, <u>allez vivre à Annecy</u> ! (suggestion)

8 *À titre indicatif :*
– Il y a plus d'habitants à Strasbourg qu'à Rennes.
– La population est aussi jeune à Strasbourg qu'à Rennes.
– Strasbourg est aussi bien notée / a une aussi bonne note que Rennes pour l'éducation. / Strasbourg plaît autant que Rennes pour l'éducation. / Il y a autant d'universités dans les deux villes et leur qualité est aussi bonne.
– Il y a autant de possibilités pour les sports et les loisirs à Rennes qu'à Strasbourg / les habitants de Rennes sont aussi satisfaits des propositions pour les sports et les loisirs à Rennes qu'à Strasbourg.
– L'environnement naturel est presque aussi agréable à Strasbourg qu'à Rennes. / L'environnement naturel est un peu moins agréable à Strasbourg qu'à Rennes. / L'environnement naturel est un peu plus agréable à Rennes qu'à Strasbourg.

9 a. si on veut aller souvent à la plage → les communes de Lattes ou de Pérols, au Sud-Est de Montpellier
b. si on est une famille avec des enfants → le quartier Boutonnet ou le quartier des Aubes

c. si on aime sortir et aller dans les magasins → le quartier Saint-Roch ou le quartier Beaux-Arts
d. si on est étudiant(e) → le quartier Hôpitaux-Facultés
e. si on apprécie les espaces verts → le quartier Boutonnet, le quartier des Aubes ou le quartier d'Aiguelongue (et le quartier des Arceaux, avec le jardin des plantes)
f. si on aime les lieux historiques → le quartier Saint-Roch ou le quartier des Arceaux
g. si on aime l'architecture contemporaine → le quartier Port Marianne

Leçon 3 • Indiquer des règles de vie

1 b. 5 – **c.** 4 – **d.** 2 – **e.** 7 – **f.** 1 – **g.** 6
Comportements respectueux : baisser le son – prévenir les voisins si on fait une fête
Comportements non respectueux : salir les murs – faire du bruit – claquer les portes – détériorer le matériel – jeter des mégots pas la fenêtre

2 a. un **hall** d'entrée – **b.** un palier – **c.** un couloir – **d.** un local à poubelles – **e.** un escalier – **f.** un emplacement de parking

3 Un jardinier vient chaque semaine pour entretenir **les espaces verts** : tondre **la pelouse**, tailler **les arbustes** et planter des fleurs.
Merci de respecter son travail quand vous vous promenez dans le parc :
– ne pas abîmer les fleurs dans **les jardinières** ;
– ramasser **les déjections** de votre animal ;
Pour la sécurité de tous, merci de ne pas utiliser les outils qui se trouvent dans **l'abri de jardin**.

4 a. Pensez – **b.** Veillez à – **c.** soyez attentifs – **d.** N'oubliez pas – **e.** Merci – **f.** Faites attention

5 Il est obligatoire de respecter le silence le soir après 22 heures.
Il est interdit de fumer dans les parties communes.
Il est défendu de laisser les poussettes dans les couloirs.
Il est indispensable de tenir les chiens en laisse dans le jardin de la résidence pour la sécurité des jeunes enfants.
Il n'est pas permis d'entreposer des objets sur les balcons.

6 a. *toutes* – tous – **b.** tous – **c.** tout – **d.** tous – toutes – **e.** tout – **f.** toute

7

	Ex.	a.	b.	c.	d.	e.	f.	g.
tout	☐	☒(1)	☒(2)	☐	☒(2)	☒(1)	☐	☒(1)
toute	☒(2)	☐	☐	☒(1)	☐	☐	☒(2)	☐
tous	☐	☒(2)	☒(1)	☐	☒(1)	☒(2)	☐	☒(2)
toutes	☒(1)	☐	☐	☒(2)	☐	☐	☒(1)	☐

8 *À titre indicatif :*
a. Faites attention à / Soyez attentif à votre chien ! Merci de ne pas le laisser aboyer !
b. Soyez attentifs à ne pas laisser vos enfants dessiner sur / salir les murs !

Corrigés

c. N'oubliez pas / Merci de mettre vos poubelles dans le local à poubelles ! / Évitez de laisser vos poubelles sur votre palier !
d. Veillez à / Merci de ne pas jeter de / Évitez de jeter des mégots par les fenêtres ! / Merci de / Pensez à jeter vos mégots à la poubelle !

9 À titre indicatif :
Propreté des lieux
Il est permis de promener son chien en laisse dans le parc / Promener son chien en laisse dans le parc est autorisé / permis mais il est obligatoire de ramasser ses déjections.
Tranquillité des habitants
Interdiction de / Il est interdit de / Il est défendu de faire du bruit dans les couloirs.
Il est permis de faire des fêtes ou de faire des travaux / Faire des fêtes ou des travaux est permis / autorisé mais il est indispensable de prévenir les voisins.
Sécurité
Interdiction d' / Il est interdit d' / Il est défendu d'utiliser des barbecues sur les balcons ou les terrasses. Laisser les enfants utiliser seuls les ascenseurs n'est pas permis / autorisé. / Il n'est pas permis de laisser les enfants utiliser seuls les ascenseurs.

10 a. 4 – b. 3/7 – c. 9 – d. 1/7 e. 2/5 – f. 6/8 – g. 2/5

Bilan
Compétences linguistiques

1 Le grand changement pour moi, dans cette nouvelle vie, c'est le logement : j'ai un appartement beaucoup plus **spacieux** qu'avant : 20m² en plus ! Il est très **lumineux** parce que la vue est dégagée et parce que le salon donne sur une **terrasse** ; c'est super d'avoir un espace extérieur parce que la région est assez **ensoleillée** ! J'ai un cadre de vie **agréable** : le quartier est calme, il n'y a pas de **bruit** le soir. Mes voisins sont respectueux : ils mettent leurs déchets dans le **local** à poubelles et ils ne laissent pas d'objets dans les **couloirs** ! Ça change de mon ancien immeuble ! Et en plus, je paie moins cher qu'avant, 200 euros de moins de **loyer** ! La résidence où j'habite est **bien située**, près du centre et de mon travail. Je n'ai donc pas besoin de prendre ma voiture et heureusement, parce qu'il y a beaucoup d'**embouteillages** ! En plus, j'ai un **emplacement** de parking dans la résidence, c'est pratique ! Je peux prendre les transports en commun mais ils sont assez **bondés** le matin alors je préfère me déplacer à pied.
L'autre changement important pour moi ici, c'est la **proximité** de l'océan ! Pour aller faire du bateau le week-end, ce n'est pas loin !

2 a. Si **vous devez** faire des travaux, **pensez** à prévenir vos voisins !
b. **Tu vas avoir** des problèmes avec tes voisins si **tu laisses** des objets encombrants sur ton palier.
c. **Je veux bien** baisser le son de la télé si **vous acceptez** aussi de faire moins de bruit.
d. Si **tu promènes** ton chien dans le parc, **n'oublie pas** de ramasser ses crottes !
e. Si **vous entretenez** votre jardin, **il va être** superbe.
f. **On accepte** de choisir un logement avec un jardin seulement si **on ne doit pas** tondre la pelouse.

3 J'ai habité à aux Cordeliers et à Montplaisir, les deux quartiers sont très différents ! Le quartier des Cordeliers est plus animé parce qu'il y a **plus de restaurants et de bars** ! Mais bien sûr, c'est un quartier beaucoup **plus bruyant** que Montplaisir ! Pour la vie culturelle, c'est **mieux** d'habiter aux Cordeliers : on sort **plus** parce qu'il y a beaucoup de salles de spectacle.
Les deux quartiers sont **aussi accessibles** : il y a **autant de moyens de transport** mais en voiture, on circule un peu **plus facilement** à Montplaisir et il y a **moins de difficultés** pour se garer !
Pour le logement, à Montplaisir, les appartements sont de **meilleure qualité**. Il y a **moins de commerces** à Montplaisir et il faut aller un peu **plus loin** pour faire les courses. Un point négatif pour les deux quartiers : il y a **aussi peu** d'espaces verts aux Cordeliers qu'à Montplaisir !

4 Vous souhaitez déménager dans une ville **où** il fait bon vivre ?
Il est indispensable **de** vous poser les bonnes questions. Pensez **à** faire la liste de **toutes** vos priorités.
Évitez **de** choisir un lieu de vie **que** vous n'avez jamais visité ! Quand vous avez fait un premier choix, allez à la mairie. Elle offre probablement un service d'aide pour **tous** les gens qui souhaitent s'installer. N'oubliez pas **de** vous renseigner sur le coût de la vie, les avantages et les inconvénients… **Tout** est important. Pour le choix du quartier **où** vous voulez vivre, faites attention **à** bien vous informer sur les transports. Il y a beaucoup de villes **où** il est interdit **de** circuler en voiture dans le centre.

Compétences socioculturelles

Toulouse : grande métropole – ville de province
Bayonne : grande ville à taille humaine – ville de province
Paris : capitale
Lille : grande métropole – ville de province
Angers : grande ville à taille humaine – ville de province
Île-de-France : région

DOSSIER 4 S'insérer dans la vie active

Leçon 1 • Comprendre / Faire un descriptif de poste

1 b. 3 – c. 6 – d. 1 – e. 5 – f. 4

2 a. je voudrais y rester et avoir un **CDI**.
b. Mickaël est encore étudiant mais il a de l'expérience parce qu'il a fait une **mission** de service civique de six mois.

c. Pour valider son diplôme, Anja fait un **stage** d'un mois dans une entreprise mais elle n'a pas de **rémunération**.
d. Maintenant, Ivan n'a plus de problèmes d'argent : il a un **poste** d'ingénieur et il a un **salaire** élevé.
e. Mathilde a choisi de préparer son diplôme en **alternance** parce que c'est une approche pratique.
f. C'est difficile pour les jeunes de trouver un premier **emploi**, souvent ils ne trouvent qu'un **petit boulot**.

3 a. Est-ce que vous **savez** créer des brochures de marketing ?
b. Les étudiants qui n'ont pas fait de stage ne **connaissent** pas les gestes techniques, ils ne **savent** pas comment les faire.
c. Marius **connaît** les nouveaux logiciels de comptabilité, il **sait** les utiliser.
d. J'ai un diplôme de boulanger, je **sais** faire beaucoup de pains différents.
e. Vous **connaissez** ce modèle de machine ? Vous **savez** comment elle fonctionne ?

4 a. L'association *recrutera* en service civique des jeunes qui **pourront** travailler avec des enfants en situation de handicap.
b. Nous vous **enverrons** notre réponse pour ce poste et vous **viendrez** pour rencontrer les collègues.
c. Je **publierai** une annonce pour ce job et nous **lirons** tous les messages des étudiants intéressés.
d. J'**expliquerai** la mission, je **répondrai** aux questions des candidats puis je **choisirai** la personne qui **aura** les compétences nécessaires.
e. Quand vous **étudierez** l'architecture, vous **ferez** la formation en alternance et vous **aurez** une rémunération.

5 – Demain, vous **rencontrerez** l'équipe et je **ferai** avec vous le tour de tous les services pour vous présenter : les collègues **seront** curieux et **auront** peut-être envie de vous poser des questions sur votre parcours professionnel.
– Et je **prendrai** le poste quand exactement ?
– Vous **pourrez** commencer le 5 février.
– D'accord, parfait !
– Et à partir de mars, nous **embaucherons** une personne pour vous aider parce que nous **lancerons** un nouveau modèle et il y **aura** beaucoup de travail. Vous **recevrez** les candidats avec moi, puis nous **verrons** ensemble lequel nous **choisirons**.

6

	a.	b.	c.	d.	e.	f.	g.	h.	i.	j.	k.	l.	m.	n.
On entend [ə] avant la terminaison du futur -rai	☒	☐	☐	☐	☐	☐	☒	☐	☒	☐	☒	☒	☐	☐
On écrit e avant la terminaison du futur -rai	☒	☒	☒	☐	☒	☒	☒	☒	☒	☒	☒	☒	☒	☐

7 a. 5 – b. 3 – c. 2/6 – d. 4 – e. 1 – f. 4

8 *À titre indicatif :*
a. Elle est à l'aise à l'oral. / Elle est capable de prendre la parole en public.
b. Elle sait / est capable de faire des portraits. Elle maîtrise la photographie. / Elle a de bonnes connaissances en photographie. / Elle a de bonnes connaissances dans le domaine de la photographie.
c. Il sait / est capable de faire des équations. Il maîtrise / connaît bien les mathématiques. / Il a de bonnes connaissances en / est à l'aise en mathématiques.

9 a. 1. Vrai : « Plus de 40 % des étudiants ont une activité rémunérée pendant leurs études. »
2. Faux → c'est une possibilité (mais pas la seule) : « Un conseil pour gagner plus ? Si vous êtes bilingue, proposez vos services à des agences de baby-sitting spécialisées en langues étrangères. »
3. Faux : « L'hôtellerie-restauration est le troisième secteur où les étudiants travaillent le plus (14 % des étudiants salariés) après la garde d'enfants (18 %) et les emplois de caissier ou vendeur dans le commerce (17 %). »
4. Faux : « Et ils sont en général sans lien avec vos études, excepté si vous envisagez d'y travailler plus tard. »
b. *À titre indicatif :*

	Avantages	Inconvénients
garder des enfants	Il y a toujours du travail. On peut gagner plus si on est bilingue.	
faire du soutien scolaire	C'est bien payé, on peut choisir ses disponibilités et utiliser ses compétences intellectuelles. On peut donner les cours à distance.	
vendre sur les marchés		il faut se lever tôt
travailler à temps partiel dans le commerce	On peut avoir un CDD ou un CDI. Le temps de travail par semaine permet de garder du temps pour les études.	Il faut travailler le week-end.
travailler dans la restauration	Les emplois sont faciles à trouver.	Ils peuvent être assez fatigants et sont sans lien avec les études.

Leçon 2 • Postuler à un emploi

1 a. Un entretien d'embauche : le recruteur regarde le CV de la candidate et il lui pose des questions.
b. Formation – Compétences – Expérience professionnelle – Langues – Engagements personnels

2 a. la volonté – la performance – la rigueur – la persévérance – l'esprit d'équipe
b. Les candidats devront être enthousiastes, volontaires, performants, rigoureux et persévérants.

Corrigés

3 Je suis diplômée **depuis** juin dernier : j'ai terminé mes études **il y a** trois mois. **Il y a** trois ans, **pendant** ma première année à Audencia, j'ai été présidente de l'association Un Autre Monde **pendant** un an. Pour ma dernière année d'études, j'ai étudié et travaillé **pendant** sept mois aux Philippines. Je suis rentrée de Manille en mars dernier mais je suis à la recherche d'un emploi **depuis** un mois. **Depuis** mon retour des Philippines, je rêve de trouver un emploi qui me permet d'y retourner !

4 Pendant mes études à l'école de commerce, j'**ai passé** un an à l'université aux Philippines parce qu'on **devait** faire une partie de notre formation à l'étranger. Là-bas, j'**ai eu** une expérience professionnelle intéressante dans une association qui **aidait** les gens pauvres : le responsable précédent **ne pouvait pas** continuer alors je **me suis occupée** des finances de l'association. J'**ai aussi donné** des cours aux enfants qui n'**allaient** pas à l'école. J'**ai adoré** ce séjour !

5 a. Ces étudiants **ont fait** les stages qui **étaient** obligatoires pendant leurs études. Alors, après leur diplôme, ils **ont trouvé** du travail rapidement parce qu'ils **avaient** déjà de l'expérience.
b. Amélie **a postulé** à un emploi qui **correspondait** à sa formation et à ses centres d'intérêt.
c. Janice et Luc **ont fait** toute leur scolarité à l'étranger : leurs parents **étaient** diplomates.
d. À l'université, nous **nous sommes impliqués** dans des associations sportives : nous **étions** motivés et nous **avions** envie de partager notre passion du sport.
e. – Tu **as obtenu** le poste que tu **voulais** ?
– Oui, ils m'**ont choisi** parce que j'**étais** motivé et compétent !

6 a. Bonjour ↓ je suis gardien de phare ↑ en Bretagne ↓ j'ai obtenu mon diplôme de gardien ↑ avec une formation d'État ↓ je suis breton ↑ depuis plusieurs générations ↓ dans ma famille ↑ la mer ↑ est toute notre vie ↓ j'ai travaillé sur plusieurs phares ↑ en Bretagne ↑ et j'ai beaucoup d'expérience ↓ je suis aussi pêcheur ↓ j'aime la solitude ↑ la lecture ↑ et le bricolage ↓ je fais aussi de la photo ↑ j'ai déjà publié un livre de photographies ↑ sur les soleils couchants ↑ et les tempêtes ↓ votre annonce ↑ m'intéresse ↑ parce que je voudrais connaître l'Islande ↓
b. Bonjour ! Je suis gardien de phare en Bretagne. J'ai obtenu mon diplôme de gardien avec une formation d'État. Je suis breton depuis plusieurs générations. Dans ma famille, la mer est toute notre vie ! J'ai travaillé sur plusieurs phares en Bretagne et j'ai beaucoup d'expérience. Je suis aussi pêcheur. J'aime la solitude, la lecture et le bricolage. Je fais aussi de la photo, j'ai déjà publié un livre de photographies sur les soleils couchants et les tempêtes. Votre annonce m'intéresse parce que je voudrais connaître l'Islande.

7 a. et **b.** 3 → Je me suis engagé
c. 2 / 3 → J'ai effectué plusieurs stages
d. 4 → Je postule à cet emploi
e. 6 → J'ai contribué
f. 1 → J'ai développé mes compétences

8 a. Je suis disponible pour un entretien, contactez-moi !
b. Le projet de création de nouveaux jeux vidéo me motive beaucoup.
c. Votre offre de mission m'intéresse parce que j'aime travailler avec les enfants.
d. Je serai ravi de vous rencontrer pour un entretien, quand vous voudrez. / de vous rencontrer quand vous voudrez pour un entretien.
e. Créer des supports de communication me plaît et correspond à ma formation / correspond à ma formation et me plaît.

9 a. On demande au / à la candidat(e)…
de justifier sa candidature pour le poste – d'expliquer les moments d'inactivité professionnelle dans son parcours – de parler de lui / d'elle et de son parcours – de poser des questions sur l'entreprise où il / elle veut entrer – de parler de sa personnalité
b. – Question au début de l'entretien : « Première question : Pouvez-vous vous présenter ? » = On demande au / à la candidat(e) de parler de lui / d'elle et de son parcours.
– Question à la fin de l'entretien : « Cinquième question : Avez-vous des questions ? » On demande au / à la candidat(e) de poser des questions sur l'entreprise où il / elle veut entrer.
c. 1. vrai – **2.** faux – **3.** faux – **4.** vrai – **5.** faux

Leçon 3 • (S') Informer sur une formation

1 a. une reconversion → me reconvertir
b. une démission → Vous démissionnez
c. une actualisation des compétences → actualiser ses compétences
d. une évolution → d'évoluer
e. une création d'entreprise → créer son entreprise

2 Les métiers du paysage attirent souvent les personnes en **reconversion**. Pour démarrer, beaucoup de personnes décident de faire une formation avant de créer leur **entreprise** ou de choisir un statut **indépendant**. Nos conseils pour bien réussir sa reconversion.

Tester le métier de paysagiste
Avant de **vous lancer** dans une démarche de reconversion, il est nécessaire d'apprendre à connaître le métier. Vous pouvez par exemple, accompagner un paysagiste expérimenté quelques jours. Faut-il faire une formation pour devenir paysagiste ? Vous êtes **salarié**, il n'y a pas d'**évolution** dans votre entreprise ? Vous voulez **changer de voie** et vous **reconvertir** comme jardinier-paysagiste ? Pour pouvoir démarrer cette activité, il faudra d'abord **démissionner** et suivre une **formation** de qualité. Préférez la formule de l'**alternance** pour faciliter votre insertion professionnelle. Ensuite, vous pourrez **créer** votre entreprise et vous serez votre propre **patron** !

3 **a.** « J'ai **obtenu** mon baccalauréat. J'ai fait deux ans de prépa : j'ai **préparé** les concours pour les grandes écoles. J'ai **passé** les trois concours mais je n'ai pas **réussi**. Alors, j'ai **suivi** un cursus universitaire. J'ai **obtenu** un master en sciences politiques. » Amandine, 25 ans.
b. « J'étais boulanger-pâtissier et je travaillais dans la boulangerie de mon père mais je rêvais d'évoluer et de devenir cuisinier. **D'abord**, j'ai **préparé** le CAP de cuisinier en formation **continue** : j'ai suivi la formation pendant deux ans et j'ai obtenu la **qualification** de cuisinier. **Ensuite, / Puis** j'ai fait plusieurs stages dans des grands restaurants. **Deuxièmement / Dans un deuxième temps**, j'ai **étudié** pour le brevet professionnel et je l'ai **réussi**. **Enfin / Finalement / Pour finir**, j'ai ouvert mon propre restaurant ! » Tarek, 32 ans

4 **a.** 1. Quand je serai grande, je **voudrais** être pilote d'avion.
2. Pour mon prochain emploi, j'**aimerais** un poste qui permet de voyager.
3. Pour votre reconversion, vous **voudriez** travailler dans quel domaine ?
4. Quel type de formation **aimeriez**-vous suivre ?
b. 1. Je rêve d'être pilote d'avion !
2. Je rêve d'un poste / Je souhaite un poste qui permet de voyager.
3. Vous rêvez de / Vous souhaitez travailler dans quel domaine ?
4. Quel type de formation souhaitez-vous suivre ?

5 **a.** Nous **pourrions** regarder quelles qualifications correspondent à votre souhait de reconversion.
b. On **pourrait** étudier ensemble votre projet de création d'entreprise.
c. Vous **pourriez** financer votre formation avec le CPF.
d. Pour choisir une formation adaptée, on **devrait** d'abord réfléchir à vos besoins.
e. Pour décider quelles compétences sont à développer, nous **devrions** faire une analyse de votre situation.

6 **a.** Si tu suis des formations, tu évolueras dans ta carrière.
b. Quand vous aurez votre qualification, vous chercherez un nouveau poste.
c. Quand elle lancera son activité, elle fera des actions de communication pour se faire connaître.
d. Il démissionnera s'il trouve un emploi plus intéressant, avec un meilleur salaire.
e. Si nous avons un bon contact, nous demanderons une formation.
f. Quand j'aurai / Si j'ai l'accord de mon entreprise, je m'inscrirai à une formation.

7 **b.** 3/4 – **c.** 4/6 – **d.** 4 – **e.** 5 – **f.** 1

8 Phrases à souligner : b, c, e
b. Je vous conseille / suggère de préparer un dossier pour demander un financement par le CPF.
c. Vous devriez / Vous pourriez suivre / faire une formation en comptabilité avant de créer votre entreprise.

e. Je vous conseille / suggère de m'expliquer vos souhaits d'évolution pour déterminer vos besoins.

9 **a.** Les deux personnes racontent leur reconversion : elles ont changé de métier avec l'aide d'un conseiller en évolution professionnelle.
b.

	Conversation 1	Conversation 2
Activité professionnelle précédente	il travaillait de nuit dans une usine	il travaillait comme commercial dans le secteur numérique
Activité professionnelle actuelle	Il fabrique des pièces de moto dans son atelier.	Il a ouvert une épicerie de quartier : il vend des paniers de légumes et des produits locaux.
Raisons qui ont motivé le changement	Il en avait marre de travailler la nuit. (il ne voyait pas beaucoup sa famille)	Son travail n'avait plus de sens et la pression était trop forte, il n'avait plus envie d'aller au travail.

Bilan

Compétences linguistiques

1 **b.** Ils **sont** capables de réaliser un travail difficile et long, ils **savent** être patients. → la persévérance
c. Claudia **sait** communiquer sa passion, elle **est** capable de motiver tout le monde. → l'enthousiasme
d. Vous **connaissez** parfaitement les techniques pour coopérer, vous **êtes** à l'aise dans un groupe. → l'esprit d'équipe
e. Marcus **connaît** bien son travail et le fait avec sérieux, il **sait** comment éviter les erreurs. → la rigueur

2 **a.** J'**ai choisi** ce métier parce qu'il **me passionnait** mais je fais le même travail **depuis** vingt ans et maintenant, j'ai envie **de changer** de voie.
b. Pendant une formation, j'**ai décidé** de **démissionner** parce que je **voulais** être indépendant et **créer** mon entreprise.
c. Il y a six mois, je **me suis inscrite** à une formation qui **correspondait** à mon souhait d'**évolution**.

3 « Alors, en 3ᵉ et 4ᵉ année, j'ai préféré étudier en **alternance**, deux semaines par mois dans une entreprise. J'ai **contribué** au développement du service informatique. En plus, j'avais une **rémunération** : une **indemnité** de 800 € par mois, j'étais content ! Quand j'ai **postulé** à mon premier **emploi**, j'ai bien expliqué mon **expérience** professionnelle dans ma **lettre de motivation**. Pendant l'**entretien d'embauche**, le **recruteur** m'a posé quelques questions et il m'a **embauché** en **CDD** pour remplacer un informaticien absent : trois mois

15

Corrigés

pour commencer. Et après ces trois mois, quand l'informaticien est revenu, j'ai obtenu un **poste** d'informaticien junior dans son service. » Yannick

4 a. – J'adore la couture ! J'**aimerais** bien en faire mon métier mais je n'ai pas de qualification….
– Vous **pourriez** suivre une formation pour préparer un CAP. Quand vous **aurez** le CAP, vous **trouverez** facilement du travail dans ce domaine.
b. – Elsa **voudrait** lancer son activité de coach sportive mais elle ne sait pas comment faire.
– Elle **devrait** participer à notre atelier sur la création d'entreprise. Elle **aura** toutes les informations nécessaires si elle y **va**.
c. – L'association Artan recherche des personnes motivées, comme toi, tu **devrais** postuler ! Je pense que tu **obtiendras** un entretien si tu **envoies** ton CV.
– Ah oui, je **rêve** de travailler pour cette association !

Compétences socioculturelles

1 a. J'ai fait une classe prépa puis j'ai réussi le concours et je suis entrée dans une grande école de commerce.
b. D'abord, j'ai eu mon bac puis j'ai obtenu le BTS et maintenant je prépare la licence pro.
c. Après ma licence, j'ai passé mon master puis j'ai préparé mon doctorat.
d. J'ai eu mon bac puis j'ai étudié pendant trois ans et j'ai obtenu mon BUT.

2 b. 7 – c. 5 – d. 1 – e. 6 – f. 4 – g. 2

DOSSIER 5 Se distraire

Leçon 1 • Choisir un restaurant, interagir au restaurant

1 Ce bâtiment construit en 1789 abrite le restaurant de Fanny et Loïc Bouloy, dans un **décor** ancien et une ambiance **intimiste**. La cheffe, Isabelle, propose une cuisine **créative / raffinée** et **raffinée / créative**. Elle travaille les beaux produits **locaux / de saison** et **de saison / locaux**. La **carte** des vins est variée, les assiettes sont **bien présentées** et le service est **attentionné**. Une excellente **table** qui associe élégance et gastronomie.

2
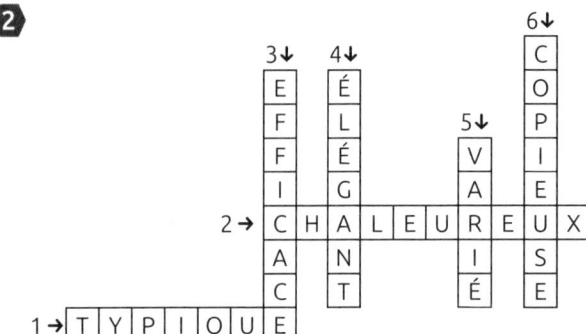

3 a. La viande n'est pas **assez** cuite !
b. Ce plat est **trop** épicé, j'ai besoin d'eau !

c. La carte est **hyper** variée ! Il y a beaucoup de choix de desserts !
d. Ce n'est pas mon restaurant préféré mais je le trouve **plutôt** bon.
e. La présentation des assiettes est **super** originale, je n'ai jamais vu ça dans un autre resto !
f. Cette entrée n'est pas **très** bonne !

4 a. Comme / Que – b. Quelle – c. Comme / Que – d. Quel – e. Comme / Que – f. Quelles – g. Quels

5 Il est **très** convivial et le cadre est **très** joli. La carte propose **beaucoup de** plats **très** raffinés, les produits sont **très** frais. J'aime **beaucoup** les desserts qui sont **très** originaux ! Il y a **beaucoup de** générosité dans cette cuisine ! Une excellente adresse qui va **beaucoup** attirer les fans de cuisine créative !

6 Cette maison ancienne offre un cadre très chaleureux et très intime. On y mange une cuisine ~~très~~ gastronomique servie dans une vaisselle très originale. Le service est ~~très~~ parfait, la cuisine généreuse et les prix très corrects ! Une ~~très~~ excellente table !

7
a. J'adore cette assiette !	☒	☐	☐		⊕
b. Je trouve ça super épicé !	☐	☐	☐	☒ ☐	⊖
c. Ça a beaucoup de goût !	☐	☐	☒	☐	⊕
d. Que c'est cher !		☒	☐		⊖
e. Il y a trop de monde !	☐	☐	☐	☒ ☐	⊖
f. C'est vraiment exquis !	☐	☒	☐		⊕
g. Comme l'accueil est froid !	☒	☐	☐		⊖
h. Que le serveur est sympa !	☒	☐	☐	☐	⊕

8 a. – Oui, en entrée **je vais prendre / je voudrais** l'œuf mayonnaise.
– Un œuf, très bien. Et **comme plat / qu'est-ce que vous voulez comme plat** ?
– Le plat du jour, **qu'est-ce que c'est** ?
– C'est un poulet rôti.
– Alors je prends le plat du jour.
– Et **qu'est-ce que vous prendrez / prenez** comme boisson ? Un verre de Côtes du Rhône ?
– Oui, parfait. **Est-ce que je pourrais avoir** une carafe d'eau, s'il vous plaît ?
– Oui, bien sûr, je vous apporte ça tout de suite.
b. – Ça vous a plu ? (Tout s'est bien passé ?)
– Oui, c'était très bon.
– **Vous désirez / prendrez** un dessert ?
– Non merci, je ne vais pas prendre de dessert.
– Vous **prendrez / désirez un café** ?
– Oui, un expresso. Et **l'addition, s'il vous plaît**.

9 Appréciations positives :
b. La présentation est vraiment / très / super / hyper originale ! / Que la présentation est originale ! / Quelle présentation originale !
d. Comme / Que ça a du goût ! / Quel goût !
e. Comme / Que c'est bon ! / C'est vraiment / très / super / hyper bon !
g. Comme / Que ce restaurant est élégant ! / Quel restaurant élégant ! Ce restaurant est vraiment / très / super / hyper élégant !
h. Comme / Que le décor est beau ! / Quel beau décor ! / Le décor est vraiment / très / super / hyper beau !

Appréciations négatives :
c. Le plat est trop épicé !
f. Beurk ! C'est vraiment trop sucré !

10 a. 1. Vrai : « Restaurants insolites à Paris. » / « Dans cet article, je vous emmène à la découverte de restaurants insolites à Paris. »
2. Faux : Privé de dessert : « le concept de ce restaurant repose sur l'illusion : les plats salés ressemblent à des plats sucrés et les plats sucrés ressemblent aux salés ! Le côté insolite se trouve donc dans les assiettes. »
3. Faux : Appréciation mitigée pour Stellar : « C'est assez simple, plutôt bon mais c'est principalement pour le cadre qu'on réserve une table au Stellar. » et pour Privé de dessert : « les plats sont très créatifs mais ce n'est pas de la grande gastronomie. »
b. le Bustronome → une carte gastronomique – des produits de saison – une découverte touristique
Stellar → des plats avec des noms liés à une thématique
Privé de dessert → des plats qui ont un aspect inhabituel.

Leçon 2 • Comprendre / Émettre un avis sur une œuvre

1 – « de Bruno Merle et Olivier Abbou » → les réalisateurs
– « Adrien, 40 ans, romancier sombre, attend de trouver l'inspiration. Alors, il écrit la vie d'illustres inconnus. Un vieil homme l'embauche pour lui raconter sa plus grande histoire d'amour : Solange, l'histoire d'une vie… » → l'intrigue
– « Casting : Nicolas Duvauchelle (Adrien), Niels Arestrup (Albert), Alice Belaïdi (Nora), Brigitte Catillon (Catherine), Alyzée Costes (Solange)… » → les acteurs
– capture d'écran de la bande-annonce → la bande annonce
– « 45 min × 6 » → le nombre d'épisodes

2 a. Aliocha Delmotte est **magistral** dans le rôle de l'adolescent **incompris**.
b. Un casting **remarquable** composé de grands acteurs !
c. Un **huis-clos** oppressant : comme les **personnages**, on voudrait sortir de la pièce !
d. La scène finale est très **émouvante**, on pleure !
e. Un scénario très **original**, plein de surprises !
f. Une histoire **captivante**, pleine de **rebondissements** ! On ne s'ennuie pas une seule minute !
g. Du **suspense**, de l'**action**… il y a tous les ingrédients d'un bon thriller !

3 a. Oui, elle a déjà vu cet épisode (elle l'a déjà vu) de nombreuses fois.
b. Non, je n'ai pas encore décidé, je réfléchis.
c. Non, il n'a jamais joué dans une série avant En thérapie.
d. Oui, j'ai déjà entendu des critiques positives.
e. Non, je n'ai pas encore regardé la saison 4 (je ne l'ai pas encore regardée) mais je commence demain.

4 a. J'**ai vraiment aimé** l'actrice qui joue le rôle d'Andréa, je l'ai trouvée géniale !
b. Tu **as déjà vu** la série Le Monde de demain, ou pas encore ?
c. La série **n'est pas encore sortie** sur Netflix, il faut attendre la semaine prochaine.
d. Je **n'ai jamais vu** les films de Luc Besson, je déteste cet homme !
e. Nous **avons plutôt apprécié** ce film : il n'est pas parfait, mais on a passé un bon moment.

5 – Non, je ne l'ai jamais regard**ée**. Mais je sais qu'elle a eu beaucoup de succès, les critiques ont été très bonnes.
– Oui ! Moi, c'est une série que j'ai vu**e** trois fois et je l'ai adoré**e** à chaque fois !
– Mais quand tu as **vu** des épisodes plusieurs fois, tu n'en as pas marre ?
– Non. J'adore connaître par cœur les dialogues que j'ai entend**us**, revoir les personnages qui ont été marquants et que j'ai appréci**és**…
– Moi, les séries que j'ai aim**ées**, je n'ai jamais voul**u** les revoir, je ne veux pas être déç**ue** la deuxième fois.

6 a. Dans la série Le Monde de demain, Melvin Boomer est le jeune acteur qui joue le rôle de Joey Starr.
b. Dans En thérapie, Philippe Dayan est un psychiatre à qui tout le monde raconte ses problèmes.
c. Dans la série Family Business, les Hazan sont une famille qu'on adore suivre dans ses aventures comiques.
d. Dans la série Drôle, Nezir est un jeune comique à qui Bling, un ami, demande d'écrire des textes.
e. Dans la série HPI, l'actrice Audrey Fleurot joue une femme à haut potentiel intellectuel que la police recrute pour résoudre des affaires criminelles.

7 a. Un directeur de banque **qui** harcèle son employé à **qui** il arrive un tas d'aventures : c'est le sujet de la nouvelle comédie de Jean-Thierry Loreille.
b. Un père de famille et ses superpouvoirs **qu'**il ne maîtrise pas, **qu'**il cache à ses enfants à **qui** il ne veut rien dire, c'est le nouveau film pour enfants d'Anne-Lyse Duboissec.
c. Un jeu vidéo **qui** conduit vers une situation insupportable le héros, à **qui** il est interdit de parler sauf par gestes, c'est le nouveau thriller du réalisateur Tony Maillot.
d. Romance, c'est le film de Martine Larché **qui** attire un large public et **qu'**il faut voir cette saison.

8 a. – Ah oui ! C'est vraiment un film à ne pas **manquer** ! Et la jeune actrice, dans le rôle principal, elle est **exceptionnelle** ! Elle va avoir un succès **fou** !
– Ah. Et toi, Laurence ?
– Moi, je n'ai vraiment pas **accroché**… La mise en scène n'est vraiment pas **terrible**. Mais bon, le scénario, ça va, il est pas **mal**.
b. – Ah oui ! **Je pense / trouve que** c'est vraiment un film à ne pas manquer ! Et la jeune actrice, dans le rôle principal, **je la trouve / l'ai trouvée exceptionnelle** ! / **À mon avis, / Pour moi** la jeune actrice, dans le rôle principal est exceptionnelle ! **À mon avis, / Je crois qu'**elle va avoir un succès fou !
– Ah. Et toi, Laurence, **qu'est-ce que tu as pensé du film** ?

17

Corrigés

– Moi je n'ai vraiment pas accroché... **Je pense / trouve que / Pour moi, / À mon avis**, la mise en scène n'est vraiment pas terrible. Mais bon, le scénario, ça va, **je pense / trouve que / pour moi, / à mon avis**, il est pas mal.

9 *À titre indicatif :*
a. un bon scénario → avec des dialogues intéressants et des scènes émouvantes...
b. un bon casting → C'est un casting avec des comédien(ne)s remarquables / brillants qui savent jouer des rôles différents / qui interprètent leur personnage avec brio, qui donnent de l'émotion...
c. une bonne scène d'action → C'est une scène captivante avec des rebondissements, avec du suspense, qu'on regarde avec intérêt...
d. un personnage intéressant → C'est un personnage émouvant / bouleversant, à qui je m'identifie...

10 a. 1. vrai – **2.** faux – **3.** vrai – **4.** faux – **5.** faux
b. 1. Les épisodes sont disponibles tout le temps (24 heures sur 24 et sept jours sur sept) sur les plateformes.
2. Sur chaque plateforme, des algorithmes analysent les centres d'intérêt et les goûts des spectateurs et leur font des suggestions adaptées.
3. À la fin de chaque épisode, il y a un *cliffhanger* : du suspense dans la dernière scène.
4. Les personnages sont très humains, font partie de notre quotidien. On s'identifie à eux.

Leçon 3 • Communiquer sur un événement

1 a. une chorale – **b.** une fresque – **c.** un orchestre – **d.** un défilé de mode – **e.** un concert – **f.** un court métrage.

2 2-d-C ; 2-f-A/C ; 3-a-H ; 3-b-I ; 3-c-E/H ; 3-d-G ; 3-f-A ; 3-f-H ; 4-h-B ; 5-e-D/F

3 a. Pendant leurs vacances au centre social, les jeunes ont participé à la création d'un film. Ils se sont d'abord impliqués dans **l'écriture** du scénario, puis ils ont réalisé **le tournage** du film dans les locaux du centre social. Pour **le montage**, ils ont demandé l'aide d'un studio professionnel. **La projection** du film aura lieu au cinéma Lumière le 5 juin, à 18 heures.
b. Les membres de l'association Art en Scène ont créé leur spectacle de A à Z : de la composition des musiques à la **fabrication** des décors. La première **répétition** a eu lieu la semaine dernière pour les acteurs. La **représentation** du spectacle est prévue le 17 avril à 20 heures au théâtre des Ateliers.

4 a. Vous pouvez proposer votre projet **jusqu'au 24 juillet**.
b. La représentation aura lieu **dans deux mois**.
c. ils ont commencé à peindre la fresque **il y a trois jours**.
d. Le tournage se déroulera **à partir du 27 septembre** et **jusqu'à la fin du mois de décembre**.
e. Nous examinerons les projets **à partir de demain**.
f. La répétition commence **dans 5 minutes** !

5 C'est une comédie musicale que nous allons créer.
Ce sont des textes de Victor Hugo qui ont inspiré notre spectacle.
Ce sont des textes que nous aimons beaucoup.
C'est l'écriture des chansons qui a été difficile.
Ce sont de jeunes étudiants en architecture qui vont les dessiner et les fabriquer.
C'est une information que nous voulons garder secrète.

6 a. Les jeunes qui **rejoignent** notre association vont s'impliquer dans un projet de film.
b. En accord avec la mairie, nous **peignons** une grande fresque sur un mur du quartier.
c. Je ne participe pas à la comédie musicale parce que je **crains** d'oublier les paroles des chansons.
d. Vous vous **joignez** à nous pour le concert de ce soir ?
e. Tu **peins** le décor du spectacle ? Attends-nous, on te **rejoint** !
f. Elles **atteignent** un très bon niveau de chant avec cette chorale !

7 *À titre indicatif :*
a. Le stage culturel animé par Mathilde Malvoie débutera **dans 5 jours**. Pendant 3 jours / du 10 au 13 juillet, **à partir de 10 heures** et **jusqu'à 17 heures**, les enfants de 7 à 11 ans pourront découvrir / visiter des expositions et participer à des ateliers d'arts plastiques. Inscriptions **jusqu'au 8 juillet**.
b. À partir du 16 mars et jusqu'au 28 (pendant deux semaines), le Festival des cultures jeunes aura lieu dans le 16e arrondissement. Cet événement / Ce festival a débuté **il y a trois ans**. On peut envoyer sa candidature **jusqu'au 12 janvier**.

8 a. 1. L'appel à candidatures s'adresse à des danseurs, des musiciens, des comédiens...
2. L'appel à candidatures s'adresse à des artistes plasticiens, des peintres.
b. 1. Le nom du projet : « Un spectacle dans ta boîte aux lettres ». Il faut proposer un spectacle (danse, concert, théâtre, etc.) pour des habitants d'immeubles.
2. Le nom du projet : « Drôle de Zoo - La suite ». Il faut customiser des sculptures d'animaux qui seront exposées dans la ville.
c. 1. Où : devant des immeubles du quartier Orléans-La-Source. Quand : à partir du vendredi 18 juin et les 5 vendredis suivants, à 19 h 00.
2. Où : dans le centre-ville de Gap. Quand : chaque été, à l'occasion de l'événement « À ciel ouvert... ! ».
d. 1. Il faut envoyer sa candidature avant le 18 mai. / La durée de chaque spectacle doit être d'une heure environ. / Les artistes doivent apporter leur matériel (décors, matériel technique...). / Le coût du spectacle doit correspondre au budget prévu par la commission de sélection des candidatures.
2. L'artiste doit proposer un minimum de 3 projets, chacun sur un animal différent. / Il devra utiliser une peinture durable et ne pourra pas travailler avec la technique du papier collé. On doit déposer le dossier de candidature jusqu'au 21 juillet.

Bilan
Compétences linguistiques

1 a. 1. Je **pense que** le cadre est très élégant.
→ Comme le cadre est élégant !
2. À **mon avis**, c'est trop bruyant ! → Que c'est bruyant !
3. **Selon** moi, le serveur est très efficace ! → Quel serveur efficace ! / Quelle efficacité !
4. On **trouve** que les assiettes sont très copieuses !
→ Que les assiettes sont copieuses !
b. 1. → le décor – 2. → l'ambiance – 3. → le service –
4. → les plats

2 a. – Ah mais on est déjà *venus* ici, **il y a** quelques mois ! Les plats qu'on a **mangés** étaient délicieux !
– Messieurs-dames, bonjour ! Une table pour 2 ?
– Non, pour 4. Nos amis nous **rejoignent**. Ils arrivent **dans** 10 minutes, ça ira ?
– Oui, oui, nous servons **jusqu'à** minuit.
b. – Vous avez **choisi** ?
– Oui, **comme** plat, ce sera quatre steaks-frites !
– Et vous **désirez** des boissons ?
– Oui, un pichet de vin rouge, s'il vous plaît.
c. – Vous **prendrez** un dessert ?
– Moi non. Je **crains** de ne pas avoir assez faim pour un dessert…
– Moi, je vais **prendre** la mousse au chocolat.
– Moi aussi ! Je l'ai déjà **goûtée**, elle est excellente !
– Alors une mousse pour moi aussi !

3 a. J'ai **beaucoup** apprécié ce spectacle, il est **très** drôle ! Les acteurs sont **absolument** excellents.
b. Le concert n'était pas **très** bien. La musique était **trop** forte et les musiciens, pas **assez** expérimentés.
c. J'ai **déjà** participé à ce type de projet mais ça ne m'a pas **vraiment** plu, je me suis **plutôt** ennuyé.
d. La mise en scène est **super** intéressante et on ne s'ennuie **jamais** et j'ai **beaucoup** pleuré à la fin !
e. Cette jeune actrice n'est pas **encore** connue, mais elle a **déjà** joué dans des films assez intéressants !

4 b. 3 → Une fresque, c'est une œuvre qu'on peint sur un mur.
c. 1 → Un réalisateur, c'est une personne à qui on confie la mise en scène d'un film.
d. 5 → Un défilé de mode, c'est un événement qui permet de présenter des tenues vestimentaires.
e. 6 → Des décors, ce sont des éléments qu'on fabrique pour représenter un lieu dans un spectacle.
f. 7 → Un scénario, c'est un document qui présente les scènes et les dialogues d'un film.
g. 4 → Des comédiens, ce sont des personnes à qui on demande de jouer un rôle.

Compétences socioculturelles

1 a. un restaurant gastronomique – b. une brasserie – c. une cafétéria – d. un café

2 a. Lille est située près de la frontière **belge**.
b. Lille est située dans la région **Hauts-de-France**.
c. **Roubaix**, **Tourcoing** font partie de la métropole européenne de Lille.
d. Au XIXe siècle, la région de Lille était connue pour son activité **industrielle**.
e. Aujourd'hui, les maisons Folie sont des lieux **culturels**.

DOSSIER 6 Découvrir de nouveaux horizons

Leçon 1 • Choisir / Décrire une destination

1 1. Au bord du **lac** Riffelsee avec la **montagne** du Cervin en arrière-plan
2. **Lianes** dans la **jungle** tropicale
3. Dans cette **gorge** étroite on ne marche plus sur un **sentier**, mais sur une **passerelle**, avec le spectacle de la **cascade** qui tombe sur les **roches**
4. Une oasis avec une rivière et des **palmiers** au milieu d'un **canyon** dans le **désert** du Sahara
5. Les **pins** et les **dunes** de sable au bord de l'**océan** Atlantique

2 a. En Bretagne, l'archipel des Glénans offre un paysage **impressionnant** : le lagon **turquoise** et les immenses plages de sable blanc, d'une beauté **stupéfiante**, évoquent les îles **tropicales** des Caraïbes.
b. Dans les gorges d'Omblèze, les visiteurs découvrent la cascade **géante** de la chute de la Druise, qui tombe de 72 mètres de hauteur.
c. Pas besoin d'aller au Canada pour admirer les couleurs **flamboyantes** des forêts en automne, venez dans les Vosges !
d. C'est sur la côte méditerranéenne, pas loin de Marseille qu'on trouve les falaises Soubeyranes **vertigineuses**, à 394 mètres au-dessus du niveau de la mer.
e. Les canyons n'existent pas qu'aux USA ! Dans les gorges du Tarn, la rivière a formé un **gigantesque** canyon. À voir de préférence en fin de journée où la lumière douce donne à la roche une couleur **dorée**.

3 a. une cabane – b. un gîte – c. une chambre d'hôtes – d. un chalet – e. une tente

4 a. On s'**y** rend pour faire du ski en hiver et de la randonnée en été. → à la montagne
b. Quand on **en** repart, on a souvent les cheveux mouillés et du sable sur les pieds. → de la plage
c. Quand le temps est humide, on peut **y** ramasser des champignons. → dans la forêt
d. Il faut emporter beaucoup d'eau si on veut le traverser et **en** revenir vivant ! → du désert
e. On peut la transporter et **y** dormir. → dans une tente
f. On peut **y** dormir une seule nuit ou une semaine mais on en repart toujours avec le plaisir de la rencontre. → dans une chambre d'hôtes

5 a. Regarde la couleur de la mer, on **dirait** un lagon en Polynésie !
b. J'adore cette partie de la côte bretonne, c'est **comme** en Irlande où je suis née.

Corrigés

c. On trouve que cette région, avec ses collines, **ressemble** beaucoup à la Toscane.
d. Pour moi, le quartier de la Défense à Paris est **similaire** à Manhattan, mais en beaucoup plus petit !
e. Est-ce que ce paysage **ressemble** à un endroit dans ton pays ?
f. – Avec ces maisons de toutes les couleurs sur la falaise, on **dirait** l'Italie, tu ne trouves pas ?
– Si, exactement ! Pour moi, ce village **évoque** un endroit de la Riviera italienne, près de Gênes.

6 a. 1. le Grand Est – 2. le Nord américain – 3. un endroit atypique – 4. un petit espace – 5. de beaux endroits – 6. un emplacement accessible – 7. un bon aménagement – 8. des grands espaces – 9. un hébergement idéal
La liaison est **obligatoire** quand l'adjectif est placé avant un nom singulier ou pluriel.
La liaison est **interdite** quand l'adjectif est placé après un nom singulier.
b. 1. des forêts amazoniennes – des forêts amazoniennes ; 2. des sentiers aménagés – des sentiers aménagés ; 3. des déserts étonnants – des déserts étonnants ; 4. des chalets incroyables – des chalets incroyables
La liaison est **facultative** quand l'adjectif est placé après un nom pluriel.

7 À titre indicatif :
a. Les falaises de Moher en Irlande ressemblent aux / évoquent les falaises d'Étretat.
b. Big Lagoon aux Philippines, on dirait / c'est comme les gorges du Verdon.
c. Les cascades d'Erawan en Thaïlande sont similaires aux cascades des Tufs aux Planches-près-Arbois.
d. Les arènes de Vérone, en Italie, ressemblent à / sont comme les arènes de Nîmes.
e. Le Bayou de Louisiane, aux États-Unis, évoque le Marais poitevin.

8 a. Si on allait à Rustrel ? – Pourquoi on ne va pas à Rustrel ? – On pourrait aller à Rustrel. – Ça vous tente d'aller à Rustrel ? – Ça te dirait d'aller à Rustrel ? – Aller à Rustrel, ça te dit ?
b. C'est d'accord ! – Oui, ça me va. – Non, je ne suis pas pour. – Ça ne me tente pas. – Oui, pourquoi pas ? – OK pour moi.

9 a. Ce magazine est consacré au tourisme insolite.
b. Non, il y en a beaucoup, de plus en plus (« l'hébergement touristique insolite continue à progresser »).
c. Ce sont des hébergements recyclés, transformés, qui « ont une histoire ».
d. Leur transformation de manière écologique et responsable « pour diminuer l'impact sur l'environnement ».
e. – La roulotte était le moyen de transport d'un violoniste.
– Les containers de « Des Branches et Vous » étaient des « containers industriels » pour transporter ou stocker des marchandises.
– Le Cessna était un avion, un moyen de transport.

Leçon 2 • Préparer / Raconter un voyage

1 – pendant un voyage, un déplacement d'une étape à une autre → un transfert
– un déplacement avec une compagnie aérienne → un vol
– le moment où on confirme le vol et on dépose les bagages → l'enregistrement
– le moment où les passagers entrent dans l'avion → l'embarquement
– un billet pour un déplacement unique en avion ou en train → un aller
– les actions administratives à faire avant un voyage à l'étranger → les formalités
– un moment de visite ou une promenade pendant un voyage → une excursion
– avec une date de validité dépassée → périmée

E	M	B	A	R	Q	U	E	M	E	N	T
X	E	A	R	G	U	E	N	I	N	E	U
C	E	X	T	R	A	N	D	A	R	J	R
U	T	A	I	P	E	R	I	M	E	E	O
R	I	N	F	U	N	E	R	E	G	T	U
S	U	R	O	C	I	R	C	U	I	T	E
I	N	T	R	O	C	A	H	T	S	A	P
O	R	U	M	M	L	L	E	R	T	I	R
N	E	V	A	P	A	L	L	E	R	N	I
A	V	O	L	R	I	O	U	V	E	S	A
M	I	L	I	E	F	R	A	I	M	U	R
B	E	N	T	R	A	N	S	F	E	R	T
E	N	N	E	R	S	E	U	R	N	E	I
T	A	I	S	E	E	S	R	I	T	S	E

2 Je sais que tu n'as jamais fait de voyage **organisé**, que tu n'aimes pas être en groupe mais moi, j'ai adoré l'expérience : un groupe de 12 personnes, c'était super ! Une personne de l'agence nous a accueillis à l'aéroport et a fait **l'enregistrement** de nos bagages, on n'a pas perdu de temps ! Quand on attendait **l'embarquement**, j'ai parlé avec deux femmes du groupe et pendant **le vol**, on était assises côte à côte alors on a bien fait connaissance et on a sympathisé. On a fait **l'aller-retour** sur Vietnam Airlines : une très bonne compagnie aérienne !
Le circuit, en trois étapes, nous a permis de parcourir tout le pays : d'abord le nord, puis le centre et enfin le sud avec chaque **transfert** en avion. Chaque jour, il y avait une excursion, et c'était toujours **compris** dans le prix du voyage, avec un **guide conférencier** francophone ; c'était très varié : la visite d'une ville, d'un site historique ou naturel. Avec mes amies, on a fait une excursion **en supplément** : une journée en bateau dans le delta du Mékong. Un peu cher, mais c'était magnifique !
On prenait tous les repas ensemble parce qu'elles avaient choisi la formule **en pension complète**, comme moi. J'ai adoré la cuisine vietnamienne !

P.S. : Fais attention si tu as prévu un voyage à l'étranger et si tu as besoin d'un passeport **en cours de validité** : en ce moment c'est très long pour le faire refaire…. Mon passeport était **valide** seulement jusqu'au milieu du séjour et j'ai eu peur de ne pas l'obtenir à temps !

3 a. Une **parade** dans les rues de Nice pendant le **carnaval**
b. Un **masque** de Venise
c. Des **marionnettes** géantes dans les rues d'Angers
d. Un participant **déguisé**, en **costume** de gondolier vénitien à Lemos en Espagne

4 **En partant** pour un voyage d'un an autour du monde, nous voulions découvrir tous les endroits qui nous faisaient rêver, renforcer les liens de notre famille **en partageant** des moments forts tous ensemble, ouvrir nos esprits **en faisant** des rencontres et **en voyant** la diversité du monde… L'expérience a été très positive : les enfants ont découvert beaucoup de choses **en s'amusant**, ils ont appris un peu d'anglais et d'espagnol **en jouant** avec des enfants dans les pays traversés. Et **en vivant** dans des environnements variés, **en découvrant** des cultures différentes, ils ont compris qu'il existe d'autres manières de vivre. **En rentrant** à Paris, ils nous ont demandé la date du prochain voyage !

5 a. À notre arrivée, les habitants nous ont accueillis **en nous offrant** un café.
b. Halima et Fabrice ont fait le tour de la Bretagne à pied **en suivant** le sentier côtier.
c. **En voyageant** au Japon, j'ai rencontré Jérémy qui étudiait le japonais à Tokyo.
d. Les touristes participent à la parade **en chantant** et **en dansant** avec les locaux.
e. J'ai découvert des plages superbes **en faisant** le tour de l'île.

6 a. Pour ! L'avantage d'un voyage organisé, c'est que nous n'avons **rien** à préparer : **tout** est prévu ! Chaque jour, il y a des excursions mais **personne** n'est obligé d'y participer, **chacun** peut décider s'il veut y aller ou pas. Nous pouvons toujours discuter avec **quelqu'un** : **personne** n'est seul ! Le soir, il y a souvent **quelque chose** au programme : une soirée jeux, une projection… Contre ! Mon compagnon et moi, nous avons fait un voyage organisé l'an dernier, pour la première fois. Nous n'avons **rien** aimé ! Pendant les excursions, **tout** est chronométré et on ne peut pas prendre son temps pour visiter. Nous étions en pension complète et les plats étaient **tous** internationaux, **rien** ne correspondait à la cuisine du pays.
b. Pour ! L'avantage d'un voyage organisé, c'est qu'**on n'a** rien à préparer. Chaque jour, il y a des excursions mais **on n'est pas** obligé d'y participer, **on peut** décider si **on veut** y aller ou pas. **On peut** toujours discuter avec quelqu'un : **on n'est pas** seul ! Le soir, il y a souvent quelque chose au programme : une soirée jeux, une projection… Contre ! Mon compagnon et moi, **on a** fait un voyage organisé l'an dernier, pour la première fois. **On n'a rien** aimé ! Pendant les excursions, tout est chronométré et on ne peut pas prendre son temps pour visiter. **On était** en pension complète et les plats étaient tous internationaux, rien ne correspondait à la cuisine du pays.

7 a. Tout est bien organisé pour le défilé.
b. Dans la parade des Diables rouges, personne ne défile sans masque. / Personne ne défile sans masque dans la parade des Diables rouges.
c. Il ne se passe rien le matin / l'après-midi / le soir : tous les défilés se déroulent / les défilés se déroulent tous l'après-midi / le matin ou le soir / l'après-midi.
d. Quelqu'un a expliqué que l'origine du carnaval vient de l'époque des esclaves.
e. Pour le dernier jour du carnaval, chacun met une tenue blanche et noire. / Chacun met une tenue blanche et noire pour le dernier jour du carnaval.
f. Il faut parler créole pour comprendre quelque chose dans cette chanson. / Pour comprendre quelque chose dans cette chanson, il faut parler créole.

8 a. Extrait 1 → épisode *Jamais sans ses chaussons* → le Japon
Extrait 2 → épisode *Briser la glace avec du café* → le Groenland
Extrait 3 → épisode *L'empire de la sieste* → la Chine
b. Extrait 1 → photo B – Extrait 2 → photo C – Extrait 3 → photo A
c. **1.** Faux – **2.** Vrai – **3.** Vrai – **4.** Faux – **5.** Faux – **6.** Vrai – **7.** Faux

Leçon 3 • Raconter un défi, une aventure

1 – J'emporte tout de même tout le nécessaire pour pouvoir bivouaquer : une petite **tente** très légère, un **matelas** de camping et un **sac de couchage** bien chaud, ma **lampe frontale** pour m'éclairer et un **briquet** pour faire du feu s'il fait très froid le soir.
– J'ai une **trousse de secours** mais seulement pour les urgences. Il y aura des pharmacies dans les lieux que je traverserai !
– C'est super de te lancer ce **défi**, tu as du courage !
– J'ai décidé de me donner un **challenge**.
– Tu vas vivre une **aventure** extraordinaire.

2 a. Il y a des gens qui vont en forêt pour **toucher** les arbres : ils entourent un arbre de leurs bras et ça leur fait du bien. → le toucher
b. Pendant notre randonnée dans les Cévennes, on a **dégusté** des produits locaux, c'était délicieux ! → le goût
c. En Bretagne, Léa part randonner seule, tôt le matin : seule sur le sentier, elle peut **écouter** les oiseaux chanter en marchant. → l'ouïe
d. Est-ce que quelqu'un fait un feu ? Je **sens** une odeur de fumée. Mais c'est interdit dans la forêt ! → l'odorat
e. – Qu'est-ce que tu **regardes** dans le ciel ?
– J'**admire** les nuages, ils ont des formes incroyables ! → la vue

Corrigés

3 a. 4 – b. 1 – c. 5 – d. 6 – e. 2 / 4 – f. 3

4 a. Marine a décidé **de** parcourir seule le chemin de Compostelle, elle commence **à** randonner demain.
b. On n'est pas arrivés **à** monter la tente à cause du vent, alors on a décidé **de** dormir dans la voiture.
c. Ils n'ont pas réussi **à** trouver de l'eau alors ils ont continué **à** avancer jusqu'au prochain village.
d. Claude a essayé **de** terminer le trek mais il était épuisé alors il a dû arrêter **de** marcher.
e. Sandra a décidé **d'**aller jusqu'au bout de son défi : elle a continué **à** bivouaquer même en hiver !

5 a. Ce jour-là, les prévisions météo **étaient** bonnes, alors on **a décidé** de bivouaquer.
b. Hier, quand **on est arrivés** dans le village, on **a demandé** de l'eau aux habitants pour remplir nos gourdes.
c. Ce matin, en arrivant dans la forêt, Gaëtan et Souad **ont vu** des animaux sauvages qui **passaient** en courant ; ils **étaient** ravis !
d. L'été dernier, j'**ai choisi** ce GR parce que je le trouvais assez facile pour une première expérience de randonnée.
e. Le dernier jour du trek, quand Alex **est arrivé** au sommet, le ciel **était** tout noir et l'orage **menaçait** alors il **s'est dépêché** de redescendre.

6 L'histoire **est arrivée** quand je **faisais** du stop en Argentine, sur la célèbre route 40. J'**ai commencé** ma journée de stop à 7 h 30, direction Mendoza. Après 15 minutes d'attente, une voiture s'**est arrêtée**. Le conducteur, Ricardo, **a proposé** de m'emmener parce que nous **allions** dans la même direction. Pendant le trajet, nous **avons beaucoup parlé** mais parfois la communication **était** difficile parce que mon niveau d'espagnol **était** encore faible. Puis il m'**a proposé** de passer une journée chez les Mapuches, une population autochtone. J'**ai accepté**, ça m'**intéressait** vraiment ! Nous **sommes arrivés** dans leur village et j'**ai rencontré** le chef du village qui **était** aussi le maître d'école. J'**étais** ravie et très curieuse ! J'**ai passé** la journée dans la famille du chef, on **a préparé** ensemble le repas de midi. J'**ai visité** l'école où les enfants **étaient** aussi curieux que moi ! Toute la journée, je **n'arrêtais pas** de me dire : « Ce que je vis est incroyable ! »

7 a. ☒ ☐ ☐ ☐   f. ☐ ☒ ☐ ☐
b. ☐ ☒ ☐ ☐   g. ☐ ☐ ☒ ☐
c. ☐ ☐ ☒ ☐   h. ☐ ☐ ☐ ☒
d. ☐ ☒ ☐ ☐   i. ☐ ☐ ☐ ☒
e. ☒ ☐ ☐ ☐

8 *À titre indicatif :*
a. Ça me fait peur. / Ça m'angoisse, je suis paniqué !
b. Je suis épuisée ! / Je me sens / je suis découragé !
c. Je suis fière de moi / de mon exploit / de mon résultat / d'être championne !
d. Ça me détend. / Ça me fait du bien. / Je me sens sereine.

9 a. Le thème de l'article est : les goûts différents de certaines personnes pour leurs vacances.
b. Les trois personnes qui témoignent ont déjà vécu une aventure.
c. Katie déteste dormir sous la tente – est facilement angoissée.
d. Julien a relevé un défi sous l'influence d'un réseau social.
e. Nathan regrette de ne pas voyager loin – préfère rester en France.

Bilan

Compétences linguistiques

1 a. – Pendant votre séjour, vous **avez pris** tous vos repas à l'hôtel ?
– Oui, on **y a mangé** tous les jours parce qu'on **était** en **pension** complète.
b. Hier, on **a fait** une **excursion** dans un village traditionnel et quand on **en est revenus**, notre hôte nous **attendait**.
c. Quand nous **avons appris** l'annulation de notre **vol**, nous **faisions** les formalités **d'enregistrement** à l'aéroport. Donc nous **y sommes retournés** le lendemain matin.
d. Normalement, le petit déjeuner **était** inclus dans la **prestation**, mais on **a dû** payer un **supplément** dans un des hôtels.
e. Mon fils **a adoré** notre séjour aux Antilles ! Quand on **en est repartis**, il ne **voulait** pas quitter notre **guide** : une femme très sympathique qui nous **a accompagnés** pendant tout le **circuit** !

2 b. 3 – c. 9 – d. 4 – e. 1 / 3 – f. 4 / 6 – g. 2 – h. 5 – i. 7 – j. 8 – k. 10

3 Je profite de la nature **en dormant** sous la **tente** ou dans une **cabane** et **en faisant** ma toilette dans des **cascades**.
J'évite les foules de touristes **en marchant** seul sur des **sentiers** peu fréquentés et **en allant** dans des lieux inhabités comme les **forêts** tropicales ou les **déserts**.
Je garantis ma survie **en prenant** deux éléments essentiels : un **briquet** et une **trousse** de secours.

4 a. Après cette longue marche, ils font **chacun** une activité relaxante. → Ça les détend.
b. **Rien** ne va arrêter les marcheurs, **tous** sont enthousiastes à l'idée de ce trek. → Ils sont ravis.
c. Seuls sous l'orage, ils crient, ils ont peur de **tout**. → Ils sont paniqués.
d. Il n'y a plus **rien** qui les motive, **personne** ne veut continuer. → Ils se sentent découragés.
e. Les participants sont **tous** satisfaits d'avoir accompli **quelque chose** d'exceptionnel → Ils sont fiers.

Compétences socioculturelles

1 1. a. Saint-Pierre-et-Miquelon – la Guyane – la Martinique – Les Saintes – Marie-Galante – Saint-Barthélemy – Saint-Martin – Pointe-à-Pitre
b. la Martinique – Les Saintes – Marie-Galante – Saint-Barthélemy – Saint-Martin – Point-à-Pitre

2.

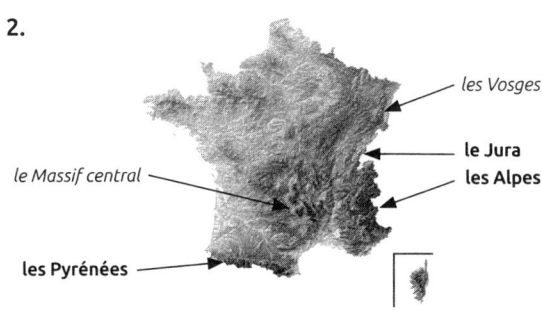

les Vosges
le Jura
les Alpes
le Massif central
les Pyrénées

DOSSIER 7 S'informer, se cultiver

Leçon 1 • S'informer sur l'actualité

1 a. 1. L'info est à la **une** du **journal** d'aujourd'hui !
2. Le « 20 heures », c'est le **journal télévisé** que les Français regardent le soir.
3. Les sites d'information en **continu** diffusent l'information en **direct**.
4. Les journaux, les magazines, toute la **presse** parle de l'événement !
5. L'**article** parle de la mort d'un grand créateur de mode.
b. photo A → phrase 2 – photo B → phrase 4 – photo C → phrase 1 – photo D → phrase 5 – photo E → phrase 3

2 Le chauffeur a percuté un piéton. / a porté plainte. / a provoqué un accident.
La victime a porté plainte.
La police a démarré une investigation. / a ouvert une enquête. / a interpellé un suspect.

3 J'ai souvent peur de tomber dans le **piège** des *fake news*. Quand je lis une **info** qui vient de la presse écrite, pas de problème, j'ai confiance, je sais qu'elle est **fiable**. Mais si elle vient d'Internet ou des réseaux sociaux, là, je recherche la **source**. Et puis, bien sûr, je fais confiance à mon intuition : par exemple, si une photo est bizarre, n'est pas **crédible**, je vérifie son **authenticité**. Et quand je réussis à décoder une **infox**, je le signale sur Internet parce que c'est important de déconstruire une **rumeur** !

4 a. On **a** retrouvé ce matin le corps d'un jeune homme qui **avait** disparu depuis samedi. Il **était** parti randonner en montagne sans équipement et il n'**avait** pas donné d'information sur sa destination.
b. La police **a** retrouvé le conducteur d'une voiture qui **était** entrée en collision avec une moto mercredi dernier. Le conducteur **s'était** enfui juste après l'accident et il **avait** laissé la victime sur place, blessée.
c. Ce matin, les pompiers **ont** enfin réussi à éteindre l'incendie qui **s'était** déclaré dans un immeuble hier. Une poubelle **avait** pris feu accidentellement dans le hall d'entrée. Heureusement, il n'y a pas eu de victimes parce qu'on **avait** évacué tous les habitants à temps.

5 Hier, la mairie de Sartrouville **a porté** plainte contre les pirates informatiques qui **avaient attaqué** ses serveurs le 17 août dernier et ce matin, la police a ouvert une enquête pour faire la lumière sur cette cyberattaque.
Dans la nuit du 16 au 17 août, les serveurs **s'étaient retrouvés** paralysés pendant plusieurs heures et les pirates **avaient réussi** à diffuser en ligne des données financières et personnelles de la mairie.
Heureusement, l'intervention des équipes techniques le jour même **avait / a été** rapide et **avait / a permis** de limiter cette diffusion.
En mars dernier, ce groupe de hackers **avait déjà revendiqué** une autre cyberattaque contre la mairie de Lille. Le nombre de cyberattaques réussies contre des organisations publiques et privées en France **a été** de 385 000 cette année.

6 a. sérieusement – b. violemment – c. activement – d. difficilement – e. brillamment – f. différemment

7 Pour avoir une vision complète de l'actualité, il faut diversifier ses sources : cela permet d'explorer **objectivement** les infos. Mais il faut choisir **prudemment** quels médias consulter.
Vous êtes fans des réseaux sociaux où les infos circulent **rapidement** ? Attention ! Il faut les traiter **intelligemment** et les vérifier **systématiquement** : les *fake news* circulent **fréquemment** ! Consultez **régulièrement** la presse, la radio et la télé, ce sont des sources fiables : elles vérifient **constamment** leurs informations. Et on peut avoir accès à ces médias **facilement** sur un smartphone !

8 a. Accident de vélo : Hier soir, une cycliste a percuté un étudiant dans la rue de la Guillotière. L'étudiant n'avait pas vu le vélo qui n'avait pas de lumière. En partant, elle avait constaté le problème mais elle avait décidé de rentrer chez elle sans lumière. On a transporté le jeune homme à l'hôpital mais aujourd'hui, il va bien.
b. Une nuit dans le train : 60 passagers d'un TGV ont passé la nuit dans le train, immobilisé près de Nantes suite à un incendie sur les voies. Un événement similaire s'était produit le mois dernier près de la gare d'Angers mais avait entraîné des conséquences plus graves. Les voyageurs ont finalement pu repartir ce matin, vers 5 heures.

9 a. 1. Vrai : « La "fatigue informationnelle" touche un Français sur deux. » / « 53 % des Français sont fatigués de la surinformation médiatique. » / « Pour 53 % de la population, il y a trop d'informations. Beaucoup de Français se disent fatigués par des actualités qui se répètent dans les médias. »
2. Faux : « Dans les années 1990, on parlait déjà de surinformation ; l'écrivain et cinéaste américain David Shenk lui avait donné le nom d'"infobésité". »
3. Vrai : « l'étude distingue différents profils » / « les "Défiants oppressés" » / « les "Défiants distants" » / « les "Hyperconnectés épuisés" »
4. Vrai : « L'hyperconnexion touche tout le monde » / « l'hyperconnexion et la surexposition aux informations

Corrigés

touche toutes les catégories de population ou d'âge »
5. Faux : « Pour 59 % des personnes interrogées, il est important de s'informer régulièrement et pour 20 % c'est même "très important ". »
b. 1. les "Défiants distants" – **2.** les "hyperconnectés épuisés" – **3.** les "Défiants oppressés"

Leçon 2 • (S') Informer sur des manifestations sportives

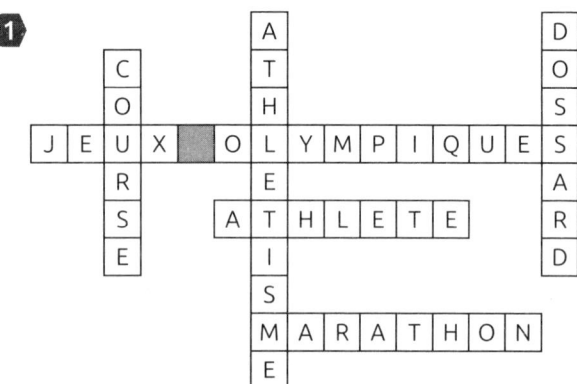

2 Il marque l'histoire. Novak Djokovic vient de **gagner** son 23ᵉ titre du Grand Chelem en battant Casper Ruud (7-6, 6-3, 7-5) en **finale** de Roland-Garros, dimanche 11 juin, et reprend son titre de **numéro 1** mondial. Le Serbe affirme, en recevant le trophée, que Roland-Garros est toujours un **tournoi** difficile pour lui. En effet, le **champion** a vécu difficilement sa **défaite** en quart de **finale** l'année dernière contre l'Espagnol Rafaël Nadal. Aujourd'hui, il ne lui manque qu'une **médaille** olympique. Peut-être aux prochains JO ?

3 *Intrus à barrer :* **a.** la moitié des coureurs – **b.** deux athlètes sur trois – **c.** un quart des épreuves – **d.** la majorité des participants – **e.** environ un tiers des Français

4 – À quelle heure la course démarre-t-elle ?
– En quelle année la première édition de la course a-t-elle eu lieu ?
– Pourquoi le champion de l'année dernière ne va-t-il pas participer ?
– De quelle manière les coureurs se sont-ils entraînés ?
– Comment explique-t-on le succès de la course ?

5 – Cette année, l'épreuve aura lieu le 2 juillet, le soir à 20 heures.
– C'est une course ouverte à toute ? **Les débutantes pourront-elles participer ?**
– Non, les débutantes ne pourront pas participer, parce que le parcours est difficile.
– Il n'y aura que 200 coureuses. **Pourquoi a-t-on fait le choix de limiter le nombre de participantes ?**
– On a fait le choix de limiter le nombre de participantes parce que la course doit rester un événement local.
– **Va-t-il y avoir des présélections ?**
– Oui, il va y avoir des présélections.

– **Comment les participantes peuvent-elles s'inscrire ?**
– Les participantes peuvent s'inscrire en se connectant sur le site de l'événement.
– Une dernière question, concernant le parcours de la course : est-il différent de l'année dernière ?
– Oui, il est différent de l'année dernière. Mais on ne le dévoile pas tout de suite !

6 a. Le champion déclare **qu'**il ne participera pas au tournoi.
b. Il se demande ce **qu'**il peut faire pour améliorer sa performance.
c. Le journal indique **que** la majorité des Français se passionne pour la Coupe du monde.
d. Tout le monde se demande **pourquoi** on a annulé la course.
e. Le journaliste lui demande **comment** elle a vécu sa victoire.
f. Elle se demande **si** elle va réussir à se qualifier pour les JO.

7 a. Cet événement permettra**-t-**il aux gens de pratiquer un sport ?
b. Les JO sont**-**ils l'occasion de développer la pratique du sport ?
c. Les enfants font**-**ils assez d'activité physique ?
d. En combien de temps l'athlète a**-t-**il terminé la course ?
e. Que pense**-t-**il de sa performance ?

8 *À titre indicatif :*
a. Le joueur dit / déclare qu'il a plus confiance en lui qu'au début du tournoi et il ajoute que maintenant, son objectif est d'atteindre les demi-finales.
b. La basketteuse estime que l'équipe a fait un bon match. Mais elle se demande si l'entraîneur est du même avis.
c. Le journaliste demande au champion / lui demande ce qu'il va se passer s'il ne remporte pas la victoire en finale, (il demande) s'il va arrêter la compétition.
d. L'entraîneur déclare / dit qu'Alexis ne va pas pouvoir continuer le tournoi. Il dit / ajoute qu'il n'y a pas d'alternative et se demande comment on peut jouer avec un pied cassé.

9 – Un quart des Français ont l'intention d'assister sur place aux JO de Paris.
– La majorité (des Français) pense que l'organisation des JO à Paris aura un impact positif sur la pratique sur sport.
– (Un peu plus de) la moitié (des Français) pensent que Paris n'organisera pas les JO de Paris les plus écologiques de l'histoire et un tiers (des Français) pensent le contraire / que Paris organisera les JO les plus écologiques de l'histoire.

10 a. Les sondages réalisés concernent **l'intérêt des Français pour l'actualité sportive**.
b. Plus de la moitié des Français suivent le foot.
c. Les fans de foot s'intéressent principalement **à l'entente entre les joueurs / aux résultats des footballeurs et des équipes**.

d. L'intérêt des Français pour les jeux paralympiques **augmente**.
e. **Peu de** Français peuvent nommer des sportifs handisport.
f. La raison de cette situation est **le manque de médiatisation**.

Leçon 3 • Comprendre / Donner un avis sur un livre

1 a. bande dessinée / manga – b. conte – c. essai – d. thriller

2 a. la littérature jeunesse – b. la science-fiction – c. l'autobiographie – d. le polar – e. l'héroïc fantasy – f. le roman historique

3 Dans ce récit intime, Brigitte Giraud essaie de comprendre ce qui a provoqué l'accident de moto qui a tué son mari le 22 juin 1999. Le **drame** est raconté avec une **écriture** sensible : la beauté est dans chaque paragraphe… Une magnifique **histoire** d'amour. Stupéfiant de talent et d'énergie, *Les Gens de Bilbao naissent où ils veulent* nous passionne dès le **début**. Avec son **style** plein d'images et d'esprit, Maria Larrea, qui est elle-même le **personnage** principal du roman, mène l'**enquête** pour reconstituer le puzzle de ses origines familiales. Le **ton** léger, presque joyeux, donne au récit un aspect **burlesque**.

4 a. Ce roman, c'est **celui que** j'ai préféré de Sorj Chalandon.
b. Tu as déjà lu quelle BD de cet auteur ? **Celle-ci** ou **celle-là** ?
c. Tu lis des essais comme **ceux de** Mona Chollet ? Ils sont intéressants.
d. Les histoires qui m'ont vraiment marqué, ce sont **celles que** j'ai lues pendant mon enfance.
e. Ma scène préférée dans le livre, c'est **celle de** la fin.
f. Ces deux romans de science-fiction sont **ceux qui** ont eu le plus de succès en France.

5 a. C'est le meilleur roman de Pennac !
b. C'est le livre de Victoria Mas qui a eu le moins de succès.
c. C'est le personnage de Tarek que j'apprécie le plus.
d. C'est le livre que Delphine de Vigan a écrit le plus rapidement.
e. C'est l'essai de Thomas Piketty qui se vend le mieux.

6 a. Non, <u>pas du tout</u> ! ⊖
b. Je suis <u>tout à fait</u> d'accord ! ⊕
c. Tu as <u>peut-être</u> raison, c'est vrai. ⊕
d. Tu as <u>entièrement</u> raison ! ⊕
e. Ah mais <u>oui</u>, je suis <u>bien</u> d'accord ! ⊕
f. <u>Non</u>, je ne suis <u>pas</u> d'accord ! ⊖

7 Pour exprimer l'accord → Je suis de ton avis ! – Je suis d'accord avec toi ! – Je suis tout à fait d'accord ! C'est vrai ! – Tu as raison !

Pour exprimer le désaccord → Je ne suis pas de ton avis ! – Je ne suis pas d'accord avec toi ! – Je ne suis pas tout à fait d'accord !

8 *À titre indicatif :*
2. Quel(s) genre(s) vous attire(nt) le moins ?
Le(s) genre(s) qui m'attire(nt) le moins est / sont…
3. Quel(s) auteur(s) lisez-vous le plus souvent ?
L'auteur / Les auteurs que je lis le plus souvent, c'est / ce sont…
4. Quelle a été votre expérience de lecture la plus étonnante ? / Quelle expérience de lecture avez-vous trouvée la plus étonnante ?
Mon expérience de lecture la plus étonnante a été… / … a été mon expérience de lecture la plus étonnante. / L'expérience de lecture qui a été la plus étonnante pour moi, c'est…
5. Quels livres se vendent le mieux, selon vous ?
Les livres qui se vendent le mieux, selon moi, sont… / … sont les livres qui se vendent le mieux, selon moi.

9 a. le lecteur connecté et le lecteur audio – b. le lecteur compulsif – c. le lecteur en série – d. le lecteur confort – e. le lecteur détendu – f. le lecteur obsessionnel – g. le lecteur audio – h. le lecteur compulsif

Bilan

Compétences linguistiques

1 2. – Un tiers de nos clients lisent pour s'évader efficacement du quotidien. / pour s'évader du quotidien efficacement.
– Un quart de nos clients lisent pour apprendre et découvrir des choses différemment.
– (Environ) la moitié de nos clients lisent pour prendre du plaisir et se détendre simplement.
3. – Les deux tiers de nos clients lisent occasionnellement le soir avant de dormir.
– La majorité de nos clients lit plus fréquemment le week-end et en vacances.
– Les trois quarts de nos clients lisent couramment dans les transports en commun.

2 a. 1. L'anglais L. Thomas **n'a pas réussi** à garder le titre olympique qu'il **avait obtenu** aux précédents JO. C'est le suédois P. Larson qui **a eu** la **médaille** d'Or, cette année, pour la première fois.
2. Le skieur J. Niklas **est tombé** deux fois hier, pendant l'entraînement. Son principal adversaire dans l'**épreuve** de slalom sera V. Mike, qui **avait fait** une chute lui aussi, avant-hier.
3. Les Bleues **ont remporté** la **victoire** face à l'équipe espagnole, 2 buts à 1. Les Françaises **avaient déjà gagné** contre les Espagnoles 3 à 0 lors d'un précédent match de qualification.
b. 1. C'est L. Thomas qui a eu le plus de titres olympiques.
2. C'est J. Niklas qui est tombé le plus.
3. Ce sont les Bleues / les Françaises qui ont obtenu les meilleurs résultats.

Corrigés

3 a. – Avez-vous été témoin de l'accident ? – Comment les faits se sont-ils déroulés ? – Y a-t-il eu des victimes ? – Mais… le piéton, que faisait-il juste avant l'accident ? – D'autres témoins ont-ils vu la scène ?
b. Le policier demande à la femme *si elle a été témoin de l'accident*. Elle répond **qu'elle était présente au moment de l'accident, qu'elle rentrait chez elle**. Ensuite, il lui demande **comment les faits se sont déroulés** et elle explique **qu'une voiture a percuté un vélo en voulant le doubler**. Le policier demande **s'il y a eu des victimes** et la femme dit **qu'il y a eu deux blessés : le cycliste et un piéton et qu'on les a transportés à l'hôpital**. L'officier de police veut également savoir **ce que le piéton faisait juste avant l'accident** ; la femme pense **qu'il allait traverser la rue et que le vélo l'a renversé en tombant, après la collision avec la voiture**. Le policier termine en demandant **si d'autres témoins ont vu la scène**.

4 a. Je vérifie toujours **la source** des infos que je lis, surtout **celles qui** ne sont pas **crédibles**.
b. Parmi les différents **articles** que j'ai lus dans la presse sur ce sujet, **celui-ci** est le plus intéressant.
c. J'adore lire les **faits-divers** et j'aime particulièrement **ceux** de ce journal.
d. – Ces photos sont bizarres. Elles sont **truquées**, non ?
– **Celle-ci**, oui, mais **celle-là**, non, j'ai vérifié.
e. – Quelles **rubriques** t'intéressent dans un **journal** ?
– La politique et l'économie, ce sont **celles que** je consulte le plus.

Compétences socioculturelles

1 Chaînes de télévision : France 3 – France Ô
Chaîne de radio : *France Inter* – France Culture – France Bleu

2 b. 1 / 3 – c. 2 / 3 – d. 3 / 4

DOSSIER 8 Se souvenir, transmettre

Leçon 1 • Faire une biographie

1 a. Je n'ai pas beaucoup de photos de mes **aïeux**. Du côté **maternel**, je n'en ai pas parce que ma mère ne les a pas gardées. Mais j'ai retrouvé celle-ci, avec mes **arrière-grands-parents** du côté **paternel**, les grands-parents de mon père, donc.
b. Voici une photo de ma femme, quand elle était enfant. Elle est avec ses parents : ma **belle-mère** et mon **beau-père**. Il y a aussi son frère Maxime, mon **beau-frère**.
c. Ma grand-mère, avec tous ses **descendants** : ses deux fils, ses deux filles, ses quatre **petits-enfants** (mes trois cousines et moi) et ses sept **arrière-petits-enfants** !

2 Je voudrais écrire ma **biographie** parce que j'ai envie de **transmettre** l'histoire familiale aux futures **générations**. C'est important pour moi de **laisser** une **trace** du passé ; cela permettra à mes enfants de **connaître** leurs **origines**. Je ne suis pas à l'aise avec ce type d'écrit, alors j'ai besoin de vos services pour **raconter** ma vie et celle de mes aïeux. Comment faut-il procéder ?

3 a. la vieillesse – b. la naissance – c. l'enfance – d. la mort – e. la jeunesse – f. l'adolescence

4 a. les nôtres → nos activités – la mienne → ma passion
b. le leur → leur fauteuil – les siens → ses arrière-grands-parents
c. les leurs → leurs aïeux – les vôtres → vos aïeux

5 a. – Vos parents étaient d'origine Italienne, et les parents de votre femme ?
– **Les siens** étaient d'origine marocaine.
b. J'ai demandé à mon père des photos de mon enfance. Et toi, tu en as demandé **au tien** ?
c. Beaucoup de gens racontent leur histoire dans une biographie. Moi aussi, je voudrais écrire **la mienne**.
d. Moi, je connais mon histoire familiale mais je ne vous ai jamais entendu parler de **la vôtre**.
e. Mes arrière-grands-parents étaient morts quand je suis né, mais Lucille et Théo se souviennent bien des leurs.
f. Toi, tes parents ont gardé une trace de tes origines, mais nous, non, on ne connaît pas **les nôtres**.

6 Louise, **une** aventure de vie hors du commun. Louise a connu **une** enfance difficile, dans **la** pauvreté. D'**une** intelligence hors du commun, elle ne souhaitait pas passer **sa** jeunesse à la campagne, et, à **un** âge où les jeunes filles pensaient **au** mariage, elle cultivait secrètement **une** passion pour la politique. **Un** événement l'a aidée à prendre **la** décision de quitter **sa** famille et l'a menée vers **la** ville où elle a débuté **sa** formidable ascension. Avec Louise, j'ai mené des entretiens pour reconstituer **ce** voyage dans le 20ᵉ siècle et mettre en lumière **la** construction d'**une** identité. Louise avait **une** idée en tête : **la** transmission ; elle voulait laisser **un** témoignage à ses petits-enfants.

7 a. Pourquoi voulez-vous ↝ écrire la vôtre ?
b. Ça peut ↝ aussi ↝ intéresser ↝ un descendant.
c. Je vais ↝ avoir 80 ans ↝ et je vais ↝ être arrière-grand-père.
d. Des photos, vous pouvez ↝ en sélectionner quelques-unes.
e. Maria ↝ était arrivée ↝ en 1930 à Paris ↝ et ça ↝ a ↝ été compliqué ↝ au début.
f. Elle a ↝ exercé son métier quelques années ↝ et ↝ elle a ↝ arrêté.
g. Elle a ↝ épousé Luigi qui ↝ était maçon ↝ et qui ↝ a construit leur maison ↝ en banlieue.

8 a. **Pendant son enfance**, Mireille vivait à Montauban.
b. **À la naissance de mon premier fils**, le pays était en crise.

c. Il a commencé à écrire sa biographie **à l'âge de 80 ans** mais il est mort **deux ans plus tard / deux ans après / à l'âge de 82 ans**, sans la terminer.
d. **Dans les années 1920**, la vie artistique et culturelle était formidable à Paris !

9 a. 1. Vrai – 2. Faux : Il y a deux auditeurs et un invité. – 3. Faux : Elles racontent comment leur intérêt pour la généalogie est né et pourquoi elles ont continué leurs recherches.
b. 1. pour Michel → en découvrant que d'autres personnes portaient son nom de famille – en discutant avec des gens
pour Nadine → en retrouvant des photos anciennes – en discutant avec des gens
pour Jean → pendant l'enfance – en faisant un travail de classe
2. pour Michel → pour connaître ses origines
pour Nadine → pour retrouver une partie de sa famille qui vit à l'étranger
pour Jean → pour l'intérêt historique et sociologique des découvertes
3. Michel → est président(e) d'un groupe de recherches en généalogie dans sa région
Nadine → est en relation avec une branche de sa famille qui n'est pas française
Jean → a retrouvé des ancêtres du 18e siècle – a identifié des liens familiaux avec des personnes de son entourage

Leçon 2 • Décrire l'évolution de la vie quotidienne

1 a. moulin à café manuel – 15 €
b. râpe à fromage – 5 €
c. mixeur style ancien – 30 €
d. grille-pain années 50 – 20 €
e. collection d'outils anciens – 80 €
f. four – 100 €
g. aspirateur années 60 – 20 €
h. frigo style vintage – 150 €
i. machine à laver – 200 €

2 J'aime bien quand mon Papi raconte comment c'était quand il avait mon âge ! Pour l'école, il n'avait pas de **trousse** pleine de **stylos** pour écrire et de **feutres** de toutes les couleurs pour dessiner. Il écrivait avec un **porte-plume** et de l'**encre**. Il dit que c'était plus difficile parce que ça faisait des taches et, à cause de ça, devait toujours mettre une **blouse** à l'école, c'est bizarre ! Pour les **jeux**, c'était moins différent : dans la cour, Papi jouait aux **billes** ou au **ballon** avec ses copains, comme moi ! À la maison, il jouait beaucoup avec sa collection de **petites voitures** mais moi, ça ne m'intéresse pas, je préfère jouer à *Super Mario* ou aux *Pokémon* sur ma **console** ! Avec ses parents, Papi jouait à des **jeux de société** comme le *Monopoly* mais ils en avaient moins que nous, maintenant.

3 Depuis son **apparition** en 1876, le téléphone a beaucoup **évolué** ! D'abord avec un fil, il permettait de communiquer sans se voir. Puis en 1973, les téléphones sans fil **sont apparus** et les gens ont pu téléphoner à l'extérieur. Depuis les années 2000, les progrès technologiques ont **révolutionné** les téléphones portables, avec l'accès à Internet, l'**apparition** des applications, qui ont totalement **transformé** notre quotidien ! Le GPS est une autre **innovation** qui a permis d'**améliorer** notre quotidien. Cela a entraîné **un grand changement** en voiture : **disparition** des cartes routières et déplacements facilités pour aller vers un lieu inconnu ! La **révolution** la plus récente est l'intelligence artificielle. Elle permet aux scientifiques d'étudier **la dégradation** actuelle de l'environnement. Elle a beaucoup **changé** notre vie quotidienne ! Il existe beaucoup d'autres technologies qui ont **amélioré** notre vie au fil des années.

4 a. Certaines innovations technologiques – b. quelques applications – c. Plusieurs personnes ; certains / quelques participants – d. plusieurs membres de la famille ; certaines personnes

5 Les optimistes et les pessimistes n'ont pas la même vision du monde, **donc / alors** leurs avis sur l'évolution de notre vie quotidienne sont différents. Les optimistes pensent qu'on vit mieux **grâce à** toutes les innovations technologiques, qu'on communique mieux **parce qu' / car** on a Internet et les smartphones. Selon eux, les objets connectés facilitent notre quotidien, **donc / alors** on a plus de temps pour les loisirs. Les pessimistes, eux, pensent qu'on est plus seuls qu'avant **à cause de** tout le temps passé derrière nos écrans. Avant, on restait moins à la maison ; **c'est pour ça** que les gens se rencontraient plus. Il y a soixante ans, on faisait les courses chez les commerçants du quartier **car / parce que** les supermarchés n'étaient pas encore développés, **alors / donc** on avait plus de contacts humains.

6 a. Non, ils ne m'en parlent jamais. – b. Non, on y était habitués. – c. Ça n'existait pas donc ils n'en avaient pas besoin. – d. Non, je n'y pensais pas. – e. Non, je ne m'en sers jamais.

7 a. Avec nos trois enfants, il faut faire des lessives tous les jours, on ne peut pas s'**en** passer ! → la machine à laver
b. Maintenant, on n'**en** a plus besoin mais les écoliers s'**en** servaient pour protéger leurs vêtements, ils devaient **y** penser ! → la blouse
c. Avant les frigos, on **y** conservait les aliments, on **y** était habitués. → le garde-manger
d. Les enfants **y** jouaient il y a cinquante ans et les enfants d'aujourd'hui **y** jouent encore. → les billes / le ballon / les petites voitures

8 b. 2 → Mes grands-parents passaient beaucoup de temps à faire les tâches ménagères **parce qu' / car** ils avaient peu d'appareils ménagers.
c. 5 → Maintenant, on a beaucoup de confort à la maison **grâce aux** innovations technologiques qui facilitent le quotidien. / Maintenant, on a beaucoup de confort à la maison **parce que / car** les innovations technologiques facilitent le quotidien.

Corrigés

d. 1 → Les enfants d'aujourd'hui passent du temps devant les écrans, **donc / alors** ils jouent moins souvent dehors. Les enfants d'aujourd'hui passent du temps devant les écrans ; **c'est pour ça qu'**ils jouent moins souvent dehors.
e. 3 → Avant, les enfants inventaient des jeux **car / parce qu'**ils avaient moins de jeux de société que maintenant.

9 a. les découvertes archéologiques et les capsules temporelles (avec des objets laissés par quelqu'un volontairement) – **b.** les capsules nos 3, 4, 5 – **c.** les capsules nos 1 et 2 – **d.** la capsule n° 3 – **e.** les capsules nos 3 et 4 – **f.** les capsules nos 1 et 2 – **g.** les capsules nos 1 et 5

Leçon 3 • Exprimer une vision pour l'avenir

1 a. L'accès à l'éducation doit être une priorité : nous devons nous battre pour **l'égalité** des chances !
b. Le respect de la diversité est une règle importante dans notre entreprise, nous agissons pour favoriser **l'inclusion**.
c. Défendre **la liberté** et la dignité, c'est agir pour la défense des droits humains fondamentaux !
d. Nous devons nous entraider pour survivre : **la solidarité** est une valeur que nous oublions souvent.
e. L'attention à l'environnement est un effort au quotidien, mais c'est indispensable pour préserver notre planète !

2 a. les inégalités sociales – **b.** la destruction des ressources naturelles – **c.** la destruction de la biodiversité – **d.** les discriminations – **e.** la pauvreté – **f.** le réchauffement climatique

3 a. La construction d'une Europe unie – **b.** La réduction des inégalités sociales – **c.** La production d'objets durables – **d.** La destruction des ressources naturelles

4 1. L'alimentation est un bien collectif
Certaines pratiques **conduisent** à des inégalités : dans certaines régions, on **produit** trop et dans d'autres, pas assez. Et si on partageait ?
2. Une alimentation saine ne **détruit** pas la planète
Des producteurs qui **réduisent** leur impact sur l'environnement, cela doit devenir une généralité. Avec une seule devise : « Je **produis** mais je ne **détruis** pas ! »
3. Les consommateurs doivent protéger leur santé
Vous mangez des produits bio et locaux ? Vous **réduisez** les risques de maladies !
4. Nous pouvons agir ensemble pour l'alimentation de demain
Si nous **réduisons** notre consommation de produits industriels, nous **construisons** les nouvelles bases de l'alimentation de demain !

5 a. J'espère **que** nous trouverons des solutions pour lutter contre le réchauffement climatique.
b. Je rêve **d'**un monde uni et solidaire !
c. Nous avons l'espoir **qu'**un jour l'égalité des salaires entre les hommes et les femmes sera la règle.
d. J'espère une amélioration des conditions de vie pour tout le monde.
e. J'ai l'espoir **de** voir les jeunes agir pour protéger la biodiversité.
f. À l'avenir, j'espère vivre dans une société plus inclusive.

6 a. La S(ui)sse j(ou)it de beaucoup de pl(ui)e en j(ui)llet, dep(ui)s le dérèglement climatique.
b. À J(ou)y, où j'habite, le br(ui)t est réd(ui)t, il y a moins de pollution sonore.
c. L(ou)ise est épan(ou)ie en L(ou)isiane, où elle constr(ui)t des structures écologiques.
d. (Ou)i, cette h(ui)le est prod(ui)te ici et transportée jusqu'à l'épicerie équitable de Montl(ou)is grat(ui)tement.
e. Je s(ui)s éblouie par la quantité de fr(ui)ts cette année s(ui)te aux pl(ui)es du printemps !
f. Je c(ui)sine des légumes et je réd(ui)s ma consommation de viande.

7 2. Il est nécessaire de se battre pour la liberté d'expression.
3. Il est fondamental de développer l'éducation pour tous.
4. Il est urgent d'agir pour l'égalité des salaires.
5. Il est important de favoriser l'accessibilité des transports en commun.
6. Il est essentiel de lutter pour le respect de la biodiversité.
7. Il est indispensable de défendre la solidarité entre les générations.

8 *À titre indicatif :*
b. Nous rêvons de villes accessibles à tous ! / Nous espérons / avons l'espoir que les villes seront accessibles à tous !
c. Nous rêvons d'actions concrètes pour la défense des espèces animales ! / Nous espérons (qu'il y aura) des actions concrètes pour la défense des espèces animales !
d. Nous rêvons de logements accessibles pour tous les étudiants ! / Nous espérons / avons l'espoir qu'il y aura des logements accessibles pour tous les étudiants.
e. Nous rêvons de décisions politiques pour réduire la pauvreté ! / Nous espérons qu'on prendra des décisions politiques pour réduire la pauvreté !
f. Nous rêvons d'une société solidaire ! / Nous espérons vivre dans une société solidaire !

9 a. Vrai : « Pendant la première grossesse de ma conjointe, nous avons décidé de mettre sur papier nos valeurs familiales. Le but était de faire une liste des cinq valeurs les plus importantes pour notre famille. »
b. Faux : ce sont des valeurs et non des règles (« Ces cinq valeurs sont affichées dans la maison et cela oriente notre vie de famille. »)
c. Vrai : « C'est important de cultiver nos liens familiaux. La famille proche bien sûr, mais aussi nos grands-parents, tantes et oncles, cousins et cousines. Et dans cette famille, j'inclus les amis proches parce

qu'ils sont importants et qu'ils font aussi partie de notre clan. »
d. Faux : « Persévérance : La recette pour réaliser un rêve, c'est 90 % d'efforts et 10 % de talent. »
e. Faux : « Autonomie : nos filles devront être capables de s'occuper d'elles-mêmes plus tard. Pour avoir confiance en soi, il faut être conscient de ses capacités, et c'est ça qu'on essaie de développer à la maison. » / « Est-ce que je l'aide quand elle n'arrive pas à mettre sa veste ? Persévérance : non, je lui dis d'essayer encore. »
f. Vrai : « nous ne supportons pas les gens faux, les malhonnêtes et les menteurs » – « le respect des adultes, des différences physiques ou culturelles ; des différences d'opinions aussi »

Bilan

Compétences linguistiques

1 **a. 1.** Je rêve **de** vivre dans une société où <u>on n'a pas peur de la différence</u>. → le respect de la diversité
2. À l'avenir, on espère <u>ne plus se servir de produits chimiques</u> dans l'agriculture. → l'attention à l'environnement
3. Je rêve **d'**un monde <u>où on répond aux besoins de tous</u>. → l'égalité des chances
4. J'ai l'espoir **qu'**<u>on pensera systématiquement à l'accessibilité pour les personnes en situation de handicap</u>. → l'inclusion
5. Je rêve **d'**une école où <u>on parle d'entraide et de coopération aux enfants</u>. → la solidarité
6. J'espère **que** <u>nous arriverons à offrir les mêmes opportunités à tous</u>. → l'égalité des chances
b. 1. Il est important de ne pas en avoir peur. – **2.** Il est urgent de ne plus s'en servir dans l'agriculture. – **3.** Il est essentiel d'y répondre. – **4.** Il est nécessaire d'y penser (systématiquement). – **5.** Il est fondamental d'en parler aux enfants. – **6.** Il est indispensable d'y arriver.

2 **a.** À l'époque, je mettais ma **blouse** pour aller à l'école et ma mère mettait **la sienne** pour faire le ménage.
b. Nos **jouets** sont souvent en plastique mais mes arrière-grands-parents fabriquaient **les leurs** en bois.
c. – Mon **frigo** est un modèle américain, il fait des glaçons. Et chez toi, comment est **le tien** ?
– **Le mien** est connecté, il m'informe quand un produit manque.
d. Aujourd'hui, c'est facile de laver le linge avec une **machine à laver**. Mais nous, à l'époque, on lavait **le nôtre** dans une lessiveuse !
e. J'ai apporté mes nouvelles **billes** pour jouer dans la cour avec toi. Tu as pris **les tiennes** ?
f. Mon **aspirateur** est cassé et je dois faire le ménage, vous pouvez me prêter **le vôtre** ?

3 **a.** et **b.** **1. La** jeunesse n'a pas toujours accès aux grandes écoles **à cause de** leur coût. → les inégalités sociales
2. La température moyenne a changé sur la planète **alors la** fréquence des catastrophes naturelles augmente. → le réchauffement climatique
3. On n'a pas contrôlé **la** destruction des forêts, **c'est pour ça que la** variété des espèces animales diminue. → la destruction de la biodiversité
4. Dans **ce** village, les gens ne sont pas tolérants, **donc** ils n'acceptent pas quelqu'un qui vient d'un environnement différent. → les discriminations

4 – Béatrice Bruault, dans votre famille vous **produisez** du vin depuis plusieurs générations. Pouvez-vous nous raconter votre histoire familiale ?
– **Mes arrière-grands-parents**, Charles et Félicie, se marient en 1905. **L'année suivante / Un an après** ils achètent un grand terrain puis ils **construisent** une grande maison. **Cinq ans plus tard / Cinq ans après**, il y a 2 enfants dans la famille : mon grand-père Gaston et **ma grand-tante**. **À la mort de Charles**, en 1923, c'est son fils Gaston qui devient responsable de l'exploitation, **à l'âge de seize ans**. À cette époque, nous **produisons** 15 000 bouteilles par an. En 1949, ma mère reprend l'exploitation mais plusieurs orages **détruisent** la récolte. Elle **reconstruit** tout et, quelques années après, on **produit** à nouveau 50 000 bouteilles par an. Moi, **pendant l'enfance**, je suis ma mère partout et j'apprends un peu le métier. **À l'adolescence**, l'idée de faire ce métier **se construit** progressivement dans ma tête. Je suis vigneronne depuis quarante ans ! Maintenant, je **réduis** la production parce que c'est trop de travail. Mais **mon neveu** va bientôt reprendre l'exploitation.

Compétences socioculturelles

1 **a.** Première partie du 20e siècle : la Belle Époque – la Grande Guerre – les Années folles
Deuxième partie du 20e siècle : les Trente Glorieuses
b. Mai 68 → politique – les Trente Glorieuses → économique – la crise de 1929 → économique – l'Exposition universelle en 1900 → culturelle – la Belle Époque → culturelle

2 **a.** La France a créé l'Union européenne en 1957.
b. La France est le deuxième pays le plus peuplé d'Europe.
c. Le Parlement européen a son siège à Strasbourg.

Transcriptions

DOSSIER 1 Être en relation

Leçon 1 • Parler d'une relation amicale

🔊 **Piste 02 – Prononciation / Phonie-graphie – Activité 7**

Exemple : j(e) lis – je lis – j(e) le lis – je l(e) lis – je le lis
a. j'(e) comprends – je l(e) comprends – je le comprends – je comprends – j(e) le comprends
b. je l(e) donne – j(e) le donne – j(e) donne – je le donne – je donne
c. je le répète – je répète – je l(e) répète – j(e) le répète – j(e) répète
d. je garde – je l(e) garde – je le garde – j(e) garde – j(e) le garde
e. je l(e) raconte – je raconte – j(e) le raconte – je le raconte – j(e) raconte
f. je l(e) contacte – je le contacte – je contacte – j(e) le contacte – j(e) contacte

🔊 **Piste 03 – Prononciation / Phonie-graphie – Activité 8**

Exemple : Elle l'accueille.
a. Il apprend.
b. Il l'échange.
c. Il exprime.
d. Il l'apporte.

Leçon 2 • Décrire des changements dans la communication

🔊 **Piste 04 – Comprendre – S'exprimer – Activité 9**

Jean-Marc (le journaliste) : Le mouvement a commencé aux États-Unis, mais il gagne aussi la France : certains jeunes veulent un retour à une vie moins connectée, Valérie.
Valérie (la journaliste) : Au départ, un téléphone servait à téléphoner. Mais aujourd'hui, avec les technologies, il occupe une place très particulière dans nos vies. Emma, 19 ans, nous expose sa vision du monde virtuel actuel.
Emma : Je suis une enfant de la technologie. Je suis née avec Internet et les réseaux sociaux et je peux me connecter à tout instant. C'est une bénédiction… mais aussi une malédiction. Aujourd'hui, je veux apprendre à ne plus vivre avec mon smartphone en permanence, parce que c'est une addiction.
Jean-Marc (le journaliste) : Cette étudiante participe à une plateforme en ligne qui invite les jeunes à se déconnecter et à imaginer un quotidien sans smartphone. De nombreux jeunes reviennent donc à l'usage d'un téléphone simple qu'on n'utilise que pour téléphoner ou envoyer des textos. Et des youtubeurs font eux aussi l'expérience de ce nouveau mode de vie. Les résultats sont très positifs, comme nous l'explique Lola.
Lola : Maintenant, j'ai un ancien modèle de téléphone et tout a changé. J'utilise à nouveau mon cerveau. J'ai une meilleure concentration et des relations moins superficielles avec mes amis.
Valérie (la journaliste) : Le téléphone à l'ancienne revient donc sur le marché. Beaucoup de jeunes ne sortent le soir qu'avec ce type de vieux téléphone. Leur objectif ? Ne pas passer leur temps à fixer leur écran, mais garder un outil de contact en cas de problème.
Jean-Marc (le journaliste) : Et l'autre alternative au smartphone, c'est le lightphone : un smartphone minimaliste, qui ne possède que quelques fonctionnalités : appels, messages, alarme et la possibilité d'ajouter d'autres applications – mais le strict minimum, comme la météo ou un agenda.

Leçon 3 • Raconter l'histoire d'une relation

🔊 **Piste 05 – Prononciation / Phonie-graphie – Activité 6**

J'ai étudié la linguistique à l'université. J'étudiais avec Pierre. C'était à Amsterdam. Ça a été mon premier amoureux. On se disputait rarement. Un jour, à cause d'un rendez-vous manqué, on s'est disputés pour de bon et on s'est séparés. Je lui ai donné ma nouvelle adresse. Je lui donnais de mes nouvelles régulièrement mais plus maintenant.

DOSSIER 2 Agir en consommateur

Leçon 2 • Acheter / Vendre sur Internet

🔊 **Piste 06 – Prononciation / Phonie-graphie – Activité 7**

Exemple : vase – base
a. l'abbé – lavé
b. bon – vont
c. vise – bise
d. vrai – vrai
e. viens – bien
f. bouillant – bouillant
g. bout – vous
h. vrac – braque
i. le bain – le vin

🔊 **Piste 07 – Comprendre – S'exprimer – Activité 10**

Laetitia : Bonjour Émilie, merci de répondre à quelques questions pour nous faire découvrir ta passion. Pourquoi as-tu créé les Fées Récup' ?
Émilie : D'abord, pour partager mon savoir-faire : j'adore décorer et transformer des objets ! Mais je voulais aussi répondre à un besoin important : rendre accessibles à tous des pratiques écologiques et économiques.

Transcriptions

Laetitia : Peux-tu définir l'*upcycling* ? Comment as-tu découvert cette pratique ?
Émilie : L'*upcycling*, pour moi, c'est l'art de valoriser un déchet. C'est-à-dire donner une seconde vie à une matière ou à un objet. En réalité, cette activité n'a rien de nouveau : tout le monde a déjà pratiqué l'*upcycling* au moins une fois dans sa vie. Ce qui est nouveau c'est le nom qu'on lui a donné. Personnellement, c'est une activité que j'adore et que je pratique depuis longtemps !
Laetitia : Pourquoi tu aimes ça ? Quels sont les avantages de cette pratique ?
Émilie : Avec l'*upcycling*, je peux adapter des objets à mes besoins et à mes goûts. J'aime l'originalité ! J'aime la création et la décoration et aussi, je n'aime pas jeter. L'*upcycling* permet de faire d'un déchet une source de créativité, de donner une nouvelle utilité à un objet et de faire quelque chose d'unique ! Je trouve que l'*upcycling* est magique !
Laetitia : Est-ce que c'est accessible à tous ou est-ce qu'il faut des connaissances particulières ?
Émilie : Tout le monde peut recycler des objets ! Pas besoin de connaissance particulière, il faut juste un peu d'imagination. Je vous donne un exemple : au lieu d'acheter un pot à crayons, on prend un bocal en verre (un pot à confiture, par exemple), on ajoute une déco et voilà ! Ça peut vraiment être très simple ! L'*upcycling*, ça demande un peu d'effort et de créativité mais ça peut avoir des impacts positifs sur l'environnement et sur le porte-monnaie !
Laetitia : Est-ce qu'il faut beaucoup de matériel ?
Émilie : Non, de la colle, des ciseaux, et de la peinture permettent déjà de faire beaucoup de choses ! Et si vous voulez trouver de l'inspiration, je vous donne rendez-vous sur le site des Fées Récup : vous y trouverez des tutos pour transformer des objets.

Laurence : Bonjour ! J'habite près de Montpellier, je travaille dans la communication et je suis maman de deux grands enfants, de 19 et 22 ans…
Journaliste : Et comment avez-vous commencé à utiliser des plateformes de vente de seconde main ?
Laurence : C'est ma fille qui m'a montré ça. Au début, je voulais surtout vendre, pour vider les placards et faire de la place. Et puis, j'ai commencé à regarder les vêtements que les gens vendaient et j'ai trouvé des articles de marques que j'aimais, à des prix très bas et…
Journaliste : Mais Laurence, l'idée de mettre un vêtement que quelqu'un a déjà porté, ce n'est pas un problème pour vous ?
Laurence : Non, ça ne me pose pas de problème. Je les choisis en bon état et je les lave quand je les reçois. Et souvent j'achète des articles neufs, avec l'étiquette encore sur le vêtement.
Journaliste : Et vous êtes toujours satisfaite ?
Laurence : Oui, en général je ne suis pas déçue. Une fois seulement, j'ai reçu un pull un peu abîmé mais je l'ai renvoyé, c'est vraiment simple ! Et j'ai pu faire ça parce qu'il ne correspondait pas à la description.
Journaliste : Et quelle est votre principale motivation ? Faire des économies ?
Laurence : Oui, bien sûr, mais aussi faire un geste pour la planète. On produit trop de vêtements et c'est un vrai problème !
Journaliste : On va voir si les motivations sont les mêmes pour nos auditeurs et auditrices. N'hésitez pas, si vous avez envie de témoigner sur votre manière d'acheter vos vêtements, par téléphone au 04 68 57 60 00 ou laissez-nous un message sur le site de la radio.

Leçon 3 • Choisir une tenue vestimentaire

🔊 Piste 08 – Prononciation / Phonie-graphie – Activité 7

a. Un bon moyen de s'habiller sans payer cher, c'est d'acheter des pièces dans une boutique d'occasion.
b. Il y a une relation de confiance entre le vendeur et le client.
c. Tous les soirs, j'utilise du démaquillant, en grande bouteille pour mes filles et moi.
d. La radio et les flyers annoncent les vide-greniers aux passionnés de mobilier ancien.

🔊 Piste 09 – Comprendre – S'exprimer – Activité 10

Journaliste : Passons maintenant à notre sujet sur le marché du vêtement de seconde main. Aujourd'hui c'est vraiment tendance de s'habiller avec des vêtements d'occasion ! On va en parler avec Laurence, qui pratique ça. Bonjour Laurence, alors dites-nous, qui êtes-vous ?

DOSSIER 3 Choisir son cadre de vie

Leçon 1 • Définir des critères pour le logement

🔊 Piste 10 – Prononciation / Phonie-graphie – Activité 6

Exemple : plus grand
a. plus éloigné
b. plus calme
c. plus de pièces
d. plus sombre
e. plus au centre
f. plus élevé
g. plus de fenêtres
h. plus loin du centre
i. plus ancien
j. plus beau

🔊 **Piste 11 – Comprendre – S'exprimer – Activité 9**

Frédérique : Le mag de France Bleu est consacré ce matin au logement étudiant. Avec nous, Julien Delaroche, agent immobilier. Bonjour et bienvenue !
Julien : Bonjour Frédérique !
Frédérique : Alors Julien, quelles sont les questions à se poser pour choisir un logement, quand on est étudiant ?
Julien : D'abord, il faut savoir ce que vous cherchez comme logement : un appartement, un logement chez l'habitant, un meublé, une colocation… Et l'autre question importante, c'est le quartier : est-ce que vous voulez habiter en centre-ville ou plus près du campus ? Est-ce que la proximité des transports en commun est un critère important pour vous ?
Frédérique : Concernant le type de logement, la colocation présente des avantages, non ?
Julien : Oui : cela permet à l'étudiant de ne pas vivre seul. Et puis, c'est aussi plus économique, moins cher qu'un logement individuel. Et nous savons que la question du budget est souvent très importante pour les étudiants.
Frédérique : Alors, quand on a trouvé une annonce qui nous plaît, qu'est-ce qu'il faut faire pendant la première visite ?
Julien : Je vous conseille de passer au moins 20 minutes dans le logement pour tout regarder. Ouvrez les fenêtres pour savoir si le quartier est bruyant, regardez l'état des équipements électriques : est-ce qu'ils fonctionnent bien ? Vérifiez aussi ce qu'il y a dans l'immeuble : ça peut être un critère de choix, par exemple si c'est important pour vous d'avoir un local à vélos parce que c'est votre mode de déplacement ou si vous avez besoin d'une cave pour plus de rangement.
Frédérique : Pour revenir à la question du budget : quand on loue un appartement, il n'y a pas que le loyer à prendre en compte ?
Julien : Non, bien sûr, il faut penser aux charges (eau, électricité, gaz…). D'abord, est-ce qu'elles sont comprises dans le loyer ? Et si elles ne le sont pas, il faut poser des questions au propriétaire sur le mode de chauffage et sur l'isolation : est-ce que cela va vous coûter cher en hiver ? Demandez des justificatifs pour calculer les coûts, si nécessaire.
Frédérique : Merci Julien, pour ces conseils.

Leçon 3 • Indiquer des règles de vie

🔊 **Piste 12 – Prononciation / Phonie-graphie – Activité 7**

Exemple : Toutes les portes restent ouvertes. Toute la maison reste ouverte.
a. Pour le bien-être de tout le monde, ne fumez pas ici. Pour le bien-être de tous les enfants, ne fumez pas ici.
b. Ils ont tondu tous les jardins. Ils ont tondu tout le gazon.
c. Toute la ville est piétonne. Toutes les rues sont piétonnes.
d. Tous les appartements sont propres. Tout l'appartement est propre.
e. Tout le parc est gratuit. Tous les parcs sont gratuits.
f. Toutes les jardinières sont fleuries. Toute la jardinière est fleurie.
g. La piscine est à tout le monde. La piscine est à tous les résidents.

🔊 **Piste 13 – Comprendre – S'exprimer – Activité 10**

Journaliste : Vous êtes bien sur le répondeur de Néon. Veuillez laisser un message après le bip sonore.
Femme 1 : Bonjour, je m'appelle Olga. Pour répondre à la question : moi, j'ai une voisine du dessus très bruyante, particulièrement tôt le matin ou le soir ! Elle déplace régulièrement des meubles, écoute de la musique très fort. Une fois, elle a même fait le ménage à deux heures du matin ! Et puis quand son petit ami est là, on les entend beaucoup se disputer… Une fois, je suis allée la voir pour essayer de discuter avec elle, lui demander de respecter au moins les horaires de silence de nuit qui sont indiqués dans le règlement de l'immeuble. Mais elle n'a rien voulu entendre ! Selon elle, le bruit, c'est dans mon imagination ; elle dit qu'elle est très calme et silencieuse… Maintenant, je sais plus quoi faire, je n'ai pas envie d'être en conflit avec elle mais la situation n'est plus supportable…
Homme : Salut Néon, alors moi c'est Clément. Mes précédents voisins étaient super gentils, c'étaient des personnes âgées. Ils étaient discrets, ils faisaient jamais de bruit, ils respectaient toutes les règles de la copropriété. Mais un jour, ils ont commencé à m'observer et à laisser des mots sous ma porte du type : « Vous savez qu'il est interdit de laisser votre poubelle sur le palier ? » ou encore « Nous avons dû nettoyer le sol de notre palier parce qu'il y avait des traces de chaussures. Faites attention à respecter le travail des agents d'entretien. » Je savais pas comment réagir parce que j'essayais d'être un bon voisin, respectueux des lieux et des personnes… et je voulais pas me disputer avec eux. Et puis un jour, je suis rentré de vacances et ils étaient plus là ! Est-ce qu'ils ont déménagé ? Est-ce qu'il leur est arrivé quelque chose ? Je n'ai jamais su. Mais bon, avec mes nouveaux voisins, j'ai plus de problème !
Femme 2 : Je m'appelle Noémie et j'en ai vraiment marre du chat de mes voisins ! Il fait ses crottes sur mon balcon et quand je laisse la fenêtre de ma chambre ouverte, il entre et s'installe sur mon lit. Mon fils de 4 ans est allergique aux poils de chats alors c'est vraiment un problème ! Quand j'ai expliqué la situation à mes voisins, ils m'ont dit de laisser ma fenêtre fermée… Donc, aujourd'hui, le problème n'est pas réglé et ce n'est pas normal ! Ils doivent surveiller leur animal, ça fait partie des règles de vie de l'immeuble !

Transcriptions

DOSSIER 4 S'insérer dans la vie active

Leçon 1 • Comprendre / Faire un descriptif de poste

🔊 **Piste 14 – Prononciation / Phonie-graphie – Activité 6**

Exemple : je garderai
a. je parlerai – **b.** je demanderai – **c.** je laverai – **d.** je prendrai – **e.** je mangerai – **f.** je monterai – **g.** je resterai – **h.** j'arrêterai – **i.** je réparerai – **j.** je cuisinerai – **k.** j'intégrerai – **l.** j'écouterai – **m.** je partagerai – **n.** je devrai

Leçon 2 • Postuler à un emploi

🔊 **Piste 15 – Prononciation / Phonie-graphie – Activité 6**

Bonjour ! Je suis gardien de phare en Bretagne. J'ai obtenu mon diplôme de gardien avec une formation d'État. Je suis breton depuis plusieurs générations. Dans ma famille, la mer est toute notre vie ! J'ai travaillé sur plusieurs phares en Bretagne et j'ai beaucoup d'expérience. Je suis aussi pêcheur. J'aime la solitude, la lecture et le bricolage. Je fais aussi de la photo, j'ai déjà publié un livre de photographies sur les soleils couchants et les tempêtes. Votre annonce m'intéresse parce que je voudrais connaître l'Islande.

🔊 **Piste 16 – Comprendre – S'exprimer – Activité 9**

Homme : C'est le grand jour ! Vous avez obtenu un entretien d'embauche pour le poste de vos rêves. Pour mettre toutes les chances de votre côté, il faut vous préparer. Quelles questions va-t-on vous poser ? Avec Marjorie, on ne va pas vous donner les réponses à ces questions mais on va vous aider à vous préparer. Première question : Pouvez-vous vous présenter ?
Marjorie : Cette question est moins facile qu'on croit. Un conseil pour bien la préparer : ne parlez pas trop longtemps, soyez efficace et clair. Résumez votre parcours et mettez en avant les compétences qui peuvent intéresser le recruteur.
Homme : Deuxième question : Pourquoi avez-vous postulé à ce poste et en particulier, dans notre entreprise ?
Marjorie : Attention, c'est la question sensible pour le recruteur ! Des arguments trop superficiels, comme « j'aime beaucoup la couleur de votre logo » ou trop pratiques : « j'habite à 10 minutes à pied… » ne sont pas les premiers arguments à donner. Dans votre réponse, parlez plutôt de l'entreprise, de ses points forts, de ses valeurs. Le recruteur doit sentir votre motivation à rejoindre son entreprise et pas une autre.
Homme : Troisième question : Quelles sont vos qualités, vos points d'amélioration ?
Marjorie : Question piège, qui peut prendre différentes formulations : « Que disent de vous vos collègues ? votre ancien manager ? » Ou « Pourquoi devrions-nous vous embaucher ? » Ça, c'est plutôt pour les qualités. « Quel est votre plus gros défaut ? » Peu importe votre réponse, l'important est de ne rester que sur le terrain professionnel. Les questions personnelles, comme les enfants ou le métier du conjoint, par exemple, n'ont pas leur place dans un entretien d'embauche.
Homme : Quatrième question : Comment parler d'une période sans travail dans votre CV ?
Marjorie : Période de chômage, année sabbatique, absence pour la naissance d'un bébé, l'important est de ne pas mentir au recruteur. Montrez comment vous avez utilisé cette période pour construire votre projet professionnel.
Homme : Cinquième question : Avez-vous des questions ?
Marjorie : C'est la question habituelle pour terminer un entretien. C'est très important de la préparer, cela montre votre motivation pour le poste. Vous pouvez questionner le recruteur, par exemple sur les projets de l'entreprise ou sur l'organisation de l'équipe. Soyez curieux !
Bien préparer son entretien avec ces cinq questions vous aidera à avoir un discours clair et structuré.
Homme et Marjorie : Bon entretien à vous !

Leçon 3 • (S') Informer sur une formation

🔊 **Piste 17 – Comprendre – S'exprimer – Activité 9**

1. Fouad : Et voilà mon atelier ! J'ai tout construit moi-même !
Abel : C'est super, Fouad ! Tu dois y passer tes journées…
Fouad : Ça c'est sûr. J'adore cet endroit. En plus, je peux voir ma famille plus souvent maintenant. J'en avais marre du travail de nuit à l'usine.
Abel : Alors, tu as démissionné ?
Fouad : Oui. Je voulais partir mais je ne savais pas quoi faire d'autre. Et j'avais peur de rester sans travail… et puis un jour, j'ai vu sur Internet un article sur le CEP et je les ai contactés.
Abel : Ah oui ?
Fouad : J'ai rencontré un conseiller, il m'a posé beaucoup de questions sur mon travail, mon parcours, mes passions… C'est là que je lui ai parlé de mes centres d'intérêt : faire des pièces de moto sur-mesure pour les copains.
Abel : Comment il a réagi ?
Fouad : Il était super intéressé et m'a demandé de réfléchir à un projet. Étude de marché, plans de l'atelier, site de commandes en ligne… je me suis lancé !
Abel : Quel boulot ! Ça t'a pris combien de temps ?
Fouad : Six mois ! Ensuite, avec mon conseiller, j'ai rempli un dossier pour expliquer mon projet et pouvoir démissionner. Et enfin…

2. Muriel : Qu'il est beau votre magasin ! Vous venez de vous installer ? Ma voisine m'a dit que c'est une reconversion professionnelle, c'est vrai ?
Philippe : Oui, c'est notre premier jour, on a ouvert ce matin ! Il y a un an, j'étais encore commercial dans le numérique… Bien loin des paniers de légumes ! Mais mon travail n'avait plus de sens et la pression était trop forte, je ne m'épanouissais plus et je n'avais plus envie d'aller au travail.
Muriel : Et comment vous est venue l'idée de changer de métier ?
Philippe : Un peu par hasard. Sur LinkedIn, j'ai vu une annonce pour le CEP, qui parlait de changement de vie. Ça m'a intéressé et j'ai cliqué.
Muriel : Si j'ai bien compris, c'est un service pour évoluer professionnellement ?
Philippe : C'est ça. J'ai eu un contact avec un conseiller. Ensemble, nous avons construit mon projet : une épicerie de quartier, qui privilégie les produits locaux. Et puis, avoir accès à tous ces beaux produits, c'est un vrai bonheur !
Muriel : Mais… ça doit être difficile de se lancer !
Philippe : J'ai eu la chance d'avoir de bons conseils : j'ai démissionné seulement quand j'étais certain que mon projet allait fonctionner. Et ensuite…

DOSSIER 5 Se distraire

Leçon 1 • Choisir un restaurant, interagir au restaurant

Piste 18 – Prononciation / Phonie-graphie – Activité 7

Exemple : Ce dessert est très original !
a. J'adore cette assiette !
b. Je trouve ça super épicé !
c. Ça a beaucoup de goût !
d. Que c'est cher !
e. Il y a trop de monde !
f. C'est vraiment exquis !
g. Comme l'accueil est froid !
h. Que le serveur est sympa !

Leçon 2 • Comprendre / Émettre un avis sur une œuvre

Piste 19 – Prononciation / Phonie-graphie – Activité 7

a. Un directeur de banque qui harcèle son employé à qui il arrive un tas d'aventures, c'est le sujet de la nouvelle comédie de Jean-Thierry Loreille.
b. Un père de famille et ses superpouvoirs qu'il ne maîtrise pas, qu'il cache à ses enfants à qui il ne veut rien dire : c'est le nouveau film pour enfants d'Anne-Lyse Duboissec.
c. Un jeu vidéo qui conduit vers une situation insupportable le héros, à qui il est interdit de parler sauf par gestes, c'est le nouveau thriller du réalisateur Tony Maillot.
d. *Romance*, c'est le film de Martine Larché qui attire un large public et qu'il faut voir cette saison.

Piste 20 – Comprendre – S'exprimer – Activité 10

Présentatrice : C'est l'heure de *Hashtag*, votre rendez-vous interactif du vendredi et, cette semaine, on parle de séries. La troisième saison de *Lupin* arrive aujourd'hui sur Netflix. Vous êtes peut-être « addict » à la série, voire aux séries en général parce que les plateformes qui les diffusent entretiennent cette « addiction ». Pour comprendre ce phénomène, *Hashtag* a rencontré des « sérivores » – des personnes qui consomment beaucoup de séries, de manière presque addictive – mais aussi des personnes qui conçoivent ces séries et nous rendent « accro ». C'est un reportage de Maxime Tallurier.
Maxime (journaliste) : Juliette, Benjamin et Logan sont de gros consommateurs de séries. Ils partagent tous une même passion.
Juliette : En ce moment, je regarde *Le Monde de demain* et aussi d'autres séries, j'en regarde toujours beaucoup en même temps !
Maxime (journaliste) : Logan est fan de *Game of Thrones* !
Logan : Ah oui ! Le jour de la sortie, je me suis levé à 3 heures du matin pour regarder le premier épisode de la saison 8 en direct !
Maxime (journaliste) : Les séries occupent une grande partie du temps libre de Benjamin.
Benjamin : Je n'arrive plus à lire parce que, quand je commence à regarder une saison, je ne sais pas m'arrêter… Mon record, c'est dix ou onze épisodes en un dimanche !
Maxime (journaliste) : Tous les trois sont abonnés à des plateformes comme Netflix, OCS ou Amazon Prime. Mais pour Juliette, ce n'est pas une addiction, c'est juste une joyeuse passion.
Juliette : Je trouve que les séries sont un loisir qui se partage, on peut parler des épisodes qu'on a vus, on peut les regarder ensemble… Mais je continue à lire, à aller au cinéma, à sortir, à mener une vie normale, quoi !
Présentatrice : C'était un reportage de Maxime Tallurier. Laurence Denaverre, scénariste, nous explique d'où vient cette passion pour les séries.
Laurence : Quand j'étais jeune, on regardait un épisode de série par semaine ou par jour, à heure fixe, mais aujourd'hui, les épisodes sont techniquement disponibles 24 heures sur 24 et sept jours sur sept sur les plateformes. Et, quand une série est bientôt finie, des algorithmes qui analysent vos centres d'intérêt et vos goûts permettent de vous faire des suggestions adaptées. Cela peut nous rendre vite accro !
Maxime (journaliste) : Les scénaristes, comme Laurence, ont compris comment accrocher le spectateur. Et ils ont aussi l'art de créer des personnages qui nous ressemblent.

Transcriptions

Laurence : Oui, chaque épisode possède un *cliffhanger* : la dernière scène laisse le spectateur en plein suspense, impatient de savoir comment la situation va évoluer pour les personnages. Cela lui donne envie de regarder immédiatement la suite. Et puis, nous travaillons beaucoup sur les personnages ; le spectateur doit s'identifier à son personnage préféré, il le voit évoluer au fil des épisodes avec ses contradictions et ses faiblesses, ce qui le rend très humain et il finit par faire partie du quotidien du spectateur.

Présentatrice : Et vous, êtes-vous accro aux séries ? Ou au contraire, avez-vous mis en place certaines habitudes pour passer moins de temps à les regarder ? Dites-nous tout en commentaire sur les réseaux sociaux.

DOSSIER 6 Découvrir de nouveaux horizons

Leçon 1 • Choisir / Décrire une destination

🔊 Piste 21 – Prononciation / Phonie-graphie – Activité 6a

Exemple : un grand océan
1. le grand Est
2. le Nord américain
3. un endroit atypique
4. un petit espace
5. de beaux endroits
6. un emplacement accessible
7. un bon aménagement
8. des grands espaces
9. un hébergement idéal

🔊 Piste 22 – Activité 6b

Exemple : des chemins inaccessibles → des chemins inaccessibles
1. des forêts amazoniennes – des forêts amazoniennes
2. des sentiers aménagés – des sentiers aménagés
3. des déserts étonnants – des déserts étonnants
4. des chalets incroyables – des chalets incroyables

Leçon 2 • Préparer / Raconter un voyage

🔊 Piste 23 – Comprendre, s'exprimer – Activité 8

1. En entrant chez des habitants, l'étranger qui vient d'arriver au Japon risque de faire une grave erreur : il avance à l'intérieur sans faire attention… et là, aïe aïe aïe ! « Vous écoutez *Traditions du monde*, le podcast qui décortique les us et coutumes, et vous fait voyager depuis votre canapé ! » Au Japon, personne ne fait cette erreur : en entrant dans une maison, chacun s'arrête dans le *genkan*, un petit espace qui sépare l'intérieur de l'extérieur, pour enlever ses chaussures et glisser les pieds dans des chaussons pour les invités, qui s'appellent des « suripppa ». Tout le monde respecte cet usage, lié à l'importance de la propreté dans la culture et mettre des chaussons est un devoir…

2. Au Groenland, une tradition importante existe toujours : le *kaffemik* : « Vous écoutez *Traditions du monde*, le podcast qui décortique les us et coutumes, et vous fait voyager depuis votre canapé ! » En groenlandais, *kaffemik* signifie « grâce au café ». C'est une réunion conviviale d'amis, de famille, de voisins, de collègues, de connaissances et ça se passe chez des habitants, qui l'organisent à l'occasion d'un événement important : une naissance, un anniversaire de mariage, un départ en retraite… Il n'y a pas d'horaires, pas d'invitation formelle. On dit seulement « Passez quand vous voulez, la porte sera ouverte… ». Les festivités durent toute la journée et parfois jusque dans la nuit. Même s'il neige ou si le temps est glacial, rien n'arrête les gens, personne ne manque l'invitation ! En arrivant, il faut enlever ses chaussures, comme toujours avant d'entrer dans un intérieur groenlandais. Après ça, en chaussettes, les participants discutent, rigolent, en mangeant et en buvant du café. Tout le monde peut venir, le touriste de passage est toujours le bienvenu ! Mais attention à ne pas rester trop longtemps ! Personne ne va vous mettre dehors, mais il faut savoir partir au bon moment, après 30 minutes en moyenne, pour laisser la place à d'autres participants. Et il ne faut pas oublier d'apporter un petit cadeau pour chacun des membres de la famille qui invite.

3. En Chine, la sieste est une institution. Dans tout le pays, après le déjeuner, tout s'arrête ! « Vous écoutez *Traditions du monde*, le podcast qui décortique les us et coutumes, et vous fait voyager depuis votre canapé ! » À Shenzhen, mégalopole industrielle aux treize millions d'habitants, après le déjeuner tout s'arrête : les téléphones arrêtent de sonner, les machines se taisent dans les usines, même les rues deviennent silencieuses. La sieste – le mot en mandarin signifie « sommeil de midi » – est obligatoire ici : l'employé commence sa journée de travail très tôt, s'interrompt à 11 heures et prend un déjeuner très rapide. Après, vient le moment de la sieste collective : tout le monde dort pendant vingt à trente minutes, jamais plus. Christophe Coutelle témoigne. Ce Français de 47 ans a travaillé pendant neuf ans à Shenzhen. Au début, il était choqué : en rentrant du déjeuner, une fois les rideaux du bureau fermés, chacun sortait son lit pliant, son oreiller et sa couverture. Au début, il résistait et puis il s'est habitué, surtout quand son chef lui a offert comme cadeau… un oreiller !

Leçon 3 • Raconter un défi, une aventure

🔊 **Piste 24 – Prononciation, phonie-graphie – Activité 7**

Exemple : assure – assure – azur – assure
a. bord – port – port – port
b. faire – verre – faire – faire
c. chant – chant – Jean – chant
d. coûte – goûte – coûte – coûte
e. des – tes – tes – tes
f. zèle – sel – zèle – zèle
g. car – car – gare – car
h. bar – bar – bar – pars
i. temps – temps – temps – dent

DOSSIER 7 S'informer, se cultiver

Leçon 2 • (S') Informer sur des manifestations sportives

🔊 **Piste 25 – Prononciation / Phonie-graphie – Activité 7**

Exemple : Pourquoi les organisateurs ont-ils choisi de faire une course la nuit ?
a. Cet événement permettra-t-il aux gens de pratiquer un sport ?
b. Les JO sont-ils l'occasion de développer la pratique du sport ?
c. Les enfants font-ils assez d'activité physique ?
d. En combien de temps l'athlète a-t-il terminé la course ?
e. Que pense-t-il de sa performance ?

🔊 **Piste 26 – Comprendre – S'exprimer – Activité 10**

1. Football : 43 % des Français déclarent ne jamais suivre l'actualité du foot.
Le sondage réalisé par Odoxa pour RTL ce samedi 22 juin porte sur l'intérêt des Français pour le football.
38 % des Français déclarent qu'ils suivent régulièrement l'actualité du football, 19 % s'y intéressent mais uniquement pendant les grands événements et 43 % ne la suivent pas du tout.
Pour les personnes qui suivent l'actualité du foot, les sujets qui les intéressent le plus sont les performances des joueurs, mais aussi les informations sur les relations humaines dans les équipes.
La moitié de ces personnes pense que les médias doivent parler des affaires extra-sportives parce qu'elles ont un lien direct avec le moral des sportifs et les performances des équipes.

2. Jeux paralympiques : seulement 23 % des Français connaissent des athlètes handisport.
Le dernier sondage réalisé par Odoxa pour RTL ce dimanche 27 août porte sur les prochains Jeux paralympiques d'été.
49 % des Français ont l'intention de regarder des épreuves des Jeux paralympiques. Ce chiffre a progressé de 10 points par rapport aux Jeux paralympiques précédents.
La majorité des personnes interrogées disent que le handisport bénéficie d'une très bonne image : il fait évoluer les mentalités, on admire les athlètes pour leur courage et leur volonté, et il est aussi intéressant à suivre que d'autres épreuves.
Mais seulement 23 % des Français connaissent des athlètes handisport et suivent leurs performances. Qu'est-ce qui explique ce chiffre ? Cette catégorie sportive n'est pas encore suffisamment médiatisée.

Leçon 3 • Comprendre / Donner un avis sur un livre

🔊 **Piste 27 – Prononciation / Phonie-graphie – Activité 6**

Exemple : Je ne suis pas du tout de ton avis !
a. Non, pas du tout !
b. Je suis tout à fait d'accord !
c. Tu as peut-être raison, c'est vrai.
d. Tu as entièrement raison !
e. Ah mais oui, je suis bien d'accord !
f. Non, je ne suis pas d'accord !

DOSSIER 8 Se souvenir, transmettre

Leçon 1 • Faire une biographie

🔊 **Piste 28 – Prononciation / Phonie-graphie – Activité 7**

Exemple : Ils veulent laisser un témoignage et écrire leur biographie.
a. Pourquoi voulez-vous écrire la vôtre ?
b. Ça peut aussi intéresser un descendant.
c. Je vais avoir 80 ans et je vais être arrière-grand-père.
d. Des photos, vous pouvez en sélectionner quelques-unes.
e. Maria était arrivée en 1930 à Paris et ça a été compliqué au début.
f. Elle a exercé son métier quelques années et elle a arrêté.
g. Elle a épousé Luigi qui était maçon et qui a construit leur maison en banlieue.

🔊 **Piste 29 – Comprendre – S'exprimer – Activité 9**

Femme : France Bleu Normandie, *Côté experts*. Émilien Maturie.

Émilien Maturie (le journaliste) : Quelquefois, en vieillissant, on souhaite en savoir plus sur sa famille et

Transcriptions

ses ancêtres et on se lance dans des recherches généalogiques. Vous avez fait votre arbre généalogique ou vous êtes en train de le faire ? Pourquoi avez-vous décidé de vous lancer dans ces recherches ? Comment cela a-t-il commencé ? On en discute avec vous au 02 37 66 66. Et n'hésitez pas à partager votre expérience ou vos questions sur notre blog *Côté experts* France Bleu Normandie. Notre invité aujourd'hui, c'est Michel Rigaut. Bonjour Michel.
Michel : Bonjour !
Émilien Maturie (le journaliste) : Merci d'être avec nous. Vous êtes le président fondateur du cercle généalogique de Normandie. Vous êtes un passionné depuis longtemps ?
Michel : Oui, j'ai commencé en 1974, j'avais 20 ans. Je suis allé au cimetière avec ma grand-mère et j'ai découvert que plusieurs tombes portaient mon nom de famille. Ça m'a donné envie de rechercher si j'avais un lien de parenté avec toutes ces personnes. Et c'est comme ça que ça a commencé : je suis allé interroger les gens de mon village pour obtenir des informations.
Émilien Maturie (le journaliste) : Donc pour commencer ce type de recherches, il faut discuter avec les anciens, leur poser des questions ?
Michel : C'est ça, poser des questions aux personnes de l'entourage familial quand elles sont encore là, c'est très important.
Émilien Maturie (le journaliste) : Et pourquoi c'est important de connaître ses aïeux ?
Michel : Pour moi, principalement pour répondre à cette question : d'où vient-on ? Qu'est-ce qui fait que nous sommes ce que nous sommes ?
Émilien Maturie (le journaliste) : Alors, nous avons en ligne notre première auditrice. Bonjour Nadine !
Nadine : Bonjour ! Je voulais intervenir à propos des photos. On a tous des photos anciennes qui dorment dans un tiroir et souvent, à la génération suivante, elles finissent à la poubelle. Moi, j'ai commencé par ça au début : j'avais retrouvé un vieil album photos de l'époque de mon arrière-grand-mère. J'ai donc interrogé toutes les personnes les plus anciennes de ma famille pour mettre des noms sur ces visages.
Émilien Maturie (le journaliste) : Et ensuite, vous êtes allée plus loin dans vos recherches ?
Nadine : Oui, parce que j'ai découvert qu'une partie de ma famille avait émigré en Argentine au début du 20e siècle, donc j'ai été curieuse d'en savoir plus. Aujourd'hui, j'ai des contacts avec cette branche de ma famille argentine, c'est très intéressant d'un point de vue culturel !
Le journaliste : Merci Nadine, de votre appel ! C'est Jean qui est avec nous, maintenant. Bonjour Jean !
Jean : Bonjour !
Émilien Maturie (le journaliste) : Vous faites de la généalogie depuis longtemps, vous, je crois.
Jean : Oui, j'ai commencé à faire mon arbre généalogique à l'école primaire, à l'âge de 10 ans ; c'était un exercice pour la classe. Ça m'a vraiment passionné alors j'ai continué. Maintenant, je fais ça depuis quarante ans et j'ai réussi à remonter dans le passé jusqu'à l'année 1755.
Le journaliste : Ah oui, belle recherche !
Jean : Oui, je suis allé assez loin parce qu'il y a aussi une dimension historique qui est importante pour moi. Quand vous lisez des archives d'état civil, vous trouvez des infos et des anecdotes passionnantes : les métiers qu'exerçaient nos ancêtres, leurs conditions de travail, leur mode de vie… c'est très intéressant !
Émilien Maturie (le journaliste) : Et c'est plein d'émotions, aussi, toutes ces recherches, non ?
Jean : Oui, parfois on découvre qu'on a un lien familial lointain avec des personnes qu'on connaît… Moi, par exemple, maintenant, je sais que certaines personnes de mon village sont en réalité des cousins éloignés…
Émilien Maturie (le journaliste) : Merci Jean ! Alors Michel, revenons à vous. Comment faut-il procéder pour faire ses recherches de manière efficace…

Leçon 3 • Exprimer une vision pour l'avenir

Piste 30 – Prononciation / Phonie-graphie – Activité 6

Exemple : Cette cuillère sur le logo signifie que la cuisine est faite maison et je m'en réjouis.
a. La Suisse jouit de beaucoup de pluie en juillet, depuis le dérèglement climatique.
b. À Jouy, où j'habite, le bruit est réduit, il y a moins de pollution sonore.
c. Louise est épanouie en Louisiane, où elle construit des structures écologiques.
d. Oui, cette huile est produite ici et transportée jusqu'à l'épicerie équitable de Montlouis gratuitement.
e. Je suis éblouie par la quantité de fruits cette année suite aux pluies du printemps !
f. Je cuisine des légumes et je réduis ma consommation de viande.

DELF A2 Compréhension de l'oral

Piste 31

Vous allez écouter plusieurs documents. Il y a deux écoutes. Avant chaque écoute, vous entendez le son suivant. Dans les exercices 1, 2 et 3, pour répondre aux questions, cochez la bonne réponse.

Piste 32 – Exercice 1

Vous êtes en France. Vous écoutez des annonces publiques. Lisez les questions.
Écoutez les documents puis répondez.

Document 1

Bonjour à tous ! Ce week-end, visitez le nouveau musée d'histoire de la communication à Neuville-sur-

Seine et découvrez des moyens de communication d'époque. Gratuit et sur rendez-vous uniquement. Réservation par email ou par téléphone.

🔊 Piste 33 – Document 2

« Si tu ne le portes plus, donne-le ! » C'est le nouveau slogan qu'Emmaüs a lancé pour donner une seconde vie aux vêtements et offrir une deuxième chance à des centaines de personnes sans emploi.

🔊 Piste 34 – Document 3

Au Forum des métiers, venez découvrir des dizaines de métiers grâce à des vidéos et des rencontres avec des professionnels. Rendez-vous samedi prochain, au parc des expositions de Grenoble, à partir de 10 heures !

🔊 Piste 35 – Document 4

L'association Diapason organise le Festival des chorales intergénérationnelles sur le thème de l'environnement. Cette année, le festival regroupera à Lyon, à la salle Molière, 720 chanteurs choristes venus de toute la France.

🔊 Piste 36 – Document 5

À Avignon, les Halles vous accueillent en plein cœur de la ville. Tous les matins, du mardi au dimanche, venez découvrir tous les produits au parfum de la Provence authentique !

🔊 Piste 37 – Document 6

Chers lecteurs, tous les vendredis à 18 h 30, au premier étage de notre médiathèque, venez écoutez de jeunes acteurs qui lisent à voix haute des extraits de romans célèbres. C'est gratuit ! Inscription obligatoire.

🔊 Piste 38 – Exercice 2 – Document 1

824 membres d'une même famille se sont réunis dimanche à Lille. Il y a cent vingt-cinq ans, un couple faisait promettre à leurs six enfants de continuer à se réunir. Donc, tous les quatre ans la famille se réunit. Certains ont même traversé l'Atlantique pour partager ce moment !

🔊 Piste 39 – Document 2

Au musée de la Mémoire vivante, l'exposition *Pourquoi écrivent-elles ?* vous invite à explorer les journaux intimes de quatre générations de femmes qui ont pratiqué cette forme d'écriture. Cette exposition est destinée à évoluer. Si vous souhaitez contribuer avec vos écrits personnels, contactez-nous.

🔊 Piste 40 – Document 3

La Boutique du vrac change votre façon de faire les courses. Nos produits sont accessibles du mardi au dimanche dans notre magasin et le lundi en ligne. Venez avec vos contenants réutilisables pour contribuer à l'élimination des sachets plastique.

🔊 Piste 41 – Exercice 3 : Comprendre une interaction entre locuteurs natifs

Vous écoutez ce message sur un répondeur téléphonique. Lisez les questions. Écoutez le document puis répondez.
Bonjour ! C'est Stéphane. Je serai absent jusqu'à jeudi. Vendredi, toute l'équipe se réunira pour préparer le forum des associations. Je vous rappelle les cinq étapes à suivre pendant mon absence : appeler la mairie pour confirmer la disponibilité de la salle Consulaire ; rédiger le texte de présentation pour le journal de la ville et la radio locale ; créer un lien d'inscription sur notre site et contacter le photographe qui doit prendre des photos de l'événement. Enfin, merci de communiquer au traiteur le nombre d'invités à l'inauguration.
À vendredi !

🔊 Piste 42 – Exercice 4

Vous écoutez quatre dialogues. Cochez pour associer chaque dialogue à la situation correspondante. Attention : il y a six situations mais seulement quatre dialogues. Lisez les situations. Écoutez les dialogues puis répondez.

🔊 Piste 43 – Dialogue 1

Mathilde : Bonjour Léa. Tu as vu l'exposition sur le street art au musée d'art moderne ?
Léa : Oui et j'ai adoré ! Je trouve ces artistes très originaux ! Le street art, c'est un art vraiment pour tous !

🔊 Piste 44 – Dialogue 2

Le père : Les enfants, ce soir, Maman et moi, on va au cinéma.
La fille : Alors, on peut manger une pizza et regarder un film à la télé ?
Le père : Oui, d'accord ! Mais au lit à dix heures, hein !

🔊 Piste 45 – Dialogue 3

Le mari : Alors Sabrina, comment tu as trouvé le nouveau restaurant hier soir ?
La femme : Le service était très lent. Trois heures pour manger deux plats, c'est vraiment trop long !!!
Le mari : Oui, tu as raison. Je vais mettre un commentaire négatif sur leur site…

🔊 Piste 46 – Dialogue 4

Grand-père : Gabriel, qu'est-ce que tu vas faire après tes études ?
Gabriel : Je rêve de m'engager dans une association internationale pour lutter contre les inégalités. J'ai l'espoir qu'un jour notre monde sera plus juste !

Lexique

DOSSIER 1

LEÇON 1

accueillir (v.)	[akœjir]
aider (v.)	[ɛde]
amical(e) (adj.)	[amikal]
amitié (n. f.)	[amitje]
attentif(-ive) (adj.)	[atɑ̃tif] / [atɑ̃tiv]
attention (n. f.)	[atɑ̃sjɔ̃]
compter (v) sur qqn	[kɔ̃te]
confiance (n. f.)	[kɔ̃fjɑ̃s]
confidence (n. f.)	[kɔ̃fidɑ̃s]
confident(e) (n.)	[kɔ̃fidɑ̃] / [kɔ̃fidɑ̃t]
conjoint(e) (n.)	[kɔ̃ʒwɛ̃] / [kɔ̃ʒwɛ̃t]
connaissance (n. f.)	[kɔnɛsɑ̃s]
copain / copine (n.)	[kɔpɛ̃] / [kɔpin]
défaut (n. m.)	[defo]
dire (v.)	[dir]
discuter (v.)	[diskyte]
disponible (adj.)	[dispɔnibl]
disponibilité (n. f.)	[dispɔnibilite]
drôle (adj.)	[drol]
écrire (v.)	[ekrir]
fidèle (adj.)	[fidɛl]
fidélité (n. f.)	[fidelite]
généreux(-euse) (adj.)	[ʒenerø] / [ʒenerøz]
générosité (n. f.)	[ʒenerozite]
héberger (v.)	[ebɛrʒe]
humour (n. m.)	[ymur]
intime (adj.)	[ɛ̃tim]
lire (v.)	[lir]
message (n. m.)	[mesaʒ]
peine (n. f.)	[pɛn]
petit(e) ami(e) (n.)	[p(ə)titami]
positif(-ive) (adj.)	[pɔzitif] / [pɔzitiv]
positivité (n. f.)	[pɔzitivite]
précieux(-euse) (adj.)	[presjø] / [presjøz]
pote (n.)	[pɔt]
proche (adj.)	[prɔʃ]
qualité (n. f.)	[kalite]
relation (n. f.)	[rəlasjɔ̃]
refaire le monde (v.)	[rəfɛrləmɔ̃d]
remercier (v.)	[rəmɛrsje]
secret (n. m.)	[səkrɛ]
sincère (adj.)	[sɛ̃sɛr]
sincérité (n. f.)	[sɛ̃serite]
vexer (v.)	[vɛkse]

LEÇON 2

addiction (n. f.)	[adiksjɔ̃]
appli (n. f.)	[apli]
augmenter (v.)	[ogmɑ̃te]
bénédiction (n. f.)	[benediksjɔ̃]
cerveau (n. m.)	[sɛrvo]
changement (n. m.)	[ʃɑ̃ʒ(ə)mɑ̃]
changer (v.)	[ʃɑ̃ʒe]
communication (n. f.)	[kɔmynikasjɔ̃]
concentration (n. f.)	[kɔ̃sɑ̃trasjɔ̃]
connecté(e) (adj.)	[kɔnɛkte]
déconnexion (n. f.)	[dekɔnɛksjɔ̃]
décrire (v.)	[dekrir]
développer (v.)	[dev(ə)lɔpe]
diminuer (v.)	[diminɥe]
écran (n. m.)	[ekrɑ̃]
époque (n. f.)	[epɔk]
fixer (v.)	[fikse]
fonctionnalité (n. f.)	[fɔ̃ksjɔnalite]
forfait (n. m.)	[fɔrfɛ]
GPS (n. m.)	[ʒepeɛs]
habitude (n. f.)	[abityd]
jeu de société (n. m.)	[ʒødə(ə)sɔsjete]
lightphone (n. m.)	[lajtfɔn]
ligne (n. f.)	[liɲ]
like (n. m.)	[lajk]
malédiction (n. f.)	[malediksjɔ̃]
minimaliste (adj.)	[minimalist]
modifier (v.)	[mɔdifje]
numérique (n. m.)	[nymerik]
partager (v.)	[partaʒe]
performant(e) (adj.)	[pɛrfɔrmɑ̃] / [pɛrfɔrmɑ̃t]
poster (v.)	[pɔste]
présentiel (n. m.)	[prezɑ̃sjɛl]
réseau social (n. m.)	[rezosɔsjal]
s'appeler (v.)	[sap(ə)le]
se connecter (v.)	[s(ə)kɔnɛkte]
se réunir (v.)	[s(ə)reynir]
smartphone (n. m.)	[smartfɔn]
sms (n. m.)	[ɛsɛmɛs]
suivre (v.)	[sɥivr]
superficiel(le) (adj.)	[sypɛrfisjɛl]
télétravailler (v.)	[teletravaje]
transformer (v.)	[trɑ̃sfɔrme]
visio (n. f.)	[vizjo]
youtubeur (n. m.)	[jutybœr]

LEÇON 3

amoureux(-euse) (adj.)	[amurø] / [amurøz]
artiste peintre (n.)	[artistəpɛ̃tr]
bande (n. f.)	[bɑ̃d]
chanteur(-euse) (n.)	[ʃɑ̃tœr] / [ʃɑ̃tøz]
chronologie (n. f.)	[krɔnɔlɔʒi]
chouette	[ʃwɛt]
cinéaste (n.)	[sineast]
colère (n. f.)	[kɔlɛr]
collège (n. m.)	[kɔlɛʒ]
content(e) (adj.)	[kɔ̃tɑ̃] / [kɔ̃tɑ̃t]
couturier(-ère) (n.)	[kutyrje] / [kutyrjɛr]
déprimé(e) (adj.)	[deprime]
dommage	[dɔmaʒ]
dramaturge (n.)	[dramatyrʒ]
école (n. f.)	[ekɔl]
écrivain(e) (n.)	[ekrivɛ̃] / [ekrivɛn]
en avoir marre (v.)	[ɑ̃navwarmar]
évolution (n. f.)	[evɔlysjɔ̃]
faire connaissance (v.)	[fɛrkɔnɛsɑ̃s]
heureux(-euse) (adj.)	[ørø] / [ørøz]
licence (n. f.)	[lisɑ̃s]
lycée (n. m.)	[lise]
naître (v.)	[nɛtr]
peur (n. f.)	[pœr]
ressenti (n. m.)	[resɑ̃ti]
se connaître (v.)	[s(ə)kɔnɛtr]
se disputer (v.)	[s(ə)dispyte]
s'entendre (v.)	[sɑ̃tɑ̃dr]
se séparer (v.)	[səsepare]
se réconcilier (v.)	[s(ə)rekɔ̃silje]
se revoir (v.)	[s(ə)rəvwar]
se sentir (v.)	[səsɑ̃tir]
seul(e) (adj.)	[sœl]
tolérance (n. f.)	[tɔlɛrɑ̃s]
triste (adj.)	[trist]
université (n. f.)	[ynivɛrsite]

DOSSIER 2

LEÇON 1

baguette (n. f.)	[bagɛt]
bidon (n. m.)	[bidɔ̃]
bifteck (n. m.)	[biftɛk]
boucher(-ère) (n.)	[buʃe] / [buʃɛr]
boucherie (n. f.)	[buʃ(ə)ri]
boulanger(-ère) (n.)	[bulɑ̃ʒe] / [bulɑ̃ʒɛr]
boulangerie (n. f.)	[bulɑ̃ʒ(ə)ri]
bouquet (n. m.)	[bukɛ]
bouteille (n. f.)	[butɛj]
camembert (n. m.)	[kamɑ̃bɛr]
capsule (n. f.)	[kapsyl]
caviste (n.)	[kavist]
charcuterie (n. f.)	[ʃarkyt(ə)ri]
charcutier(-ière) (n.)	[ʃarkytje] / [ʃarkytjɛr]
commerce (n. m.)	[kɔmɛrs]
compostable (adj.)	[kɔ̃pɔstabl]
composter (v.)	[kɔ̃pɔste]
courses (n. f. pl.)	[kurs]
crème (n. f.)	[krɛm]
cru(e) (adj.)	[kry]
déchet (n. m.)	[deʃɛ]

41

Lexique

délicieux(-euse) (adj.)	[delisjø] / [delisjøz]
disque démaquillant (n. m.)	[diskədemakijɑ̃]
empilable (adj.)	[ɑ̃pilabl]
empiler (v.)	[ɑ̃pile]
épais / épaisse (adj.)	[epɛ] / [epɛs]
ferme (adj.)	[fɛrm]
filet (n. m.)	[filɛ]
flacon (n. m.)	[flakɔ̃]
fleuriste (n.)	[flørist]
fromager(-ère) (n.)	[frɔmaʒe] / [frɔmaʒɛr]
fromagerie (n. f.)	[frɔmʒ(ə)ri]
gras(se) (adj.)	[gra] / [gras]
jambon (n. m.)	[ʒɑ̃bɔ̃]
jetable (adj.)	[ʒətabl]
jeter (v.)	[ʒ(ə)te] / [ʃte]
lasagnes (n. f. pl.)	[lazaɲ]
lessive (n. f.)	[lesiv]
liste (n. f.)	[list]
melon (n. m.)	[məlɔ̃]
mou / molle (adj.)	[mu] / [mɔl]
mouchoir (n. m.)	[muʃwar]
mûr(e) (adj.)	[myr]
plateforme (n. f.)	[plat(ə)fɔrm]
pliable (adj.)	[plijabl]
plier (v.)	[plije]
poissonnerie (n. f.)	[pwasɔn(ə)ri]
poissonnier(-ère) (adj.)	[pwasɔnje] / [pwasɔnjɛr]
pot (n. m.)	[po]
primeur (n. m.)	[primœr]
produit vaisselle (n. m.)	[prɔdɥi vesɛl]
recyclable (adj.)	[rəsiklabl]
recycler (v.)	[rəsikle]
sac (n. m.)	[sak]
saumon (n. m.)	[somɔ̃]
savon (n. m.)	[savɔ̃]
sucré(e) (adj.)	[sykre]
tomate (n. f.)	[tɔmat]
traiteur (n. m.)	[trɛtœr]
tranche (n. f.)	[trɑ̃ʃ]
viande (n. f.)	[vjɑ̃d]
vinaigre (n. m.)	[vinɛgr]
vrac (n. m.)	[vrak]
utilisable (adj.)	[ytilizabl]
utiliser (v.)	[ytilize]

LEÇON 2

achat (n. m.)	[aʃa]
acheter (v.)	[aʃ(ə)te]
ancien(ne) (adj.)	[ɑ̃sjɛ̃] / [ɑ̃sjɛn]
article (n. m.)	[artikl]
besoin (n. m.)	[bəzwɛ̃]
bocal (n. m.)	[bɔkal]
bois (n. m.)	[bwa]
céramique (n. f.)	[seramik]
chauffe-pieds (n. m.)	[ʃof(ə)pje]
ciseaux (n. m. pl.)	[sizo]
colle (n. f.)	[kɔl]
commande (n. f.)	[kɔmɑ̃d]
corbeille (n. f.)	[kɔrbɛj]
coupe-ongles (n. m.)	[kupɔ̃gl]
cuir (n. m.)	[kɥir]
cylindrique (adj.)	[silɛ̃drik]
déchet (n. m.)	[deʃɛ]
diamètre (n. m.)	[djamɛtr]
dimension (n. f.)	[dimɑ̃sjɔ̃]
état (n. m.)	[eta]
fer (n. m.)	[fɛr]
fonction (n. f.)	[fɔ̃ksjɔ̃]
forme (n. f.)	[fɔrm]
hauteur (n. f.)	[otœr]
lampe (n. f.)	[lɑ̃p]
lance-pierre (n. m.)	[lɑ̃s(ə)pjɛr]
largeur (n. f.)	[larʒœr]
lave-vaisselle (n. m.)	[lav(ə)vesɛl]
lit (n. m.)	[li]
livraison (n. f.)	[livrɛzɔ̃]
longueur (n. f.)	[lɔ̃gœr]
lunettes (n. f. pl.)	[lynɛt]
métal (n. m.)	[metal]
miroir (n. m.)	[mirwar]
objet (n. m.)	[ɔbʒɛ]
occasion (n. f.)	[ɔkazjɔ̃]
ovale (adj.)	[ɔval]
paiement (n. m.)	[pɛmɑ̃]
poids (n. m.)	[pwa]
porte-monnaie (n. m.)	[pɔrt(ə)mɔnɛ]
porte-serviettes (n. m.)	[pɔrt(ə)sɛrvjɛt]
rectangulaire (adj.)	[rɛktɑ̃gylɛr]
remboursement (n. m.)	[rɑ̃bursəmɑ̃]
retrait (n. m.)	[rətrɛ]
rond(e) (adj.)	[rɔ̃] / [rɔ̃d]
savoir-faire (n. m.)	[savwarfɛr]
soie (n. f.)	[swa]
tire-bouchon (n. m.)	[tirbuʃɔ̃]
tuto (n. m.)	[tyto]
upcycling (n. m.)	[œpsikliŋ]
usage (n. m.)	[yzaʒ]
usé(e) (adj.)	[yze]
valoriser (v.)	[valɔrize]
vase (n. m.)	[vaz]
verre (n. m.)	[vɛr]
vintage (adj.)	[vintɛdʒ]

LEÇON 3

abîmé (adj.)	[abime]
accessoire (n. m.)	[akseswar]
assorti(e) (adj.)	[asɔrti]
beige (adj.)	[bɛʒ]
blouson (n. m.)	[bluzɔ̃]
bottes (n. f. pl.)	[bɔt]
capuche (n. f.)	[kapyʃ]
ceinture (n. f.)	[sɛ̃tyr]
chapeau (n. m.)	[ʃapo]
chaussures (n. f. pl.)	[ʃosyr]
chemise (n. f.)	[ʃ(ə)miz]
chemisier (n. m.)	[ʃ(ə)mizje]
costume (n. m.)	[kɔstym]
coton (n. m.)	[kɔtɔ̃]
coupe-vent (n. m.)	[kupvɑ̃]
cravate (n. f.)	[kravat]
essayer (v.)	[eseje]
foulard (n. m.)	[fular]
jean (n. m.)	[dʒin]
jupe (n. f.)	[ʒyp]
laine (n. f.)	[lɛn]
manche (n. f.)	[mɑ̃ʃ]
manteau (n. m.)	[mɑ̃to]
mobilier (n. m.)	[mɔbilje]
nettoyer (v.)	[netwaje]
paillettes (n. f. pl.)	[pajɛt]
paire (n. f.)	[pɛr]
pantalon (n. m.)	[pɑ̃talɔ̃]
payer (v.)	[pɛje]
pois (n. m. pl.)	[pwa]
pointure (n. f.)	[pwɛ̃tyr]
plat(e) (adj.)	[pla] / [plat]
prix (n. m.)	[pri]
pull (n. m.)	[pyl]
rayure (n. f.)	[rɛjyr]
renvoyer (v.)	[rɑ̃vwaje]
robe (n. f.)	[rɔb]
sandales (n. f. pl.)	[sɑ̃dal]
slip (n. m.)	[slip]
taille (n. f.)	[taj]
talon (n. m.)	[talɔ̃]
tee-shirt (n. m.)	[tiʃœrt]
tenue (n. f.)	[təny]
veste (n. f.)	[vɛst]
vestimentaire (adj.)	[vɛstimɑ̃tɛr]
vêtement (n. m.)	[vɛt(ə)mɑ̃]
voir (v.)	[vwar]

DOSSIER 3

LEÇON 1

agencé(e) (adj.)	[aʒɑ̃se]
agent (n. m.)	[aʒɑ̃]
agréable (adj.)	[agreabl]
ancien(ne) (adj.)	[ɑ̃sjɛ̃] / [ɑ̃sjɛn]
animé(e) (adj.)	[anime]
appartement (n. m.)	[apart(ə)mɑ̃]
ascenseur (n. m.)	[asɑ̃sœr]
avantageux(-euse) (adj.)	[avɑ̃taʒø] / [avɑ̃taʒøz]
baignoire (n. f.)	[bɛɲwar]
balcon (n. m.)	[balkɔ̃]
bruit (n. m.)	[brɥi]
bruyant(e) (adj.)	[brɥijɑ̃]
budget (n. m.)	[bydʒɛ]
cachet (n. m.)	[kaʃɛ]
coin cuisine (n. m.)	[kwɛ̃ kɥizin]
calme (adj.)	[kalm]
coût (n. m.)	[ku]
cave (n. f.)	[kav]
centre (n. m.)	[sɑ̃tr]
centre-ville (n. m.)	[sɑ̃trəvil]
charges (n. f. pl.)	[ʃarʒ]
charme (n. m.)	[ʃarm]
chauffage (n. m.)	[ʃofaʒ]
cheminée (n. f.)	[ʃ(ə)mine]
choix (n. m.)	[ʃwa]
colocation (n. f.)	[kɔlɔkasjɔ̃]
compris(e) (adj.)	[kɔ̃pri] / [kɔ̃priz]
cour (n. f.)	[kur]
critère (n. m.)	[kritɛr]
dégagé(e) (adj.)	[degaʒe]
déménager (v.)	[demenaʒe]
déplacement (n. m.)	[deplas(ə)mɑ̃]
élevé(e) (adj.)	[el(ə)ve]
emménager (v.)	[ɑ̃menaʒe]
emplacement (n. m.)	[ɑ̃plas(ə)mɑ̃]
équipement (n. m.)	[ekip(ə)mɑ̃]
espace (n. m.)	[ɛspas]
étage (n. m.)	[etaʒ]
excentré(e) (adj.)	[ɛksɑ̃tre]
exposé(e) (adj.)	[ɛkspoze]
fenêtre (n. f.)	[f(ə)nɛtr]
immeuble (n. m.)	[imœbl]
immobilier(-ère) (adj.)	[imɔbilje] / [imɔbiljɛr]
individuel(le) (adj.)	[ɛ̃dividɥɛl]
isolation (n. f.)	[izɔlasjɔ̃]
isolé(e) (adj.)	[izɔle]
logement (n. m.)	[lɔʒ(ə)mɑ̃]
louer (v.)	[lwe]
loyer (n. m.)	[lwaje]
lumière (n. f.)	[lymjɛr]
lumineux(-euse) (adj.)	[lyminø] / [lyminøz]
luminosité (n. f.)	[lyminozite]
mètre carré (n. m.)	[mɛtrə kare]
meublé(e) (adj.)	[mœble]
meublé (n. m.)	[mœble]
moderne (adj.)	[mɔdɛrn]
neuf / neuve (adj.)	[nœf] / [nœv]
organisé(e) (adj.)	[ɔrganize]
parquet (n. m.)	[parkɛ]
peinture (n. f.)	[pɛ̃tyr]
pièce (n. f.)	[pjɛs]
pratique (adj.)	[pratik]
proche (adj.)	[prɔʃ]
proximité (n. f.)	[prɔksimite]
quartier (n. m.)	[kartje]
radiateur (n. m.)	[radjatœr]
rue (n. f.)	[ry]
salle de bain (n. f.)	[saldəbɛ̃]
salon (n. m.)	[salɔ̃]
se loger (v.)	[s(ə)lɔʒe]
s'installer (v.)	[sɛ̃stale]
spacieux(-se) (adj.)	[spasjø] / [spasjøz]
studio (n. m.)	[stydjo]
terrasse (n. f.)	[teras]
transport (n. m.)	[trɑ̃spɔr]
vis-à-vis (n. m.)	[vizavi]
voiture (n. f.)	[vwatyr]
vue (n. f.)	[vy]

LEÇON 2

accessibilité (n. f.)	[aksesibilite]
accueillant(e) (adj.)	[akœjɑ̃] / [akœjɑ̃t]
ambiance (n. f.)	[ɑ̃bjɑ̃s]
architecture (n. f.)	[arʃitɛktyr]
avantage (n. m.)	[avɑ̃taʒ]
balnéaire (adj.)	[balneɛr]
bas(se) (adj.)	[ba] / [bas]
bondé(e) (adj.)	[bɔ̃de]
cadre (n. m.)	[kadr]
campagne (n. f.)	[kɑ̃paɲ]
capitale (n. f.)	[kapital]
climat (n. m.)	[klima]
commune (n. f.)	[kɔmyn]
contemporain(e) (adj.)	[kɔ̃tɑ̃pɔrɛ̃] / [kɔ̃tɑ̃pɔrɛn]
convivialité (n. f.)	[kɔ̃vivjalite]
courses (n. f. pl.)	[kurs]
dynamisme (n. m.)	[dinamism]
éducation (n. f.)	[edykasjɔ̃]
embouteillage (n. m.)	[ɑ̃butɛjaʒ]
ensoleillement (n. m.)	[ɑ̃sɔlɛj(ə)mɑ̃]
environnement (n. m.)	[ɑ̃virɔn(ə)mɑ̃]
espace vert (n. m.)	[ɛspas vɛr]
inconvénient (n. m.)	[ɛ̃kɔ̃venjɑ̃]
magasin (n. m.)	[magazɛ̃]
marché (n. m.)	[marʃe]
médiéval(e) (adj.)	[medjeval]
métropole (n. f.)	[metrɔpɔl]
nautique (adj.)	[notik]
ouvert(e) (adj.)	[uvɛr] / [uvɛrt]
patrimoine (n. m.)	[patrimwan]
population (n. f.)	[pɔpylasjɔ̃]
réseau (n. m.)	[rezo]
rythme (n. m.)	[ritm]
se déplacer (v.)	[s(ə)deplase]
stressant(e) (adj.)	[stresɑ̃] / [stresɑ̃t]
stressé(e) (adj.)	[strese]
tranquillité (n. f.)	[trɑ̃kilite]
urbain(e) (adj.)	[yrbɛ̃] / [yrbɛn]
village (n. m.)	[vilaʒ]

LEÇON 3

aboyer (v.)	[abwaje]
abri (n. m.)	[abri]
arbuste (n. m.)	[arbyst]
autorisation (n. f.)	[otorizasjɔ̃]
baisser (v.)	[bese]
bien-vivre (n. m.)	[bjɛ̃vivr]
claquer (v.)	[klake]
collectif(-ive) (adj.)	[kɔlɛktif] / [kɔlɛktiv]
comportement (n. m.)	[kɔ̃pɔrtəmɑ̃]
copropriété (n. f.)	[kopropriete]
couloir (n. m.)	[kulwar]
crotte (n. f.)	[krɔt]
déchet (n. m.)	[deʃɛ]
défendu(e) (adj.)	[defɑ̃dy]
déjection (n. f.)	[deʒɛksjɔ̃]
détériorer (v.)	[deterjɔre]
devoir (v.)	[dəvwar]
emplacement (n. m.)	[ɑ̃plas(ə)mɑ̃]
escalier (n. m.)	[ɛskalje]
fleur (n. f.)	[flœr]
gardien(ne) (n.)	[gardjɛ̃] / [gardjɛn]
garer (v.)	[gare]
gêné(e) (adj.)	[ʒene]
habitat (n. m.)	[abita]
hall d'entrée (n. m.)	[ol dɑ̃tre]
indispensable (adj.)	[ɛ̃dispɑ̃sabl]
interdiction (n. f.)	[ɛ̃tɛrdiksjɔ̃]
interdit (e) (adj.)	[ɛ̃tɛrdi]
jardinière (n. f.)	[ʒardinjɛr]
jeter (v.)	[ʒəte] ou [ʃte]
laisse (n. f.)	[lɛs]

Lexique

local à poubelles (n. m.)	[lɔkalapubɛl]
matériel (n. m.)	[materjɛl]
mégot (n. m.)	[mego]
mur (n. m.)	[myr]
obligation (n. f.)	[ɔbligasjɔ̃]
palier (n. m.)	[palje]
pelouse (n. f.)	[p(ə)luz]
permis(e) (adj.)	[pɛrmi]
planter (v.)	[plɑ̃te]
poubelle (n. f.)	[pubɛl]
poussette (n. f.)	[pusɛt]
prévenir (v.)	[prev(ə)nir]
propreté (n. f.)	[prɔprəte]
ramasser (v.)	[ramase]
recommandation (n. f.)	[rəkɔmɑ̃dasjɔ̃]
règle (n. f.)	[rɛgl]
règlement (n. m.)	[rɛgləmɑ̃]
résidence (n. f.)	[rezidɑ̃s]
respect (n. m.)	[rɛspɛ]
respectueux(-euse) (adj.)	[rɛspɛktɥø] / [rɛspɛktɥøz]
salir (v.)	[salir]
savoir-vivre (n. m.)	[savwarvivr]
sécurité (n. f.)	[sekyrite]
tailler (v.)	[taje]
tondre (v.)	[tɔ̃dr]
trier (v.)	[trije]
voisin(e) (n.)	[vwazɛ̃] / [vwazin]
voisinage (n. m.)	[vwazinaʒ]

DOSSIER 4

LEÇON 1

alternance (n. f.)	[altɛrnɑ̃s]
boulot (n. m.)	[bulo]
brochure (n. f.)	[brɔʃyr]
caissier(-ère) (adj.)	[kɛsje] / [kɛsjɛr]
collège (n. m.)	[kɔlɛʒ]
collègue (n.)	[kɔlɛg]
compétence (n. f.)	[kɔ̃petɑ̃s]
comptabilité (n. f.)	[kɔ̃tabilite]
conférence (n. f.)	[kɔ̃ferɑ̃s]
connaissance (n. f.)	[kɔnɛsɑ̃s]
connaître (v.)	[kɔnɛtr]
contrat (n. m.)	[kɔ̃tra]
CDD (n. m.) contrat à durée déterminée	[sedede]
CDI (n. m.) contrat à durée indéterminée	[sedei]
descriptif (n. m.)	[dɛskriptif]
déterminé(e) (adj.)	[detɛrmine]
diplôme (n. m.)	[diplom]
directeur(-trice) (n.)	[dirɛktœr] / [dirɛktris]
domaine (n. m.)	[dɔmɛn]
durée (n. f.)	[dyre]
embaucher (v.)	[ɑ̃boʃe]
emploi (n. m.)	[ɑ̃plwa]
équation (n. f.)	[ekwasjɔ̃]
être à l'aise (v.)	[ɛtralɛz]
expérience (n. f.)	[ɛksperjɑ̃s]
formation (n. f.)	[fɔrmasjɔ̃]
gagner (v.)	[gaɲe]
garder (v.)	[garde]
informatique (n. f.)	[ɛ̃fɔrmatik]
job (n. m.)	[dʒɔb]
lancer (v.)	[lɑ̃se]
logiciel (n. m.)	[lɔʒisjɛl]
lycée (n. m.)	[lise]
maîtriser (v.)	[mɛtrize]
marketing (n. m.)	[marketiŋ]
mathématiques (n. f. pl.)	[matematik]
métier (n. m.)	[metje]
mission (n. f.)	[misjɔ̃]
oral (n. m.)	[ɔral]
orientation (n. f.)	[ɔrjɑ̃tasjɔ̃]
parole (n. f.)	[parɔl]
photographe (n.)	[fɔtɔgraf]
portrait (n. m.)	[pɔrtrɛ]
poste (n. m.)	[pɔst]
publier (v.)	[publije]
recruter (v.)	[rəkryte]
rémunération (n. f.)	[remynerasjɔ̃]
rémunéré(e) (adj.)	[remynere]
rentrée (n. f.)	[rɑ̃tre]
responsable (n. m.)	[rɛspɔ̃sabl]
salaire (n. m.)	[salɛr]
savoir (v.)	[savwar]
service civique (n. m.)	[sɛrvis(ə) sivik]
soutien scolaire (n. m.)	[sutjɛ̃skɔlɛr]
stage (n. m.)	[staʒ]
temps partiel (n. m.)	[tɑ̃parsjɛl]
traduire (v.)	[tradɥir]
travailler (v.)	[travaje]
vente (n. f.)	[vɑ̃t]

LEÇON 2

association (n. f.)	[asɔsjasjɔ̃]
attente (n. f.)	[atɑ̃t]
sabbatique (adj.)	[sabatik]
candidat(e) (n.)	[kɑ̃dida] / [kɑ̃didat]
candidature (n. f.)	[kɑ̃didatyr]
chômage (n. m.)	[ʃomaʒ]
complémentaire (adj.)	[kɔ̃plemɑ̃tɛr]
contribuer (v.)	[kɔ̃tribɥe]
bénévolat (n. m.)	[benevɔla]
CV (n. m.)	[seve]
début (n. m.)	[deby]
développer (v.)	[dev(ə)lɔpe]
école (n. f.)	[ekɔl]
effectuer (v.)	[efɛktɥe]
engagement (n. m.)	[ɑ̃gaʒ(ə)mɑ̃]
enthousiasme (n. m.)	[ɑ̃tuzjasm]
enthousiaste (adj.)	[ɑ̃tuzjast]
entretien d'embauche (n. m.)	[ɑ̃trətjɛ̃ dɑ̃boʃ]
esprit d'équipe (n. m.)	[ɛspridekip]
fin (n. f.)	[fɛ̃]
justifier (v.)	[ʒystifje]
motivation (n. f.)	[mɔtivasjɔ̃]
motivé(e) (adj.)	[mɔtive]
parcours (n. m.)	[parkur]
patron (n. m.)	[patrɔ̃]
performance (n. f.)	[pɛrfɔrmɑ̃s]
performant(e) (adj.)	[pɛrfɔrmɑ̃] / [pɛrfɔrmɑ̃t]
persévérance (n. f.)	[pɛrseverɑ̃s]
persévérant(e) (adj.)	[pɛrseverɑ̃] / [pɛrseverɑ̃t]
point fort (n. m.)	[pwɛ̃fɔr]
postuler (v.)	[pɔstyle]
qualification (n. f.)	[kalifikasjɔ̃]
questionner (v.)	[kɛstjɔne]
ravi(e) (adj.)	[ravi]
recruteur(-euse) (n.)	[rəkrytœr] / [rəkrytøz]
rigoureux(-euse) (adj.)	[rigurø] / [rigurøz]
rigueur (n. f.)	[rigœr]
rubrique (n. f.)	[rybrik]
savoir-faire (n. m.)	[savwarfɛr]
scolarité (n. f.)	[skɔlarite]
s'engager (v.)	[sɑ̃gaʒe]
s'impliquer (v.)	[sɛ̃plike]
volontaire (adj.)	[vɔlɔ̃tɛr]
volonté (n. f.)	[vɔlɔ̃te]

LEÇON 3

actualisation (n. f.)	[aktɥalizasjɔ̃]
baccalauréat (n. m.)	[bakalorea]
brevet (n. m.)	[brəvɛ]
carrière (n. f.)	[karjɛr]
changement (n. m.)	[ʃɑ̃ʒ(ə)mɑ̃]
classe (n. f.)	[klas]
création (n. f.)	[kreasjɔ̃]
concours (n. m.)	[kɔ̃kur]

conseiller(-ère) (n.)	[kɔ̃seje] / [kɔ̃sejɛr]
créer (v.)	[kree]
cursus (n. m.)	[kyrsys]
démarche (n. f.)	[demarʃ]
démarrer (v.)	[demare]
démission (n. f.)	[demisjɔ̃]
démissionner (v.)	[demisjɔne]
efficacité (n. f.)	[efikasite]
entreprise (n. f.)	[ɑ̃trəpriz]
évolution (n. f.)	[evɔlysjɔ̃]
expérimenté(e) (adj.)	[ɛksperimɑ̃te]
faciliter (v.)	[fasilite]
financement (n. m.)	[finɑ̃s(ə)mɑ̃]
formation (n. f.)	[fɔrmasjɔ̃]
indépendant(e) (adj.)	[ɛ̃depɑ̃dɑ̃] / [ɛ̃depɑ̃dɑ̃t]
insertion (n. f.)	[ɛ̃sɛrsjɔ̃]
licence (n. f.)	[lisɑ̃s]
master (n. m.)	[mastœr]
passer un concours (v.)	[paseɛ̃kɔ̃kur]
paysagiste (n.)	[peizaʒist]
rapidité (n. f.)	[rapidite]
reconversion (n. f.)	[rəkɔ̃vɛrsjɔ̃]
réussir (v.)	[reysir]
réussite (n. f.)	[reysit]
rêver (v.)	[reve]
salarié(e) (n.)	[salarje]
secteur (n. m.)	[sɛktœr]
se reconvertir (v.)	[s(ə)rəkɔ̃vɛrtir]
souhait (n. m.)	[swɛ]
souhaiter (v.)	[swɛte]
statut (n. m.)	[staty]
valider (v.)	[valide]
voie (n. f.)	[vwa]

DOSSIER 5
LEÇON 1

addition (n. f.)	[adisjɔ̃]
ambiance (n. f.)	[ɑ̃bjɑ̃s]
assiette (n. f.)	[asjɛt]
attentionné(e) (adj.)	[atɑ̃sjɔne]
carafe (n. f.)	[karaf]
carte (n. f.)	[kart]
chaleureux(-euse) (adj.)	[ʃalørø] / [ʃalørøz]
chic (adj.)	[ʃik]
convivial(e) (adj.)	[kɔ̃vivjal]
copieux(-euse) (adj.)	[kɔpjø] / [kɔpjøz]
créatif(-ive) (adj.)	[kreatif] / [kreativ]
cuisine (n. f.)	[kɥizin]
cuit(e) (adj.)	[kɥi] / [kɥit]
décontracté(e) (adj.)	[dekɔ̃trakte]

décor (n. m.)	[dekɔr]
dessert (n. m.)	[desɛr]
efficace (adj.)	[efikas]
elégant(e) (adj.)	[elegɑ̃] / [elegɑ̃t]
entrée (n. f.)	[ɑ̃tre]
épicé(e) (adj.)	[epise]
gastronomie (n. f.)	[gastrɔnɔmi]
gastronomique (adj.)	[gastrɔnɔmik]
goût (n. m.)	[gu]
inhabituel(le) (adj.)	[inabitɥɛl]
insolite (adj.)	[ɛ̃sɔlit]
intimiste (adj.)	[ɛ̃timist]
local(e) (adj.)	[lɔkal]
menu (n. m.)	[məny]
originalité (n. f.)	[ɔriʒinalite]
plat (n. m.)	[pla]
présenté(e) (adj.)	[prezɑ̃te]
raffiné(e) (adj.)	[rafine]
rapide (adj.)	[rapid]
rempli(e) (adj.)	[rɑ̃pli]
restaurant (n. m.)	[rɛstɔrɑ̃]
saison (n. f.)	[sɛzɔ̃]
salé(e) (adj.)	[sale]
service (n. m.)	[sɛrvis]
table (n. f)	[tabl]
typique (adj.)	[tipik]
vaisselle (n. f.)	[vɛsɛl]
varié(e) (adj.)	[varje]
verre (n. m.)	[vɛr]

LEÇON 2

accro (adj.)	[akro]
accrocher (v.)	[akrɔʃe]
acteur(-trice) (n.)	[aktœr] / [aktris]
action (n. f.)	[aksjɔ̃]
addictif(-ive) (adj.)	[aditif] / [aditiv]
affaire (n. f.)	[afɛr]
algorythme (n. m.)	[algɔritm]
bande-annonce (n. f.)	[bɑ̃danɔ̃s]
bouleversant(e) (adj.)	[bul(ə)vɛrsɑ̃] / [bul(ə)vɛrsɑ̃t]
captivant(e) (adj.)	[kaptivɑ̃] / [kaptivɑ̃t]
casting (n. m.)	[kastiŋ]
cinématographique (adj.)	[sinematɔgrafi]
comédien(ne) (n.)	[kɔmedjɛ̃] / [kɔmedjɛn]
comique (adj.)	[kɔmik]
criminel(le) (adj.)	[kriminɛl]
critique (n. f.)	[kritik]
émettre (v.)	[emɛtr]
dialogue (n. m.)	[djalɔg]
émotion (n. f.)	[emɔsjɔ̃]

émouvant(e) (adj.)	[emuvɑ̃] / [emuvɑ̃t]
épisode (n. m.)	[epizɔd]
exceptionnel(le) (adj.)	[ɛksɛpsjɔnɛl]
fou / folle (adj.)	[fu] / [fɔl]
génial(e) (adj.)	[ʒenjal]
genre (n. m.)	[ʒɑ̃r]
huis-clos (n. m.)	[ɥiklo]
incompris(e) (adj.)	[ɛ̃kɔ̃pri] / [ɛ̃kɔ̃priz]
intrigue (n. f.)	[ɛ̃trig]
magistral(e) (adj.)	[maʒistral]
manquer (v.)	[mɑ̃ke]
œuvre (n. f.)	[œvr]
oppressant(e) (adj.)	[ɔpresɑ̃] / [ɔpresɑ̃t]
original(e) (adj.)	[ɔriʒinal]
personnage (n. m.)	[pɛrsɔnaʒ]
plan (n. m.)	[plɑ̃]
plateforme (n. f.)	[plat(ə)fɔrm]
pleurer (v.)	[plœre]
réalisateur(-trice) (n.)	[realizatœr] / [realizatris]
rebondissement (n. m.)	[rəbɔ̃dis(ə)mɑ̃]
recruter (v.)	[rəkryte]
remarquable (adj.)	[rəmarkabl]
résoudre (v.)	[rezudr]
rôle (n. m.)	[rol]
saison (n. f.)	[sɛzɔ̃]
scénario (n. m.)	[senarjo]
scénariste (n.)	[senarist]
scène (n. f.)	[sɛn]
série (n. f.)	[seri]
solitaire (adj.)	[sɔlitɛr]
sombre (adj.)	[sɔ̃br]
sortie (n. f.)	[sɔrti]
succès (n. m.)	[syksɛ]
suspense (n. m.)	[syspɛns]
terrible (adj.)	[tɛribl]
thriller (n. m.)	[trilœr]

LEÇON 3

atteindre (v.)	[atɛ̃dr]
décorateur(-trice) (n.)	[dekɔratœr] / [dekɔratris]
documentaire (n. m.)	[dɔkumɑ̃tɛr]
chanson (n. f.)	[ʃɑ̃sɔ̃]
chant (n. m.)	[ʃɑ̃]
chorale (n. f.)	[kɔral]
comédie musicale (n. f.)	[kɔmedi myzikal]
composer (v.)	[kɔ̃poze]
compositeur(-trice) (n.)	[kɔ̃pozitœr] / [kɔ̃pozitris]
composition (n. f.)	[kɔ̃pozisjɔ̃]

45

Lexique

concert (n. m.)	[kɔ̃sɛr]
court-métrage (n. m.)	[kurmetraʒ]
craindre (n. m.)	[krɛ̃dr]
défilé de mode (n. m.)	[defiled(ə)mɔd]
dessiner (v.)	[desine]
écriture (n. f.)	[ekrityr]
enregistrer (v.)	[ɑ̃rəʒistre]
fabrication (n. f.)	[fabrikasjɔ̃]
fabriquer (v.)	[fabrike]
film (n. m.)	[film]
fresque (n. f.)	[frɛsk]
joindre (v.)	[ʒwɛ̃dr]
montage (n. m.)	[mɔ̃taʒ]
musicien(ne) (n.)	[myzisjɛ̃] / [myzisjɛn]
musique (n. f.)	[myzik]
orchestre (n. m.)	[ɔrkɛstr]
organisateur(-trice) (n.)	[ɔrganizatœr] / [ɔrganizatris]
peindre (v.)	[pɛ̃dr]
projection (n. f.)	[prɔʒɛksjɔ̃]
projeter (v.)	[prɔʒəte] ou [prɔʃte]
rejoindre (v.)	[rəʒwɛ̃dr]
répéter (v.)	[repete]
répétition (n. f.)	[repetisjɔ̃]
représentation (n. f.)	[rəprezɑ̃tasjɔ̃]
salle (n. f.)	[sal]
secret(-ète) (adj.)	[səkrɛ] / [səkrɛt]
spectacle (n. m.)	[spɛktakl]
talent (n. m.) jeune talent	[talɑ̃] [ʒœntalɑ̃]
tournage (n. m.)	[turnaʒ]
tourner (v.)	[turne]

DOSSIER 6

LEÇON 1

amazonien(ne) (adj.)	[amazɔnjɛ̃] / [amazɔnjɛn]
aménagé(e) (adj.)	[amenaʒe]
arènes (n. f. pl)	[arɛn]
avion (n. m.)	[avjɔ̃]
bateau (n. m.)	[bato]
cabane (n. f.)	[kaban]
canyon (n. m.)	[kaɲɔn]
cascade (n. f.)	[kaskad]
chalet (n. m.)	[ʃalɛ]
chambre d'hôtes (n. f.)	[ʃɑ̃brədot]
choisir (v.)	[ʃwazir]
cocon (n. m.)	[kɔkɔ̃]
container (n. m.)	[kɔ̃tenɛr]

désert (n. m.)	[dezɛr]
destination (n. f.)	[dɛstinasjɔ̃]
doré(e) (adj.)	[dɔre]
dune (n. f.)	[dyn]
étonnant(e) (adj.)	[etɔnɑ̃] / [etɔnɑ̃t]
évoquer (v.)	[evɔke]
falaise (n. f.)	[falɛz]
flamboyant(e) (adj.)	[flɑ̃bwajɑ̃] / [flɑ̃bwajɑ̃t]
forêt (n. f.)	[fɔrɛ]
forum (n. m.)	[fɔrɔm]
géant(e) (adj.)	[ʒeɑ̃] / [ʒeɑ̃t]
gigantesque (adj.)	[ʒigɑ̃tɛsk]
gîte (n. m.)	[ʒit]
gorge (n. f.)	[gɔrʒ]
hébergement (n. m.)	[ebɛrʒəmɑ̃]
impact (n. m.)	[ɛ̃pakt]
inaccessible (adj.)	[inaksesibl]
incroyable (adj.)	[ɛ̃krwajabl]
inspiration (n. f.)	[ɛ̃spirasjɔ̃]
jungle (n. f.)	[ʒɛ̃gl]
lac (n. m.)	[lak]
liane (n. f.)	[ljan]
marais (n. m.)	[marɛ]
montagne (n. f.)	[mɔ̃taɲ]
océan (n. m.)	[ɔseɑ̃]
paysage (n. m.)	[peizaʒ]
palmier (n. m.)	[palmje]
passerelle (n. f.)	[pas(ə)rɛl]
photo (n. f.)	[foto]
pin (n. m.)	[pɛ̃]
recyclé(e) (adj.)	[rəsikle]
ressembler (v.)	[rəsɑ̃ble]
roche (n. f.)	[rɔʃ]
roulotte (n. f.)	[rulɔt]
sédentaire (adj.)	[sedɑ̃tɛr]
sentier (n. m.)	[sɑ̃tje]
similaire (adj.)	[similɛr]
stocker (v.)	[stɔke]
stupéfiant(e) (adj.)	[stypefjɑ̃] / [stypefjɑ̃t]
tente (n. f.)	[tɑ̃t]
trek (n. m.)	[trɛk]
tropical(e) (adj.)	[trɔpikal]
turquoise (adj.)	[tyrkwaz]
vertigineux(-euse) (adj.)	[vɛrtiʒinø] / [vɛrtiʒinøz]

LEÇON 2

aller (n. m.)	[ale]
aller-retour (n. m.)	[aler(ə)tur]
bagages (n. m. pl.)	[bagaʒ]
briser (v.)	[brize]

carnaval (n. m.)	[karnaval]
chaussons (n. m. pl.)	[ʃosɔ̃]
circuit (n. m.)	[sirkɥi]
créole (n. m.)	[kreɔl]
défilé (n. m.)	[defile]
défiler (v.)	[defile]
déguisé(e) (adj.)	[degize]
embarquement (n. m.)	[ɑ̃barkəmɑ̃]
empire (n. m.)	[ɑ̃pir]
enregistrement (n. m.)	[ɑ̃rəʒistrəmɑ̃]
esclave (n.)	[ɛsklav]
excursion (n. f.)	[ɛkskyrsjɔ̃]
formalité (n. f.)	[fɔrmalite]
givré(e) (adj.)	[ʒivre]
guide conférencier (n. m.)	[gidkɔ̃ferɑ̃sje]
marionnette (n. f.)	[marjɔnɛt]
masque (n. m.)	[mask]
organisé(e) (adj.)	[ɔrganize]
parade (n. f.)	[parad]
pension (n. f.)	[pɑ̃sjɔ̃]
périmé(e) (adj.)	[perime]
politesse (n. f.)	[pɔlitɛs]
sieste (n. f.)	[sjɛst]
supplément (n. m)	[syplemɑ̃]
tenue (n. f.)	[təny]
transfert (n. m.)	[trɑ̃sfɛr]
valide (adj.)	[valid]
validité (n. f.)	[validite]
vol (n. m.)	[vɔl]

LEÇON 3

admirer (v.)	[admire]
arrêter (v.)	[arete]
assumer (v.)	[asyme]
aventure (n. f.)	[avɑ̃tyr]
bivouaquer (v.)	[bivwake]
briquet (n. m.)	[brikɛ]
challenge (n. m.)	[tʃalɑ̃ʒ]
confort (n. m.)	[kɔ̃fɔr]
curieux(-euse) (adj.)	[kyrjø] / [kyrjøz]
découragé(e) (adj.)	[dekuraʒe]
défi (n. m.)	[defi]
déguster (v.)	[degyste]
écouter (v.)	[ekute]
épuisé(e) (adj.)	[epɥize]
étonné(e) (adj.)	[etɔne]
exploit (n. m.)	[ɛksplwa]
faire du bien (v.)	[fɛrdybjɛ̃]
fier(-ère) (adj.)	[fjɛr]
parader (v.)	[parade]

inquiet(-ète) (adj.)	[ɛ̃kjɛ] / [ɛ̃kjɛt]	investigation (n. f.)	[ɛ̃vɛstigasjɔ̃]	majorité (n. f.)	[maʒɔrite]
lampe frontale (n. f.)	[lɑ̃p]	journal télévisé (n. m.)	[ʒurnal televize]	marathon (n. m.)	[maratɔ̃]
matelas (n. m.)	[mat(ə)la]			match (n. m.)	[matʃ]
odeur (n. f.)	[ɔdœr]	live (n.)	[lajv]	médaille (n. f.)	[medaj]
odorat (n. m.)	[ɔdɔra]	magazine (n. m.)	[magazin]	médiatisation (n. f.)	[medjatizasjɔ̃]
ouïe (n. f.)	[wi]	média (n. m.)	[medja]	moitié (n. f.)	[mwatje]
paniqué(e) (adj.)	[panike]	médiatique (adj.)	[medjatik]	paralympique (adj.)	[paralɛ̃pik]
paresseux(-euse) (adj.)	[paresø] / [paresøz]	oppressé(e) (adj.)	[ɔprese]	participant(e) (n.)	[partisipɑ̃] / [partisipɑ̃t]
randonnée (n. f.)	[rɑ̃dɔne]	percuter (v.)	[pɛrkyte]	présélection (n. f.)	[preselɛksjɔ̃]
randonner (v.)	[rɑ̃dɔne]	piège (n. m.)	[pjɛʒ]	quart de finale (n. m.)	[kardəfinal]
sac de couchage (n. m.)	[sakdəkuʃaʒ]	piéton (n. m.)	[pjetɔ̃]	remporter (v.)	[rɑ̃pɔrte]
s'angoisser (v.)	[sɑ̃gwase]	porter plainte (v.)	[pɔrteplɛ̃t]	se demander (v.)	[səd(ə)mɑ̃de] ou [s(ə)dəmɑ̃de]
se dépêcher (v.)	[s(ə)depeʃe]	presse (n. f.)	[prɛs]	se dérouler (v.)	[s(ə)derule]
se détendre (v.)	[s(ə)detɑ̃dr]	provoquer (v.)	[prɔvɔke]	s'entraîner (v.)	[sɑ̃trɛne]
sensation (n. f.)	[sɑ̃sasjɔ̃]	prudence (n. f.)	[prydɑ̃s]	tournoi (n. m.)	[turnwa]
sentir (v.)	[sɑ̃tir]	revendiquer (v.)	[revɑ̃dike]	victoire (n. f.)	[viktwar]
toucher (n. m.)	[tuʃe]	rubrique (n. f.)	[rybrik]		
transition (n. f.)	[trɑ̃zisjɔ̃]	rumeur (n. f.)	[rymœr]		
trousse de secours (n. f.)	[trusdəs(ə)kur]	se déclarer (v.)	[s(ə)deklare]		
		s'informer (v.)	[sɛ̃fɔrme]		
		source (n. f.)	[surs]		

DOSSIER 7

LEÇON 1

		surinformation (n. f.)	[syrɛ̃fɔrmasjɔ̃]	**LEÇON 3**	
		suspect (n. m.)	[syspɛ]	accord (n. m.)	[akɔr]
accident (n. m.)	[aksidɑ̃]	télévisé(e) (adj.)	[televize]	anticipation (n. f.)	[ɑ̃tisipasjɔ̃]
actualité (n. f.)	[aktɥalite]	une (n. f.)	[yn]	autobiographie (n. f.)	[ɔtɔbjɔgrafi]
authenticité (n. f.)	[otɑ̃tisite]	violent(e) (adj.)	[vjɔlɑ̃] / [vjɔlɑ̃t]	avis (n. m.)	[avi]
brillant(e) (adj.)	[brijɑ̃] / [brijɑ̃t]	vision (n. f.)	[vizjɔ̃]	bande dessinée (n. f.)	[bɑ̃desine]
cause (n. f.)	[koz]	**LEÇON 2**		burlesque (adj.)	[byrlɛsk]
collision (n. f.)	[kɔlizjɔ̃]	ajouter (v.)	[aʒute]	chronique (n. f.)	[krɔnik]
continu (adj.)	[kɔ̃tiny]	athlète (n.)	[atlɛt]	commentaire (n. m.)	[kɔmɑ̃tɛr]
crédible (adj.)	[kredibl]	athlétisme (n. m.)	[atletism]	compulsif(-ive) (adj.)	[kɔ̃pylsif] / [kɔ̃pylsiv]
cyberattaque (n. f.)	[sibɛratak]	champion(ne) (n.)	[ʃɑ̃pjɔ̃] / [ʃɑ̃pjɔn]	conte (n. m.)	[kɔ̃t]
déconstruire (v.)	[dekɔ̃strɥir]	compétition (n. f.)	[kɔ̃petisjɔ̃]	criminel(le) (n. et adj.)	[kriminɛl]
désinformation (n. f.)	[dezɛ̃fɔrmasjɔ̃]	coureur(-euse) (n.)	[kurœr] / [kurøz]	cumuler (v.)	[kymyle]
diffuser (v.)	[difyze]	course (n. f.)	[kurs]	drame (n. m.)	[dram]
direct (n. m.)	[dirɛkt]	débutant(e) (n.)	[debytɑ̃] / [debytɑ̃t]	désaccord (n. m.)	[dezakɔr]
discret(-ète) (adj.)	[diskrɛ] / [diskrɛt]	déclarer (v.)	[deklare]	détendu(e) (adj.)	[detɑ̃dy]
distant(e) (adj.)	[distɑ̃] / [distɑ̃t]	défaite (n. f.)	[defɛt]	essai (n. m.)	[esɛ]
donnée (n. f.)	[dɔne]	demi-finale (n. f.)	[d(ə)mifinal]	fiction (n. f.)	[fiksjɔ̃]
enquête	[ɑ̃kɛt]	désintérêt (n. m.)	[dezɛ̃terɛ]	héroïc fantasy (n. f.)	[eroik fɑ̃tɛzi]
éteindre (v.)	[etɛ̃dr]	dossard (n. m.)	[dɔsar]	héros (n. m)	[ero]
fait-divers (n. m.)	[fɛdivɛr]	entente (n. f.)	[ɑ̃tɑ̃t]	histoire (n. f.)	[istwar]
fiable (adj.)	[fjabl]	entraîneur(-euse) (n.)	[ɑ̃trɛnœr] / [ɑ̃trɛnøz]	légendaire (adj.)	[leʒɑ̃dɛr]
hacker (n. m.)	[akœr]	épreuve (n. f.)	[eprœv]	léger(ère) (adj.)	[leʒe] / [leʒɛr]
incendie (n. m.)	[ɛ̃sɑ̃di]	équipe (n. f.)	[ekip]	libraire (n.)	[librɛr]
info (n. f.)	[ɛ̃fo]	estimer (v.)	[ɛstime]	littéraire (adj.)	[literɛr]
informationnel(le) (adj.)	[ɛ̃fɔrmasjɔnɛl]	finale (n. f.)	[final]	littérature (n. f.)	[literatyr]
infox (n. f.)	[ɛ̃fɔks]	handisport (n. m.)	[ɑ̃dispɔr]	manga (n. m.)	[mɑ̃ga]
interpeller (v.)	[ɛ̃tɛrpəle]	jeux olympiques (n. m. pl.)	[ʒøzɔlɛ̃pik]	merveilleux(se) (adj.)	[mɛrvejø] / [mɛrvejøz]
				narratif(-ive) (adj.)	[naratif] / [narativ]
				obsessionnel(le) (adj.)	[ɔpsesjɔnɛl]
				papier (n. m.)	[papje]

Lexique

passionnant(e) (adj.)	[pasjɔnɑ̃] / [pasjɔnɑ̃t]
plaire (v.)	[plɛr]
polar (n. m.)	[pɔlar]
profil (n. m.)	[prɔfil]
raison (n. f.)	[rezɔ̃]
roman (n. m.)	[rɔmɑ̃]
romantique (adj.)	[rɔmɑ̃tik]
science-fiction (n. f.)	[sjɑ̃sfiksjɔ̃]
style (n. m.)	[stil]
ton (n. m.)	[tɔ̃]
véritable (adj.)	[veritabl]

DOSSIER 8

LEÇON 1

adolescence (n. f.)	[adɔlesɑ̃s]
aïeux (n. m. pl.)	[ajø]
ancêtres (n. m. pl.)	[ɑ̃sɛtr]
arrière-grand-parent (n. m.)	[arjɛrgrɑ̃parɑ̃]
arrière-petit-enfant (n. m.)	[arjɛrpətizɑ̃fɑ̃]
ascension (n. f.)	[asɑ̃sjɔ̃]
beau-frère (n. m.)	[bofrɛr]
beau-père (n. m.)	[bopɛr]
belle-mère (n. f.)	[bɛlmɛr]
biographie (n. f.)	[bjɔgrafi]
branche (n. f.)	[brɑ̃ʃ]
découverte (n. f.)	[dekuvɛrt]
descendant(e) (n.)	[desɑ̃dɑ̃] / [desɑ̃dɑ̃t]
émigrer (v.)	[emigre]
enfance (n. f.)	[ɑ̃fɑ̃s]
entourage (n. m.)	[ɑ̃turaʒ]
épouser (v.)	[epuze]
familial(e) (adj.)	[familjal]
généalogie (n. f.)	[ʒenealɔʒi]
généalogique (adj.)	[ʒenealɔʒik]
génération (n. f.)	[ʒenerasjɔ̃]
jeunesse (n. f.)	[ʒœnɛs]
lien (n. m.)	[ljɛ̃]
maternel(le) (adj.)	[matɛrnɛl]
mémoire (n. f.)	[memwar]
mort (n. f.)	[mɔr]
naissance (n. f.)	[nesɑ̃s]
origine (n. f.)	[ɔriʒin]
paternel(le) (adj.)	[patɛrnɛl]
pauvreté (n. f.)	[povrəte]
petit-enfant (n. m.)	[p(ə)tizɑ̃fɑ̃]
recherche (n. f.)	[rəʃɛrʃ]
récit (n. m.)	[resi]
trace (n. f.)	[tras]
transmettre (v.)	[trɑ̃smɛtr]
vieillesse (n. f.)	[vjejɛs]

LEÇON 2

améliorer (v.)	[ameljɔre]
apparaître (v.)	[aparɛtr]
apparition (n. f.)	[aparisjɔ̃]
archéologique (adj.)	[arkeɔlɔʒik]
aspirateur (n. m.)	[aspiratœr]
ballon (n. m.)	[balɔ̃]
bille (n. f.)	[bij]
blouse (n. f.)	[bluz]
capsule (n. f.)	[kapsyl]
collection (n. f.)	[kɔlɛksjɔ̃]
console (n. f.)	[kɔ̃sɔl]
dégradation (n. f.)	[degradasjɔ̃]
dégrader (v.)	[degrade]
disparition (n. f.)	[disparisjɔ̃]
encre (n. f.)	[ɑ̃kr]
évoluer (v.)	[evɔlɥe]
feutre (n. m.)	[føtr]
four (n. m.)	[fur]
frigo (n. m.)	[frigo]
grille-pain (n. m.)	[grijpɛ̃]
innovation (n. f.)	[inɔvasjɔ̃]
jeu de société (n. m.)	[ʒød(ə)sɔsjete]
manuel(le) (adj.)	[manɥɛl]
mixeur (n. m.)	[miksœr]
mixte (adj.)	[mikst]
moulin à café (n. m.)	[mulɛ̃akafe]
outil (n. m.)	[uti]
petite voiture (n. f.)	[p(ə)titvwatyr]
porte-plume (n. m.)	[pɔrtəplym]
quotidien (n. m.)	[kɔtidjɛ̃]
râpe à fromage (n. f.)	[rapafrɔmaʒ]
révolution (n. f.)	[revɔlysjɔ̃]
révolutionner (v.)	[revɔlysjɔne]
stylo (n. m.)	[stilo]
temporel(le) (adj.)	[tɑ̃pɔrɛl]
trousse (n. f.)	[trus]

LEÇON 3

accès (n. m.)	[aksɛ]
accessible (adj.)	[aksɛsibl]
agir (v.)	[aʒir]
alimentation (n. f.)	[alimɑ̃tasjɔ̃]
amélioration (n. f.)	[ameljɔrasjɔ̃]
avenir (n. m.)	[av(ə)nir]
bien (n. m.)	[bjɛ̃]
biodiversité (n. f.)	[bjɔdivɛrsite]
climatique (adj.)	[klimatik]
construction (n. f.)	[kɔ̃stryksjɔ̃]
construire (v.)	[kɔ̃strɥir]
cultiver (v.)	[kyltive]
défendre (v.)	[defɑ̃dr]
dérèglement (n. m.)	[derɛgləmɑ̃]
destruction (n. f.)	[dɛstryksjɔ̃]
détruire (v.)	[detrɥir]
discrimination (n. f.)	[diskriminasjɔ̃]
droit (n. m.)	[drwa]
durable (adj.)	[dyrabl]
ébloui(e) (adj.)	[eblwi]
égalité (n. f.)	[egalite]
épanoui(e) (adj.)	[epanwi]
équitable (adj.)	[ekitabl]
espérer (v.)	[ɛspere]
espoir (n. m.)	[ɛspwar]
essentiel(le) (adj.)	[esɑ̃sjɛl]
favoriser (v.)	[favɔrize]
fondamental(e) (adj.)	[fɔ̃damɑ̃tal]
grossesse (n. f.)	[grɔsɛs]
humain(e) (adj.)	[ymɛ̃] / [ymɛn]
impact (n. m.)	[ɛ̃pakt]
inclusif(-ive) (adj.)	[ɛ̃klyzif] / [ɛ̃klyziv]
inclusion (n. f.)	[ɛ̃klyzjɔ̃]
inégalité (n. f.)	[inegalite]
liberté (n. f.)	[libɛrte]
lutter (v.)	[lyte]
malhonnête (adj.)	[malɔnɛt]
manifeste (n. m.)	[manifɛst]
manque (n. m.)	[mɑ̃k]
menteur(se) (adj.)	[mɑ̃tœr]
naturel(le) (adj.)	[natyrɛl]
nécessaire (adj.)	[nesesɛr]
pollution (n. f.)	[pɔlysjɔ̃]
primordial(e) (adj.)	[primɔrdjal]
production (n. f.)	[prɔdyksjɔ̃]
produire (v.)	[prɔdɥir]
réchauffement (n. m.)	[reʃof(ə)mɑ̃]
réduction (n. f.)	[redyksjɔ̃]
réduire (v.)	[redɥir]
respecter (v.)	[rɛspɛkte]
ressource (n. f.)	[rəsurs]
rêve (n. m.)	[rɛv]
sain(e) (adj.)	[sɛ̃] / [sɛn]
se battre (v.)	[səbatr]
social(e) (adj.)	[sɔsjal]
solidaire (adj.)	[sɔlidɛr]
solidarité (n. f.)	[sɔlidarite]
sonore (adj.)	[sɔnɔr]
uni(e) (adj.)	[yni]
urgent(e) (adj.)	[yrʒɑ̃] / [yrʒɑ̃t]
valeur (n. f.)	[valœr]